Matlab und Simu

scientific tools

Ottmar Beucher

Matlab und Simulink

Grundlegende Einführung

Zweite Auflage

ein Imprint der Pearson Education Deutschland GmbH

Die Deutsche Bibliothek – CIP-Einheitsaufnahme

Ein Titelsatz für diese Publikation ist bei
Der Deutschen Bibliothek erhältlich

Umwelthinweis: Dieses Buch wurde auf chlorfrei gebleichtem Papier gedruckt. Die Einschrumpffolie – zum Schutz vor Verschmutzung – ist aus umweltverträglichem und recyclingfähigem PE-Material.

10 9 8 7 6 5 4 3 2 1

04 03 02

ISBN 3-8273-7042-6

Lektorat: Irmgard Wagner, Planegg, Irmgard.Wagner@munich.netsurf.de
Korrektorat: Andrea Stumpf, München
Einbandgestaltung: dyadesign, Düsseldorf
Satz: Hilmar Schlegel, Berlin – gesetzt in Linotype Sabon, ITC Franklin Gothic
Druck und Verarbeitung: Kösel, Kempten (www.koeselbuch.de)
Printed in Germany

Inhaltsverzeichnis

Vorwort

Das vorliegende Buch richtet sich vorwiegend an Ingenieurstudenten der ersten Studiensemester, die nach einer Einführung in den Umgang mit MATLAB und Simulink suchen, welche sich an den Kenntnissen und Bedürfnissen eines Studienanfängers orientiert. Der Autor hat sich dabei auf diejenigen Aspekte von MATLAB und Simulink konzentriert, deren Kenntnis seines Erachtens für Ingenieurstudenten technischer Fächer notwendig sind.

Zum Verständnis des Inhalts dieses Buches sind daher nur einige Grundkenntnisse der Mathematik, hier insbesondere der gewöhnlichen Differentialgleichungen [14, 19], der Programmierung sowie der Physik vorausgesetzt [18]. Diese Kenntnisse werden im Allgemeinen im Rahmen der ersten zwei bis drei Semester eines technischen Ingenieurstudiums erworben. Darüber hinausgehende Kenntnisse in Regelungstechnik, Signalverarbeitung und Kommunikation, wie sie z.B. die hervorragenden Bücher von J. Hoffmann [8, 9, 10] voraussetzen, sind für die vorliegende Einführung nicht vonnöten.

Unter diesen Bedingungen könnte das vorliegende Buch darüber hinaus auch für schon im Beruf stehende Ingenieure interessant sein, die nach einer Kurzeinführung in MATLAB und Simulink suchen, aber auf Grund eines länger zurückliegenden Studiums nicht mehr ohne größeren Nacharbeitungsaufwand über die Spezialkenntnisse verfügen, die für spezielle Beispiele aus den für die Anwendung der beiden Softwarewerkzeuge interessanten Gebieten unabdingbar wären. Die für das Verständnis des vorliegenden Buches notwendigen Kenntnisse hat ein Ingenieur dagegen auch noch Jahre nach seinem Studium.

Das Buch ist in drei Kapitel unterteilt:

Das erste Kapitel befasst sich mit den grundlegenden Prinzipien von MATLAB. Es erläutert das zu Grunde liegende Konzept, den Umgang mit den wesentlichsten Befehlen und Operationen und die Grundlagen von MATLAB als Programmiersprache. Ein Schwerpunkt des Kapitels ist, wie auch in Kapitel 2, die numerische Lösung von gewöhnlichen Differentialgleichungen.

Darüber hinaus finden sich hier einige Bemerkungen zur *Symbolics Toolbox*, welche den Kern des Computeralgebra-Programms MAPLE dem MATLAB-Anwender zugänglich macht und damit auch unter MATLAB symbolische Berechnungen ermöglicht. Außerdem wird noch auf einige unter MATLAB 5 neue Eigenschaften des MATLAB-Editors eingegangen.

Das zweite Kapitel führt in den Gebrauch von Simulink ein. Schwerpunkt ist hier die Lösung von gewöhnlichen Differentialgleichungen bzw. Differentialgleichungssystemen und damit die Simulation von dynamischen Systemen. Hier sind durch den Übergang von Simulink 1.3 auf Simulink 3 einige Neuerungen gegenüber den Vorgängerversionen zu erwähnen. Insbesondere hat sich die Kommunikation zwischen MATLAB und Simulink an entscheidenden Stellen verändert.

Ein besonderes Augenmerk wird in Kapitel 2 auch auf die verschiedenen Techniken der Interaktion zwischen MATLAB und Simulink gelegt. So wird etwa gezeigt, wie man die Ausführung von Simulink-Simulationen unter MATLAB automatisieren kann.

Beide Kapitel sind durch eine große Anzahl an Übungsaufgaben ergänzt, die so angelegt sind, dass sie der Leser beim Durcharbeiten des Buches bearbeiten sollte, *bevor* er mit dem nächsten Teilabschnitt beginnt! Die Übungen sind integraler Bestandteil der Abschnitte und sollten unbedingt sofort selbstständig am Rechner bearbeitet werden, da nur so ein Lerneffekt erzielt werden kann.

In Kapitel 3 sind die vorgeschlagenen Übungen der ersten beiden Kapitel *mit vollständiger Lösung* wiedergegeben. Alle Lösungen, ebenso wie die in den Kapiteln vorgestellten Programmbeispiele, finden Sie darüber hinaus in Form von Dateien in der *Begleitsoftware*, so dass eine Kontrolle der eigenen Lösungen der Übungen am Rechner jederzeit möglich ist.

Das Buch ist dadurch auch für ein Selbststudium geeignet.

Abschließend möchte der Autor nicht versäumen, noch einigen Personen zu danken, die die Entstehung dieses Buches direkt oder indirekt unterstützt haben.

Der Dank gilt zuerst den Kollegen Helmut Scherf und Josef Hoffmann für ihre zahlreichen Hinweise und Diskussionen zum Thema. Nicht zuletzt ihrer Initiative und ihrem Einsatz ist es zu verdanken, dass MATLAB und Simulink im Rahmen der Ausbildung an der Fachhochschule Karlsruhe – Hochschule für Technik eine herausragende Bedeutung erlangt haben. Die Verbreitung dieser Werkzeuge in der Industrie bestätigt deren hohen Nutzen.

Ferner danke ich den Studierenden des Studiengangs „Fahrzeugtechnologie“ im Fachbereich Mechatronik, die in einigen, der Entstehung des Buches vorangegangenen einwöchigen Kompaktkursen als „Versuchskaninchen“ herhalten mussten. Natürlich hatten die (bewussten und unbewussten) Reaktionen der Studierenden großen Einfluss auf das Werden des vorliegenden Buches. Stellvertretend für alle danke ich Herrn Dietmar Moritz für einige wertvolle Hinweise, die in das vorliegende Buch direkt eingearbeitet werden konnten.

Zuletzt möchte ich Frau Irmgard Wagner danken, die als zuständige Lektorin von Addison-Wesley dieses Buchprojekt gefördert und begleitet hat.

Lingenfeld, Kaiserslautern und
Karlsruhe, Februar 2000 *Ottmar Beucher*

Einige Bemerkungen zur zweiten Auflage

Nachdem seit Erscheinen der ersten Auflage zwei Jahre vergangen sind, ist die Entwicklung von MATLAB und Simulink natürlich nicht stehen geblieben.

Inzwischen sind MATLAB 6 und Simulink 4 auf dem Markt und es haben sich einige, wenn auch für den Stoff des vorliegenden Buches nicht gravierende Änderungen ergeben.

Die zweite Auflage trägt diesen Änderungen Rechnung. Hauptsächlich betreffen diese die Arbeitsoberfläche von MATLAB und Simulink, es sind aber auch ein paar inhaltliche Dinge hinzugekommen, wie etwa die, durch die Einführung so genannter *function handles* hervorgerufene veränderte Übergabekonvention für Funktionsparameter. Diese sollte insbesondere bei der Lösung von Differentialgleichungen unter MATLAB beachtet werden.

Die Gelegenheit wurde aber auch genutzt, noch einige wenige Dinge hinzuzufügen, die in der ersten Auflage nicht enthalten waren. So werden beispielsweise in einem kurzen Abschnitt nun doch Strukturen behandelt, dem `Fcn`-Block von Simulink wird der Raum eingeräumt, der ihm auf Grund seiner praktischen Bedeutung zusteht und es wird kurz erläutert, wie man Simulink-Subsysteme entwirft.

Auch die neuen Themen sind selbstverständlich wieder mit entsprechenden Übungen unterlegt.

Lingenfeld und Karlsruhe,
April 2002 *Ottmar Beucher*

Hinweise zur Begleitsoftware

Alle in dem vorliegenden Buch abgedruckten Programme befinden sich auf der zum Buch gehörigen CD-ROM. Die Programme sind natürlich weit ausführlicher kommentiert als in den abgedruckten Auszügen. Dies gilt insbesondere für die aus Platzgründen zum Teil gekürzten Lösungen der Übungen.

Um dem Leser Auffinden der Programme im Text zu erleichtern, ist am Ende des Buches ein Begleitsoftwareindex abgedruckt.

Hinweise zur Notation

Im vorliegenden Buch ist MATLAB-Code grundsätzlich in der Schriftart `typerwriter` gesetzt. Gleiches gilt für MATLAB-Kommandos, welche zum Lieferumfang von MATLAB gehören, etwa das Kommando `whos` oder die Funktion `ode23`.

MATLAB-Kommandos, welche auf den vom Autor geschriebenen Programmen beruhen (vgl. Begleitsoftware) sind dagegen in der Schriftart **boldface** gesetzt, also etwa das Kommando **FInput**.

In **boldface** sind auch Simulink-Systeme angegeben sowie grundsätzlich alle Dateinamen (diese tragen dann stets eine Endung). Beispiele dafür sind **s_LsgDiff**, **s_LsgDiff.mdl** oder **FInput.m**.

Simulink-Systeme, welche zum Lieferumfang gehören sowie Parameter von Simulink-Systemen sind wiederum generell in `typerwriter` gesetzt, z.B. der Parameter `Amplitude` des Simulink-Blocks `Sine Wave`.

Simulink-Systeme, welche vom Autor erstellt wurden, beginnen stets mit einem **s_** im Namen. Dies hat historische Gründe. Vor MATLAB 5 waren sowohl MATLAB-Programme als auch Simulink-Systeme m-Files. Da die Simulink-Systeme ab MATLAB 5 die Endung *.mdl tragen, wäre die Unterscheidung durch vorangestelltes **s_** im Grunde nicht mehr nötig gewesen. Ein zweites Unterscheidungsmerkmal kann allerdings auch nicht schaden, daher wurde die Namenskonvention beibehalten.

Gleichungen sind entsprechend ihrer Seite nummeriert. So bedeutet die Referenz auf Gleichung 80.2, dass die entsprechende Gleichung auf der Seite 80 zu finden ist und dort die zweite (nummerierte) Gleichung ist.

Metanamen, d.h. Namen in Kommandos, die beim Aufruf durch die eigentliche Namen zu ersetzen sind, werden in < ... > gesetzt. Die Formulierung `help <Kommandoname>` bedeutet also, dass beim Aufruf `<Kommandoname>` durch das eigentliche Kommando ersetzt werden muss, für das man die Hilfe einsehen will. Die Klammern dürfen dabei nicht eingegeben werden.

KAPITEL 1

Einführung in MATLAB ®

In diesem Kapitel werden die grundlegenden Eigenschaften und Möglichkeiten des numerischen Berechnungs- und Simulationswerkzeugs *MATLAB* dargestellt.

Ziel des Kapitels ist es, den Anfänger in den Umgang mit den Basisoperationen von MATLAB einzuführen. Diese erfordern lediglich einige mathematische Grundkenntnisse aus der linearen Algebra sowie der Analysis elementarer Funktionen.

Auf die Darstellung weitergehender Konzepte, insbesondere auf die Möglichkeiten, die sich aus den MATLAB-Funktionsbibliotheken (den sogenannten *Toolboxes*) ergeben, muss an dieser Stelle verzichtet werden, da dies weitreichende Kenntnisse aus den Bereichen der Mathematik, der Signalverarbeitung, der Regelungstechnik und vieler anderer Gebiete erfordert und damit für Studierende des Grundstudiums, an die sich diese Einführung richtet, ungeeignet ist.

1.1 Was ist MATLAB?

MATLAB ist ein *numerisches Berechnungs- und Simulationswerkzeug*, das aus den ursprünglich in der Programmiersprache FORTRAN geschriebenen numerischen Funktionsbibliotheken LINPACK und EISPACK zu einem kommerziellen Werkzeug mit benutzerfreundlicher Bedienoberfläche entwickelt wurde.

Anders als bei den bekannten *Computeralgebra-Programmen* wie MAPLE oder MATHEMATICA, welche in der Lage sind, *symbolische* Operationen durchzuführen, also mathematische Formeln so berechnen können, wie ein Mensch dies normalerweise mit Papier und Bleistift tut, rechnet MATLAB prinzipiell *rein numerisch*. Auf die Computeralgebra-Funktionalität kann jedoch innerhalb der MATLAB-Umgebung durch die sogenannte „Symbolics"-Toolbox zugegriffen werden. Diese ist mittlerweile fester Bestandteil von MATLAB 6 und wird auch in der Studentenversion von MATLAB 6 mitgeliefert. Hierbei handelt es sich um eine Adaptation von MAPLE in der MATLAB-Sprache. Wir werden auf diese Funktionalität im Rahmen von Abschnitt 1.4 eingehen.

Computeralgebra-Programme benötigen komplexe Datenstrukturen, welche sich für den normalen Nutzer in einer komplizierten Syntax und für den Programmierer in komplexen Programmen niederschlagen. MATLAB hingegen kannte ursprünglich im Prinzip nur *eine Datenstruktur*, auf der alle seine Operationen fußen, *die Matrix*. Dies schlägt sich auch im Namen nieder: MATLAB ist die Abkürzung für MATrix LABoratoy.

Dieses Prinzip wurde im Laufe der Entwicklung von MATLAB hin zu einer universellen Programmiersprache nach und nach aufgebrochen. In MATLAB 6 ist nun auch die Definition weitaus komplexerer Datenstrukturen möglich, wie etwa der Datenstruktur `structure`, die der aus der Programmiersprache C++ bekannten Datenstruktur `struct` ähnelt, oder auch von sogenannten *Cell Arrays* bis hin zur Definition von Klassen für die objektorientierte Programmierung[1]. Mit Ausnahme der Strukturen, auf die wir kurz in Abschnitt 1.2.8 zu sprechen kommen, wollen wir im Rahmen dieser elementaren Einführung auf diese Möglichkeiten der MATLAB-Programmierung nicht eingehen.

Beschränkt man sich auf die grundlegende Datenstruktur der Matrix, so bleibt die MATLAB-Syntax sehr einfach und MATLAB-Programme können weit problemloser geschrieben werden als Programme in anderen Hochsprachen oder Computeralgebra-Programme. Eine ohne großen Schnick-Schnack konzipierte Kommandooberfläche, sowie die einfache Integration eigener Funktionen, Programme und Bibliotheken unterstützt die einfache Handhabung und dies trägt auch zum schnellen Erlernen von MATLAB bei.

Wie bereits erwähnt, ist MATLAB jedoch nicht nur ein numerisches Werkzeug zur Auswertung von Formeln, sondern eine eigenständige Programmiersprache, die die Behandlung komplexer Aufgaben zulässt und über alle wesentlichen Konstrukte einer höheren Programmiersprache verfügt. Da es sich bei der MATLAB-Kommandooberfläche um einen sogenannten *Interpreter* handelt und bei MATLAB um eine *Interpretersprache*, können alle Kommandos unmittelbar ausgeführt werden, was das Testen von eigenen Programmen wesentlich erleichtert.

Darüber hinaus verfügt MATLAB 6 auch über einen sehr gut konzipierten eigenen Editor mit Debugging-Funktionalität (vgl. dazu Abschnitt 1.5.6), welcher das Schreiben und die Fehleranalyse größerer MATLAB-Programme noch leichter macht.

Als letzter großer Vorteil ist die Interaktion mit der speziellen Toolbox *Simulink* zu erwähnen, welche wir in Kapitel 2 vorstellen werden. Hierbei handelt es sich um ein Werkzeug, mit dem Simulationsprogramme auf der Grundlage einer grafischen Oberfläche nach Art von Blockschaltbildern konstruiert werden können. Die Simulation läuft unter MATLAB und eine leichte Durchgängigkeit zwischen MATLAB und Simulink ist gewährleistet. Auf diese und weitere Eigenschaften von Simulink werden wir im Kapitel 2 im Einzelnen eingehen.

1.2 Elementare MATLAB-Operationen

Die *elementaren* MATLAB-Operationen lassen sich grob in fünf Klassen einteilen:

- Arithmetische Operationen

[1] Alle Datenstrukturen lassen sich aber nach wie vor unter dem Oberbegriff des „Feldes“ (Array) subsummieren. Aus MATLAB ist sozusagen ein ARRLAB (ARRay LABoratory) geworden. Das numerische Feld, also die klassische Matrix, ist hierin quasi nur noch ein Spezialfall.

- Logische Operationen
- Mathematische Funktionen
- Grafikfunktionen
- I/O-Operationen (Datenaustausch)

Grundsätzlich handelt es sich bei all diesen Operationen um *Operationen auf Matrizen und Vektoren*. Diese werden dabei in *Variablen* gehalten, die — mit sehr wenigen Einschränkungen — frei auf der MATLAB-Kommandooberfläche definiert werden können.

Die MATLAB-Kommandooberfläche präsentiert sich nach dem Start von MATLAB in der in Abbildung 1.1 dargestellten oder in einer ähnlichen Form[2] und erwartet nach dem *Eingabeprompt* » (in der Studentenversion `EDU»`) Kommandos des Benutzers, welche von MATLAB unmittelbar interpretiert und ausgeführt werden. Der Nutzer kommuniziert somit normalerweise *interaktiv* mit dem MATLAB-System. Auf die Möglichkeit der Programmierung unter MATLAB werden wir in Abschnitt 1.5 zu sprechen kommen.

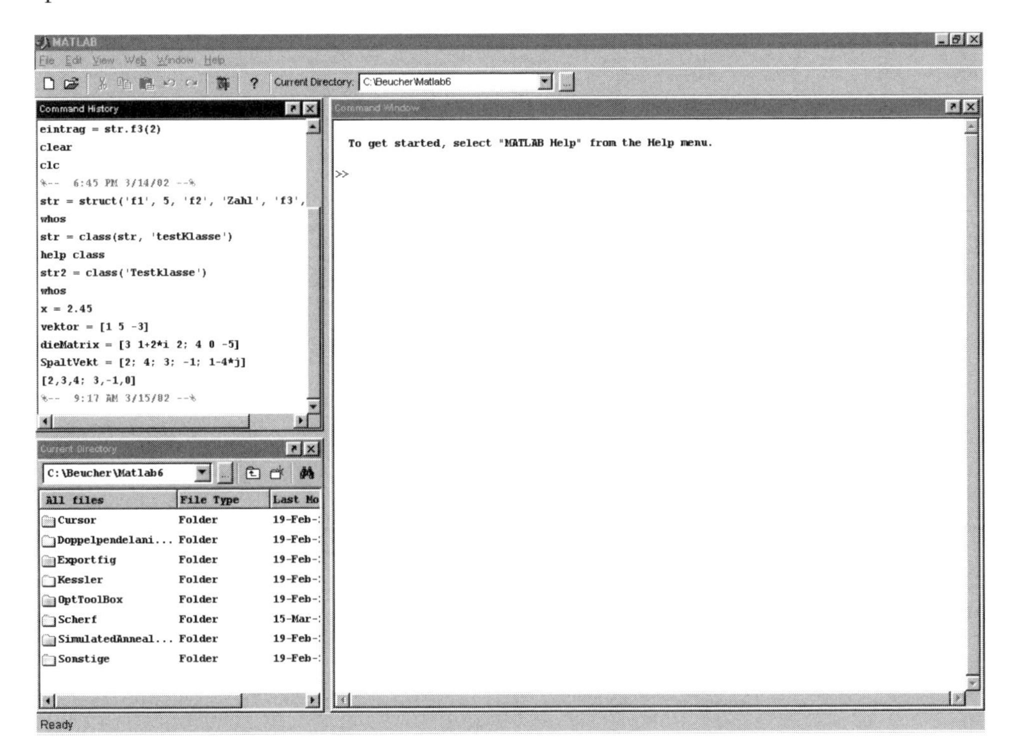

Abbildung 1.1: Die MATLAB-Kommandooberfläche nach dem Start

[2] Dies hängt von den Einstellungen des Benutzers ab. Über die Menübefehle `File - Preferences` und `View` können diese Einstellungen vorgenommen werden.

Bevor wir auf Details der einzelnen Operationsklassen eingehen, soll das Konzept der MATLAB-Variablen erläutert werden, wobei wir in diesem Zusammenhang auch auf einige Besonderheiten der MATLAB-Syntax und des Umgangs mit der MATLAB-Kommandooberfläche hinweisen wollen.

1.2.1 MATLAB-Variablen

Eine MATLAB-Variable ist ein Objekt eines bestimmten Datentyps. Wie eingangs erwähnt, ist der grundlegenste Datentyp derjenige, von dem MATLAB auch seinen Namen ableitet, die *Matrix*. Da wir uns hierauf im Wesentlichen beschränken wollen, ist eine MATLAB-Variable im Folgenden grundsätzlich *eine Matrix*! Diese kann aus reellen oder komplexen Zahlen sowie aus Characters (ASCII-Zeichen) bestehen. Letzteres ist im Zusammenhang mit der Verarbeitung von *Strings* (Text) interessant. Wir wollen diesen Aspekt jedoch für den Moment einmal zurückstellen.

MATLAB-Variablen definieren

Die Matrix wird auf der MATLAB-Kommandooberfläche, im Allgemeinen durch Eingabe über die Tastatur definiert und einem frei wählbaren Variablennamen entsprechend folgender Syntax zugewiesen:

```
» x = 2.45
```

Durch diese Anweisung nach dem MATLAB-Prompt wird die Zahl 2.45 (eine Zahl ist eine 1×1-Matrix!) der Variablen `x` zugewiesen und kann dann im Folgenden unter diesem Variablennamen angesprochen werden.

MATLAB antwortet auf diese Definition mit

```
x =

    2.4500
```

und bestätigt im interaktiven Modus damit die Eingabe. Bei syntaktischen Fehlern erfolgt eine Fehlermeldung.

Die Zahlen werden in der Voreinstellung immer mit 4 Nachkommastellen (Format `shortG`) dargestellt. Die Voreinstellung kann über den Menübefehl `File - Preferences...` in der Karteikarte `Array Editor - Numeric Format` geändert werden. In den meisten Fällen ist die voreingestellte Darstellung jedoch die beste Wahl.

Die nachfolgenden Kommandos definieren einen Zeilenvektor der Länge 3 und eine 2×3-Matrix. Es ist jeweils die Reaktion von MATLAB mit angegeben:

```
» vektor = [1 5 -3]
```

```
vektor =

     1     5    -3

» dieMatrix = [3 1+2*i 2; 4 0 -5]

dieMatrix =

   3.0000             1.0000 + 2.0000i   2.0000
   4.0000                  0            -5.0000
```

Man beachte, dass die Matrix `dieMatrix` eine *komplexe Zahl* als Eintrag enthält. Komplexe Zahlen können mit Hilfe der dafür reservierten Symbole `i` und `j` in der der algebraischen Darstellung entsprechenden Form wie oben definiert werden. Nach Möglichkeit sollten deshalb diese Symbole nicht für andere Variablen verwendet werden.

Wie im obigen Beispiel zu sehen, sind die Trennzeichen für die Einträge in den Zeilen der Matrix Leerzeichen (oder alternativ Kommata) und die Spaltentrennzeichen Semikolons. Ein Spaltenvektor lässt sich somit folgendermaßen definieren:

```
» SpaltVekt = [2; 4; 3; -1; 1-4*j]

SpaltVekt =

   2.0000
   4.0000
   3.0000
  -1.0000
   1.0000 - 4.0000i
```

Unterbleibt die Zuordnung zu einem Variablennamen, so ordnet MATLAB das Ergebnis dem Namen `ans` (für *ans*wer, Antwort) zu, wie das folgende Beispiel zeigt:

```
» [2,3,4; 3,-1,0]

ans =

     2     3     4
     3    -1     0
```

Der Workspace

Sämtliche definierten Variablen werden im sogenannten *Workspace* von MATLAB gespeichert. Über den Zustand des Workspace kann man sich jederzeit informieren.

Das Kommando `who` liefert die Namen der gespeicherten Variablen zurück, das Kommando `whos` daneben noch einige weitere Informationen, darunter die oftmals sehr wichtige Information über die *Dimension der Matrix* sowie die Speicherbelegung.

Für die in den bisherigen Beispielen definierten Variablen ergibt sich bei Aufruf dieser Kommandos:

```
» who

Your variables are:

SpaltVekt   dieMatrix   x ans        vektor

» whos
  Name              Size           Bytes  Class

  SpaltVekt         5x1               80  double array (complex)
  ans               2x3               48  double array
  dieMatrix         2x3               96  double array (complex)
  vektor            1x3               24  double array
  x                 1x1                8  double array

Grand total is 21 elements using 256 bytes
```

Eine sehr praktische Möglichkeit, sich einen Überblick über den Inhalt des Workspace zu beschaffen, liefert der *Workspace Browser*, der über den Menübefehl `View – Workspace` angewählt werden kann. Abbildung 1.2 zeigt, wie sich der Workspace Browser im obigen Beispiel darstellt.

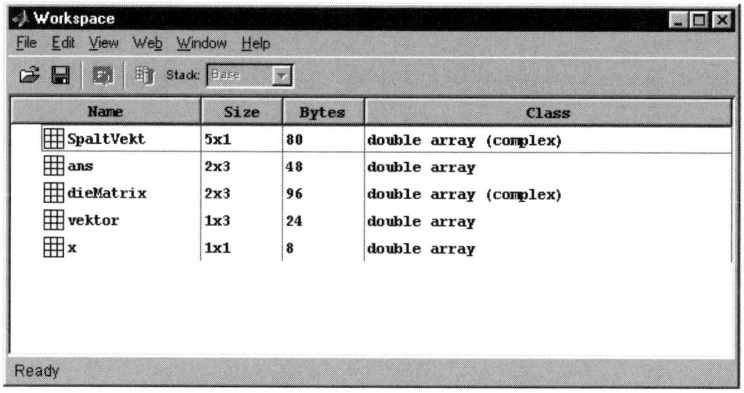

Workspace

File Edit View Web Window Help

Stack: Base

Name	Size	Bytes	Class
SpaltVekt	5x1	80	double array (complex)
ans	2x3	48	double array
dieMatrix	2x3	96	double array (complex)
vektor	1x3	24	double array
x	1x1	8	double array

Ready

Abbildung 1.2: Der Workspace Browser

Durch Doppelklick auf eine Variable öffnet sich der *Array Editor* und zeigt den Inhalt der Variablen nach Manier einer MS-Excel-Tabelle an (vgl. Abbildung 1.3). Es können auch gleichzeitig mehrere Variablen selektiert und dann mit dem *Open Selection*-Button der Toolbar geöffnet werden.

Die Matrixdimensionen, das Darstellungsformat sowie einzelne Einträge der Matrizen können im Array Editor geändert werden. Dies ist besonders für große und daher im Workspace unübersichtliche Matrizen sehr praktisch (vgl. Übung 6, S. 22). Die Funktionalität ist allerdings allein auf das Verändern einzelner Werte beschränkt. Kopieren, Löschen und Anhängen ganzer Spalten oder Zeilen ist nicht möglich.

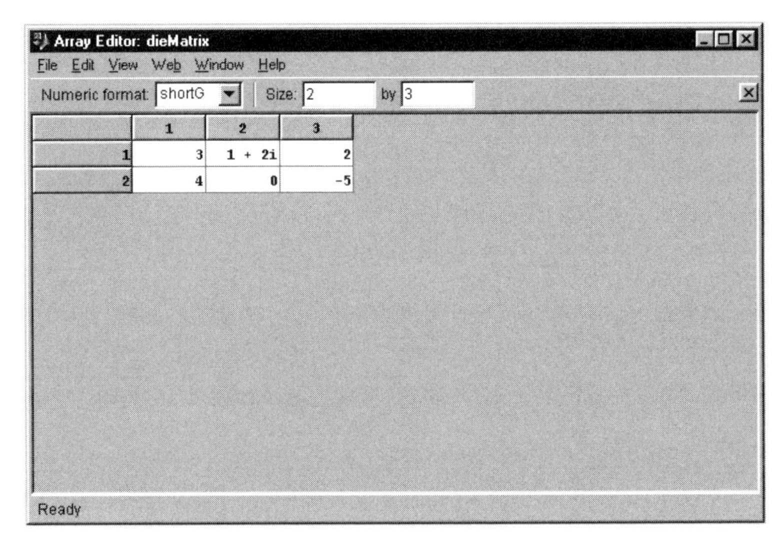

Abbildung 1.3: Darstellung einer Matrix im Array Editor

Benötigt man Variablen nicht mehr, so kann man sie am einfachsten auf der Kommandooberfläche mit dem Kommando `clear` löschen. Beispielsweise liefert

```
» clear dieMatrix
» who

Your variables are:

SpaltVekt   ans          vektor      x
```

offenbar die Löschung von `dieMatrix`. Mit `clear` oder `clear all` wird der ganze Workspace gelöscht. Diese Operationen sind auch im Workspace Browser möglich.

Kommandos rekonstruieren

Die früher abgesetzten Kommandos bleiben gespeichert! Auf diese Weise kann man bequem ein *Kommando wiederholen* oder *abändern*. Hierzu müssen lediglich die Pfeiltasten ↑ und ↓ gedrückt werden. Die früheren Kommandos erscheinen auf dem Workspace und können (ggf. nach Abänderung) mit der Return-Taste neu ausgeführt werden. Die Definition der gerade gelöschten Matrix `dieMatrix` etwa kann auf diese Weise aufgefunden und die Matrix somit rekonstruiert werden.

Bei längeren MATLAB-Sitzungen ist dieses Durchhangeln durch frühere Kommandos trotzdem recht mühsam. Kennt man aber die Anfangsbuchstaben des Kommandos, so kann man den Suchvorgang abkürzen. Man tippt z.B. zum Auffinden der Matrix `dieMatrix` lediglich

```
» dieM
```

und drückt danach die Pfeiltaste ↑. Es wird dann nur noch nach den Kommandos gesucht, die mit `dieM` beginnen. Ist der Anfang eindeutig, findet man das Kommando sofort wieder.

Mit MATLAB 6 ist der gerade beschriebene, auch unter dem Stichwort *History Mechanismus* bekannte Vorgang noch einmal durch die Einführung eines *Command History*-Fensters wesentlich vereinfacht worden. In der Abbildung 1.1 ist dieses Command History-Fenster links oben zu sehen. In diesem Fenster sind die in der Vergangenheit abgesetzten Kommandos unter dem jeweiligen Datum der MATLAB-Sitzung aufgelistet. Durch Verschiebung des Scroll-Balkens ist es nun sehr leicht, auch sehr viel weiter zurückliegende Kommandos aufzufinden. Ein Doppelklick auf das Kommando genügt dann, um dieses nochmals auszuführen.

Welche der beschriebenen Rekonstruktionsmöglichkeiten verwendet wird, bleibt letztlich dem Geschmack des Nutzers und praktischen Erwägungen überlassen.

Weitere Variablendefinitionsmöglichkeiten

Oft steht man vor dem Problem, eine Matrix oder einen Vektor durch weitere Komponenten zu ergänzen bzw. Spalten und Zeilen herauszulöschen.

Eine Erweiterung kann in der oben beschriebenen Form durch Anhängen an den Variablennamen geschehen. So kann die Matrix `dieMatrix` etwa durch folgendes Kommando um eine weitere Zeile ergänzt werden:

```
» dieMatrix = [dieMatrix; 1 2 3]

dieMatrix =

   3.0000             1.0000 + 1.0000i   2.0000
   4.0000                  0            -5.0000
   1.0000             2.0000              3.0000
```

Eine weitere Spalte könnte durch folgendes Kommando angehängt werden:

```
» dieMatrix = [dieMatrix, [1;2;3]]

dieMatrix =
```

```
   3.0000              1.0000 + 1.0000i   2.0000              1.0000
   4.0000                   0            -5.0000              2.0000
   1.0000              2.0000             3.0000              3.0000
```

oder mit

```
» v = [1;2;3]

v =

     1
     2
     3

» dieMatrix = [dieMatrix, v]

dieMatrix =

   3.0000              1.0000 + 1.0000i   2.0000              1.0000
   4.0000                   0            -5.0000              2.0000
   1.0000              2.0000             3.0000              3.0000
```

Will man die zweite Spalte wieder herauslöschen, so muss man diese mit einem *leeren Vektor* `[ ]` belegen. Die zweite Spalte innerhalb der Variablen `dieMatrix` wird dabei gemäß der üblichen Matrixindizierung angesprochen. Da der Zeilenindex in diesem Fall beliebig ist, wird er mit dem Platzhalter `:` gekennzeichnet. Man erhält:

```
» dieMatrix(:,2) = []

dieMatrix =

     3     2     1
     4    -5     2
     1     3     3
```

Eine Löschung der ersten Zeile wäre demnach mit

```
» dieMatrix(1,:) =[]

dieMatrix =

     4    -5     2
     1     3     3
```

zu erreichen. Ebenso kann ein Zeilen- oder Spaltenvektor herausgegriffen und einer anderen Variablen zugewiesen werden. So wird etwa mit

```
» ersteZeile = dieMatrix(1,:)
```

```
ersteZeile =

     4    -5     2
```

die erste Zeile der verbliebenen Restmatrix herausgegriffen.

Statt, wie beschrieben, entsprechende Kommandos im Kommando-Fenster auszuführen, könnten die obigen Operationen natürlich auch innerhalb des Array Editors durchgeführt werden. Dies wird man jedoch nur in Ausnahmefällen tun, da die Bearbeitung auf der Kommando-Ebene deutlich schneller ist. Außerdem können diese Operationen auch innerhalb von MATLAB-Programmen, also im nicht-interaktiven Betrieb verwendet werden (vgl. 1.5). Die beschriebenen Techniken sind daher von weit größerer Bedeutung.

Hat man *große Matrizen oder Vektoren* zu bearbeiten, so ist die Ausgabe des Ergebnisses oft sehr störend. Ein Beispiel ist die folgende Definition eines Vektors, welcher aus den Zahlen 1 bis 5000 in Abständen von 2 besteht. Er kann in MATLAB durch folgendes Kommando, bei dem man Anfangswert, Schrittweite und Endwert angibt, einfach definiert werden:

```
» grosserVektor = (0:2:5000)

grosserVektor =

  Columns 1 through 12

     0     2     4     6     8    10    12    14    16    ...

  Columns 13 through 24

    24    26    28    30    und so weiter
```

Die Ausgabe des Vektors ist hier natürlich nicht vollständig wiedergegeben.

Will man die Ausgabe einer MATLAB-Berechnung unterdrücken, so muss das Kommando mit einem Semikolon abgeschlossen werden.

```
» grosserVektor = (0:2:5000);
```

lässt MATLAB im obigen Fall verstummen.

Übungen

Es wurden nun alle wesentlichen Konstrukte zur Definition von MATLAB-Variablen zusammengetragen, um die erste Übung zu dieser Thematik angehen zu können.

Übung 1 (*Lösung Seite 159*)

Definieren Sie unter MATLAB die folgenden Matrizen bzw. Vektoren und ordnen Sie diese entsprechenden Variablen zu

$$M = \begin{pmatrix} 1 & 0 & 0 \\ 0 & j & 1 \\ j & j+1 & -3 \end{pmatrix}$$

$$k = 2.75$$

$$\vec{v} = \begin{pmatrix} 1 \\ 3 \\ -7 \\ -0{,}5 \end{pmatrix}$$

$$\vec{w} = \begin{pmatrix} 1 & -5.5 & -1.7 & -1.5 & 3 & -10.7 \end{pmatrix}$$

$$\vec{y} = \begin{pmatrix} 1 & 1.5 & 2 & 2.5 & \cdots & 100.5 \end{pmatrix}$$

Übung 2 (*Lösung Seite 160*)

1. Erweitern Sie die Matrix M so zu einer 6×6-Matrix V, dass sie die Form

   $$V = \begin{pmatrix} M & M \\ M & M \end{pmatrix}$$

   hat.

2. Löschen Sie aus der Matrix V die 2. Zeile und die 3. Spalte heraus (Streichungsmatrix $V23$).

3. Ordnen Sie die 4. Zeile aus der Matrix V einem neuen Vektor $z4$ zu.

4. Verändern Sie in Matrix V den Eintrag $V(4,2)$ zu $j+5$.

Übung 3 (*Lösung Seite 161*)

Konstruieren Sie aus dem Vektor

$$\vec{r} = \begin{pmatrix} j & j+1 & j-7 & j+1 & -3 \end{pmatrix}$$

eine Matrix N, bestehend aus 6 Spalten, die jeweils $\vec{r}$ enthalten.

Übung 4 (*Lösung Seite 161*)

Prüfen Sie, ob der Zeilenvektor aus Übung 3 an die dort konstruierte Matrix N angefügt werden kann.

Übung 5 (*Lösung Seite 161*)

Löschen Sie alle Variablen des Workspace und rekonstruieren Sie mit Hilfe der gespeicherten Kommandos und der Tasten ↑ und ↓ die Matrix V aus Übung 2.

Führen Sie anschließend den gleichen Vorgang noch einmal mit Hilfe des Command History-Fensters durch.

Übung 6 (*Lösung Seite 162*)

Belegen Sie die 5. Zeile der Matrix V aus Übung 2 mit Hilfe des Array Editors mit Nullen.

1.2.2 Arithmetische Operationen

Bei den arithmetischen Operationen ($+$, $-$, $*$ etc.) ist eine wesentliche Eigenschaft von MATLAB zu beachten, an die sich der Anfänger erst gewöhnen muss.

Matrixoperationen

Da die grundlegende Datenstruktur von MATLAB die *Matrix* ist, sind diese Operationen ohne weiteren Zusatz zunächst einmal als *Matrixoperationen* zu verstehen! Dies schließt ein, dass die *Rechenregeln der Matrizenalgebra* unterstellt werden, mit all den damit verbundenen Konsequenzen.

So ist z.B. das Produkt zweier Variablen `A` und `B` unter MATLAB *nicht definiert*, falls die zu Grunde liegende Matrizenmultiplikation $A * B$ nicht definiert ist, das heißt konkret, falls Spaltenzahl von `A` und Zeilenzahl von `B` nicht gleich sind!

Eine Ausnahme von dieser Regel besteht nur, wenn eine der Variablen eine 1×1-Matrix, also ein *Skalar* ist. Dann wird die Multiplikation, ebenfalls den Regeln der linearen Algebra entsprechend, als *Multiplikation mit einem Skalar* interpretiert.

Die folgenden MATLAB-Kommandos[3] verdeutlichen dies an einem Beispiel:

```
» M = [1 2 3; 4 -1 2]          % definiert 2x3-Matrix M

M =
```

[3] Mit % können hinter die Kommandos Kommentare eingefügt werden. Dies wird insbesondere für die spätere Erstellung von MATLAB-Programmen sehr nützlich sein. Die hinter dem % bis zum Zeilenende stehenden Zeichen einer Zeile werden von MATLAB ignoriert.

```
     1     2     3
     4    -1     2

» N = [1 2 -1 ; 4 -1 1; 2 0 1]  % definiert 3x3-Matrix N

N =

     1     2    -1
     4    -1     1
     2     0     1

» V = M*N                       % Versuch Produkt M*N

V =

    15     0     4
     4     9    -3

» W = N*M                       % Versuch Produkt N*M
??? Error using ==> *
Inner matrix dimensions must agree.
```

MATLAB antwortet also auf den Versuch, die 2×3-Matrix M mit der 3×3-Matrix N zu multiplizieren mit der 2×3-Produktmatrix V. Der Versuch, die Faktoren zu vertauschen scheitert, da das Produkt einer 3×3-Matrix mit einer 2×3-Matrix *nicht definiert* ist. MATLAB quittiert dies mit der Meldung `Inner matrix dimensions must agree`, einer Fehlermeldung, die auch dem fortgeschrittenen MATLAB-Programmierer immer wieder begegnet.

Feldoperationen

Neben den Matrixoperationen benötigt man in sehr vielen Fällen jedoch auch eine entsprechende arithmetische Operation, welche *komponentenweise* ausgeführt werden soll.

Sind die Operationen *komponentenweise* zu verstehen, was in der MATLAB-Terminologie eine *Feldoperation* oder *Array-Operation* genannt wird, so müssen zumindest diejenigen Operationen neu gekennzeichnet werden, bei denen es zu Verwechslungen mit den Matrixoperationen kommen kann. Dies wird in der MATLAB-Syntax durch das Voranstellen eines Punktes (`.`) vor die Operation gelöst. Ein `*` alleine ist also stets als Matrixmultiplikation, ein `.*` stets als komponentenweise Multiplikation zu verstehen. Dies liefert auch bezüglich der Dimension der Objekte andere Regeln, wie das folgende Beispiel zeigt:

```
» M = [1 2 3; 4 -1 2]          % definiert 2x3-Matrix M

M =
```

```
     1     2     3
     4    -1     2

» N = [1 -1 0; 2 1 -1]          % definiert 2x3-Matrix N

N =

     1    -1     0
     2     1    -1

» M*N                           % Matrixprodukt M*N
??? Error using ==> *
Inner matrix dimensions must agree.

» M.*N                          % komponentenweise Multiplikation

ans =

     1    -2     0
     8    -1    -2
```

Man erkennt, dass das Matrixprodukt $M * N$ diesmal nicht definiert ist! Allerdings ist das Produkt *komponentenweise* definiert. Zu jedem Eintrag von M gibt es einen passenden Eintrag von N, mit dem das Produkt gebildet werden kann.

Ein weiteres Beispiel wäre das häufig vorkommende Quadrieren der Komponenten eines Vektors:

```
» vekt = [ 1, -2, 3, -2, 0, 4]

vekt =

     1    -2     3    -2     0     4

» vekt^2                        % Vektor vekt zum Quadrat
??? Error using ==> ^
Matrix must be square.

» vekt.^2                       % vekt-Quadrat komponentenweise

ans =

     1     4     9     4     0    16
```

Im ersten Fall möchte MATLAB wieder eine Matrixoperation ausführen. Das Quadrieren einer Matrix ist aber nur möglich, falls die Matrix quadratisch ist, das heißt, gleiche Spalten- und Zeilenzahl hat, was hier nicht der Fall ist. Die *Komponenten* selbst können aber ohne weiteres *quadriert* werden.

Die Divisionen

Besondere Bedeutung hat das Divisionszeichen. Man unterscheidet bei MATLAB zwischen *rechter Division* / und *linker Division* \.

Auch die Tatsache, dass es zwei Divisionen gibt, ist wieder eine Folge der Matrizenalgebra-Interpretation. Die *Division zweier Matrizen* A und B, also $X = A/B$ ist *normalerweise nicht definiert!* Der Quotient kann im Falle quadratischer Matrizen sinnvoll nur als $X = A * B^{-1}$ interpretiert werden, falls die inverse Matrix B^{-1} existiert. Falls A^{-1} existiert, wäre aber auch die „Division von links" $X = A\backslash B$ sinnvoll, interpretiert in diesem Falle als $X = A^{-1} * B$.

Diesen beiden Situationen trägt MATLAB mit der Definition der linken und der rechten Division Rechnung. Wir verdeutlichen dies an einem einfachen Beispiel mit zwei *invertierbaren* 2×2-Matrizen.

```
» A = [2 1 ;1 1]              % Matrix A

A =

     2     1
     1     1

» B = [- 1 1;1 1]             % Matrix B

B =

    -1     1
     1     1

» Ainv = [1 -1; -1, 2]        % Inverse zu A

Ainv =

     1    -1
    -1     2

» Binv = [-1/2 1/2; 1/2, 1/2] % Inverse zu B

Binv =

   -0.5000    0.5000
    0.5000    0.5000
```

```
» X1 = A/B                         % rechte Division

X1 =

   -0.5000    1.5000
         0    1.0000

» X2 = A*Binv                      % Kontrollrechnung

X2 =

   -0.5000    1.5000
         0    1.0000

» Y1 = A\B                         % linke Division

Y1 =

   -2.0000    0.0000
    3.0000    1.0000

» Y2 = Ainv*B                      % Kontrollrechnung

Y2 =

    -2     0
     3     1
```

Das nächste Beispiel zeigt aber, dass MATLAB bei der Interpretation der Divisionen noch einen Schritt weiter geht:

```
» A = [2 1 ;1 1]                  % Matrix A

A =

     2     1
     1     1

» b=[2; 1]                        % Spaltenvektor b

b =

     2
     1

» x = A\b                         % linke Division A "durch" b
```

```
x =

    1.0000
    0.0000

» y = A/b                    % rechte Division A "durch" b
??? Error using ==> /
Matrix dimensions must agree.
```

Offenbar produziert hier die „Division von links" $\vec{x} = A\backslash\vec{b}$ die (in diesem Fall eindeutige) *Lösung des linearen Gleichungssytems* $A\vec{x} = \vec{b}$, wie die folgende Probe beweist:

```
» A*x

ans =

    2.0000
    1.0000
```

Die rechte Division ist nicht definiert.

Linke und rechte Division lassen sich auch für nichtquadratische Matrizen verwenden, um unter- oder überbestimmte Gleichungssysteme zu lösen. Da diese Anwendungen aber weitreichendere mathematische Kenntnisse voraussetzen, als hier angenommen werden können und sollen, wird auf die Darstellung dieser Möglichkeiten verzichtet [17].

Zusammenfassung und Überblick

In der Tabelle A.1.1, S. 221 aus Anhang A sind noch einmal alle arithmetischen Operationen und ihre Wirkung als *Matrixoperationen* mit einem Beispiel zusammengefasst.

Die Tabelle A.1.2, S. 222 gibt die arithmetischen Operationen und ihre Wirkung als *Feldoperationen* wieder.

Das MATLAB-Demoprogramm **aritdemo.m** der Begleitsoftware demonstriert die verschiedenen Möglichkeiten bei arithmetischen Operationen. Insbesondere lassen sich hiermit die Unterschiede zwischen Matrix- und Feldoperationen sowie das Matrixkonzept von MATLAB einüben.

Übungen

Bearbeiten Sie die folgenden Aufgaben zur Einübung der arithmetischen Operationen.

Übung 7 (*Lösung Seite 163*)

Starten Sie das MATLAB-Demoprogramm **aritdemo.m** durch Aufruf des Befehls **aritdemo** im MATLAB-Workspace und arbeiten Sie das Programm durch.

Übung 8 (*Lösung Seite 163*)

Berechnen Sie

1. das Standardskalarprodukt der Vektoren

$$\vec{x} = \begin{pmatrix} 1 & 2 & \frac{1}{2} & -3 & -1 \end{pmatrix} \quad \text{und} \quad \vec{y} = \begin{pmatrix} 2 & 0 & -3 & \frac{1}{3} & 2 \end{pmatrix}$$

   mit Hilfe einer Matrixoperation und mit Hilfe einer Feldoperation.

2. das Produkt der Matrizen

$$A = \begin{pmatrix} -1 & 3.5 & 2 \\ 0 & 1 & -1.3 \\ 1.1 & 2 & 1.9 \end{pmatrix} \quad \text{und} \quad B = \begin{pmatrix} 1 & 0 & -1 \\ -1.5 & 1.5 & -3 \\ 1 & 1 & 1 \end{pmatrix}$$

3. mit Hilfe einer geeigneten Feldoperation aus der Matrix

$$A = \begin{pmatrix} -1 & 3.5 & 2 \\ 0 & 1 & -1.3 \\ 1.1 & 2 & 1.9 \end{pmatrix}$$

   die Matrix

$$C = \begin{pmatrix} -1 & 0 & 0 \\ 0 & 1 & 0 \\ 0 & 0 & 1.9 \end{pmatrix}$$

Übung 9 (*Lösung Seite 164*)

Testen Sie die linke Division $A\backslash\vec{b}$ mit der Matrix

$$A = \begin{pmatrix} 2 & 2 \\ 1 & 1 \end{pmatrix}$$

und dem Vektor

$$\vec{b} = \begin{pmatrix} 2 \\ 1 \end{pmatrix}$$

und interpretieren Sie das Ergebnis.

Übung 10 (*Lösung Seite 165*)

Testen Sie die rechte Division $\vec{b}/A$ mit der Matrix

$$A = \begin{pmatrix} 2 & 2 \\ 1 & 1 \end{pmatrix}$$

und dem Vektor

$$\vec{b} = \begin{pmatrix} 2 & 1 \end{pmatrix}$$

und interpretieren Sie das Ergebnis.

Übung 11 (*Lösung Seite 165*)

Berechnen Sie mit Hilfe der Division von rechts (oder links) die inverse Matrix von

$$M = \begin{pmatrix} 1 & 1 & 1 \\ 1 & 0 & 1 \\ -1 & 0 & 0 \end{pmatrix}$$

1.2.3 Logische und relationale Operationen

Auf logische und relationale Operatoren wollen wir an dieser Stelle nicht detailliert eingehen. Prinzipiell handelt es sich hierbei um Operatoren, die als *Feld*operatoren agieren (das heißt, dass sie prinzipiell *komponentenweise* auf die Einträge eines Vektors bzw. einer Matrix wirken) und die als Ergebnis Wahrheitswerte liefern.

Beispielsweise kann verglichen werden, ob die Komponenten zweier Matrizen an den gleichen Stellen einen Eintrag $\neq 0$ (= logisch wahr) haben. Die folgende MATLAB-Sequenz zeigt, wie dies mit Hilfe des *logischen Operators* `&` (logisches Und) bewerkstelligt wird und was das Resultat dieser Operation ist.

```
» A=[1 -3 ;0 0]

A =

     1    -3
     0     0

» B=[0 5 ;0 1]

B =

     0     5
     0     1
```

```
» Erg=A&B

Erg =

     0     1
     0     0
```

Die Ergebnismatix *Erg* enthält also überall dort eine 1 (logisch wahr), wo beide passenden Komponenten der beteiligten Matrizen gemeinsam $\neq 0$ (logisch wahr) sind und überall dort eine 0 (logisch falsch), wo sie es nicht sind!

Ähnlich arbeiten die *relationalen Operatoren*, also die Vergleichsoperatoren. Mit der folgenden Sequenz wird geprüft, welche Komponenten der Matrix *A* größer sind als die entsprechenden Komponenten der Matrix *B*. Es werden dabei die Matrizen des vorangegangenen Beispiels verwendet.

```
» Vgl= A>B

Vgl =

     1     0
     0     0
```

Die Matrix *Vgl* zeigt an, dass nur die erste Komponente von *A* größer ist als die von *B*.

Es ist müßig, darauf hinzuweisen, dass auch hier, wie bei allen Feldoperationen, die Dimensionen der Matrizen identisch sein müssen.

Weitere relationale Operationen sind $\geq, \leq$ (in der MATLAB-Syntax sind dies `<=`, `>=`), $<$ sowie $==$ (gleich) und $\sim=$ (ungleich). Als logische Operationen hat man neben der oben besprochenen Verundung noch das logische Oder ($|$), die logische Negation ($\sim$) und das exklusive Oder `xor`.

Für weitere Informationen hierzu steht, wie für die übrigen Operationen und Funktionen, auch die MATLAB-Hilfe zur Verfügung (vgl. Abschnitt 1.3). Für entsprechende Hinweise zu diesem Abschnitt kann man beispielsweise über den Menübefehl `Help - MATLAB Help` nach dem Stichwort `operators` suchen. Alternativ dazu kann man im MATLAB Kommandofenster `help ops` eingeben. In beiden Fällen erhält man dann eine Liste von MATLAB-Operatoren, in der u.A. auch die logischen und relationalen Operatoren aufgelistet sind.

Zum Abschluss sei als Illustration der Möglichkeiten dieser Operatorklasse noch ein Beispiel angegeben, das in manchen Simulationen vorkommt. Die Aufgabe ist dabei, aus einem Ergebnisvektor diejenigen Komponenten *herauszuselektieren* und zu einem Vektor zusammenzufassen, welche eine bestimmte Größenordnung, sagen wir 2, übersteigen. Dies kann mit folgender Sequenz erreicht werden:

```
» vect=[-2, 3, 0, 4, 5, 19, 22, 17, 1]

vect =

    -2     3     0     4     5    19    22    17     1

» vglvect=2*ones(1, 9)

vglvect =

     2     2     2     2     2     2     2     2     2

» vgl=vect>vglvect

vgl =

     0     1     0     1     1     1     1     1     0

» erg=vect(vgl)

erg =

     3     4     5    19    22    17
```

Zur Festlegung des Vergleichsvektors wurde hier das MATLAB-Kommando `ones` verwendet, welches zunächst eine Matrix von Einsen liefert (entsprechend den angegebenen Komponenten). Der Vergleich mit `vglvect` liefert die Stellen, an denen die Bedingung (> 2) für den Vektor `vect` erfüllt ist. Das Kommando `erg=vect(vgl)` fasst diese Komponenten mit Hilfe des Vektors `vgl` zusammen. Dabei werden nur die Indizes verwendet, für die dieser Vektor $\neq 0$ ist.

Eine solche Technik kommt oft zur Anwendung, wenn aus Messdaten Werte eliminiert werden sollen, die eine bestimmte Schwelle über- oder unterschreiten (sog. „Ausreißer").

Übungen

Bearbeiten Sie die folgenden Aufgaben zur Einübung im Umgang mit logischen und relationalen Operationen.

Übung 12 (*Lösung Seite 166*)

Testen Sie an den Matrizen A und B von S. 29 die Wirkungsweise der logischen Operationen Oder ($|$), Negation ($\sim$) und exklusives Oder `xor` aus. Konsultieren Sie dazu ggf. die MATLAB Hilfe.

Interpretieren Sie die Ergebnisse.

Übung 13 (*Lösung Seite 167*)

Testen Sie mit Hilfe der Vektoren

$$\vec{x} = \begin{pmatrix} 1 & -3 & 3 & 14 & -10 & 12 \end{pmatrix} \quad \text{und} \quad \vec{y} = \begin{pmatrix} 12 & 6 & 0 & -1 & -10 & 2 \end{pmatrix}$$

die Wirkungsweise der relationalen Operationen $<=$, $>=$, $<$, $==$ und $\sim=$ aus. Konsultieren Sie dazu ggf. die MATLAB Hilfe.

Übung 14 (*Lösung Seite 168*)

Betrachten Sie die Matrix

$$C = \begin{pmatrix} 1 & 2 & 3 & 4 & 10 \\ -22 & 1 & 11 & -12 & 4 \\ 8 & 1 & 6 & -11 & 5 \\ 18 & 1 & 11 & 6 & 4 \end{pmatrix}$$

Setzen Sie mit Hilfe der relationalen Operatoren alle Einträge > 10 und < -10 der Matrix auf 0.

Hinweis: Führen Sie zunächst die Vergleiche durch und verwenden Sie dann die Ergebnisse dieser Vergleiche, um die besagten Einträge mit geeigneten Feldoperationen auf 0 zu setzen.

1.2.4 Mathematische Funktionen

MATLAB verfügt, insbesondere dann, wenn man die Funktionalität der *Toolboxes* hinzunimmt, über eine Unzahl verschiedener vorgefertigter mathematischer Funktionen.

Für den Anfänger sind jedoch zunächst einmal die sogenannten *elementaren Funktionen* relevant [14, 19]. Hierbei handelt es sich um die aus der Analysis einer reellen Veränderlichen bekannten Funktionen wie Cosinus, Sinus, die Exponentialfunktion, den Logarithmus etc.

Angesichts des Datenstrukturkonzepts von MATLAB, welches ja im Wesentlichen auf *Matrizen* beruht, scheint sich hier auf den ersten Blick ein Problem aufzutun, da diese Funktionen für Matrizen ja gar nicht definiert sind.

Auf den zweiten Blick ist jedoch die Auflösung dieses Problems nach den bisher diskutierten Beispielen unmittelbar ersichtlich. Natürlich ist die Wirkungsweise einer elementaren Funktion auf einen Vektor oder eine Matrix wieder nur *komponentenweise* sinnvoll zu verstehen. Die nachfolgende Sequenz zeigt, was unter dem Sinus eines Vektors zu verstehen ist.

```
» t=(0:1:5)

t =

     0     1     2     3     4     5

» s=sin(t)

s =

         0    0.8415    0.9093    0.1411   -0.7568   -0.9589
```

Der Sinus des angegebenen Vektors $\vec{t}$ ist also wiederum ein Vektor, und zwar der Vektor

$$\vec{s} = (\sin(0), \sin(1), \sin(2), \cdots, \sin(5))$$

Die volle Bedeutung dieser Technik wird dem MATLAB-Nutzer erst bei umfangreicheren Simulationen klar. Man muss sich vor Augen halten, dass die obige Sequenz eine *Programmierschleife ersetzt!* In der Programmiersprache C etwa wäre die Sequenz folgendermaßen zu implementieren:

```
double s[6]; for(i=0; i<6; i++)
   s[i] = sin(i);
```

Der Gewinn ist natürlich bei diesem kleinen Beispiel noch nicht unmittelbar ersichtlich, jedoch lassen sich für größere Simulationen mit Hilfe dieser Technik sehr elegante Lösungen in MATLAB produzieren.

Wir können an dieser Stelle nicht alle elementaren mathematischen Funktionen diskutieren. Einen Überblick über die zur Verfügung stehenden Funktionen erhält man, wenn man auf der MATLAB-Kommandooberfläche das Kommando `help elfun` absetzt. Es wird dann eine Liste mit den Namen der Funktionen mitsamt einer Kurzbeschreibung ausgegeben. Für nähere Informationen gibt man `help <Funktionsname>` ein. So liefert etwa `help asin`:

```
» help asin

 ASIN   Inverse sine.
    ASIN(X) is the arcsine of the elements of X. Complex
    results are obtained if ABS(x) > 1.0 for some element.

 Overloaded methods
    help sym/asin.m
```

die Beschreibung des Arcussinus (auf die Bedeutung des Zusatzes `Overloaded methods`, der sich auf die *symbolische* Berechnung des Arcussinus bezieht, werden wir in Abschnitt 1.4 eingehen).

Daneben sind noch die mit `help specfun` auflistbaren sogenannten *speziellen mathematischen Funktionen* von Interesse. Diese erfordern jedoch tiefer gehende mathematische Kenntnisse und sollen hier nicht weiter diskutiert werden. Dem interessierten Leser sei jedoch die Übung 20 anempfohlen.

Ein paar weitere Beispiele sollen den Umgang mit den elementaren Funktionen unter MATLAB demonstrieren. Zunächst soll zu einem Vektor von komplexen Zahlen Betrag und Phasenwinkel in *rad* und in *grad* bestimmt werden [14]. Dies ist ein häufig vorkommendes Problem im Zusammenhang mit der Bestimmung der sogenannten Frequenzübertragungsfunktion linearer Systeme [2, 5, 15].

```
» cnum=[1+j, j, 2*j, 3+j, 2-2*j, -j]

cnum =

  Columns 1 through 4

   1.0000 + 1.0000i        0 + 1.0000i        0 + 2.0000i
   3.0000 + 1.0000i

  Columns 5 through 6

   2.0000 - 2.0000i        0 - 1.0000i

» betrg=abs(cnum)

betrg =

    1.4142    1.0000    2.0000    3.1623    2.8284    1.0000

» phase=angle(cnum)

phase =

    0.7854    1.5708    1.5708    0.3218   -0.7854   -1.5708

» grad=angle(cnum)*360/(2*pi)

grad =

   45.0000   90.0000   90.0000   18.4349  -45.0000  -90.0000
```

Im folgenden Beispiel sollen alle Einträge einer Matrix (etwa mehrere Messreihen eines Spannungssignals) in Dezibel (dB) umgerechnet werden. Für einen Spannungswert U bedeutet dies, dass die Größe in

$$20 \cdot \log_{10}(U)$$

umgerechnet werden muss:

```
» mess=[25.5 16.3 18.0; ...
        2.0   6.9  3.0; ...
        0.05  4.9  1.1]

mess =

   25.5000   16.3000   18.0000
    2.0000    6.9000    3.0000
    0.0500    4.9000    1.1000

» dBmess=20*log10(mess)

dBmess =

   28.1308   24.2438   25.1055
    6.0206   16.7770    9.5424
  -26.0206   13.8039    0.8279
```

Nebenbei zeigt das obige Beispiel, wie ein zu langes MATLAB-Kommando umgebrochen werden kann, ohne dass es nach Eingabe der Return-Taste abgesetzt wird. Man gibt einfach drei Punkte[4] (...) vor dem Drücken der Return-Taste ein und kann dann das Kommando in der folgenden Zeile fortsetzen.

Im nächsten Beispiel soll eine Liste von Punkten des ersten Quadranten von $\mathbb{R}^2$ von kartesischen in Polarkoordinaten umgerechnet werden. Die Liste ist in Form einer Matrix von (x, y)-Werten gegeben. Bekanntlich (vgl. dazu auch das Beispiel auf S. 81) errechnen sich die Polarkoordinaten (r, φ) in diesem Fall gemäß:

$$r = \sqrt{x^2 + y^2} \tag{35.1}$$

$$\varphi = \arctan(\frac{y}{x}) \tag{35.2}$$

Die Berechnung wird durch folgende MATLAB-Sequenz realisiert, bei der die elementaren mathematischen Funktionen `sqrt` und `atan` verwendet werden:

```
» pkte = [ 1 2; 4 3; 1 1; 4 0; 9 1]

pkte =

     1     2
```

[4] Die zur Fortsetzung der Kommandozeile verwendeten Punkte (...) sind in diesem speziellen Fall allerdings nicht mehr obligatorisch, da MATLAB 6 „merkt“, dass es sich um eine unvollständige Matrix-Definition handelt, solange die schließende Klammer nicht gesetzt ist. In früheren MATLAB-Versionen mussten diese Punkte unbedingt stehen. Nach wie vor müssen die Punkte (...) jedoch für den Zweck des Zeilenumbruchs in Kommandozeilen eingesetzt werden.

```
     4     3
     1     1
     4     0
     9     1

» r = sqrt(pkte(:,1).^2 + pkte(:,2).^2)

r =

    2.2361
    5.0000
    1.4142
    4.0000
    9.0554

» phi = atan(pkte(:,2)./pkte(:,1))

phi =

    1.1071
    0.6435
    0.7854
         0
    0.1107

» polark = [r,phi]

polark =

    2.2361    1.1071
    5.0000    0.6435
    1.4142    0.7854
    4.0000         0
    9.0554    0.1107
```

Man beachte die Verwendung des :-Operators und der Feldoperationen bei der Berechnung von `r` und `phi`, die es gestatten, die Berechnung auf einen Schlag am ganzen Vektor durchzuführen.

Abschließend sei bemerkt, dass die obige Rechnung durch folgende Anweisung verkürzt werden könnte:

```
» pkte = [ 1 2; 4 3; 1 1; 4 0; 9 1]

pkte =

     1     2
```

```
     4     3
     1     1
     4     0
     9     1

» polark = [sqrt(pkte(:,1).^2 + pkte(:,2).^2), ...
                                atan(pkte(:,2)./pkte(:,1))]

polark =

    2.2361    1.1071
    5.0000    0.6435
    1.4142    0.7854
    4.0000         0
    9.0554    0.1107
```

Übungen

Bearbeiten Sie die folgenden Aufgaben zur Einübung der elementaren mathematischen Funktionen.

Übung 15 (*Lösung Seite 170*)

Berechnen Sie für einen Zeitvektor von Zeitwerten zwischen 0 und 10 im Abstand von 0.1 die Werte des Signals (der Funktion)

$$s(t) = \sin(2\pi 5t)\cos(2\pi 3t) + e^{-0.1t}$$

Übung 16 (*Lösung Seite 171*)

Berechnen Sie für den Zeitvektor aus Übung 15 die Werte des Signals (der Funktion)

$$s(t) = \sin(2\pi 5.3t)\sin(2\pi 5.3t)$$

Übung 17 (*Lösung Seite 171*)

Runden Sie für den Zeitvektor aus Übung 15 die Werte des Vektors

$$s(t) = 20\sin(2\pi 5.3t)$$

einmal gegen ∞ und zum anderen gegen 0. Finden Sie hierzu die entsprechenden MATLAB-Funktionen. Nutzen Sie dabei MATLABs Hilfemechanismen. Konsultieren Sie gegebenenfalls hierzu auch vorab den Abschnitt 1.3, S. 65ff.

Übung 18 (*Lösung Seite 172*)

Runden Sie für den Zeitvektor aus Übung 15 die Werte des Vektors

$$s(t) = 20\sin(2\pi 5t)$$

mit einer geeigneten MATLAB-Funktion gegen die nächste ganze Zahl, geben Sie jeweils die ersten 6 Werte von $s(t)$ und der zugehörigen gerundeten Werte in einer zweizeiligen Matrix aus und interpretieren Sie das etwas merkwürdige Ergebnis.

Übung 19 (*Lösung Seite 173*)

Berechnen Sie mit den passenden elementaren mathematischen MATLAB-Funktionen für den Vektor

$$\vec{b} = \begin{pmatrix} 1024 & 1000 & 100 & 2 & 1 \end{pmatrix}$$

den entsprechenden Vektor der Zweier- und der Zehnerlogarithmen.

Übung 20 (*Lösung Seite 173*)

Führen Sie die Umrechnung von kartesischen Koordinaten in Polarkoordinaten aus dem Beispiel auf Seite 35 mit Hilfe der speziellen mathematischen Funktion `cart2pol` durch. Informieren Sie sich dazu vorab durch Eingabe von `help cart2pol` im Kommando-Fenster über die Syntax dieses Befehls.

1.2.5 Grafikfunktionen

Eine der herausragenden Stärken von MATLAB ist seine Fähigkeit zur *grafischen Visualisierung* der Berechnungsergebnisse.

Hierzu stehen MATLAB sehr einfache, aber dennoch leistungsstarke Grafikfunktionen zur Verfügung. MATLAB ist dabei in der Lage, gewöhnliche Funktionsgraphen in *zweidimensionalen Plots* (xy-Plot) und Funktionen zweier Veränderlicher in perspektivischen *dreidimensionalen Plots* (xyz-Plot) darzustellen.

Einen vollständigen Überblick über alle Grafikfunktionen erhält man durch Eingabe von `help graph2d`, `help graph3d` und `help graphics` im Kommando-Fenster bzw. über die entsprechenden Einträge in der MATLAB-Hilfe.

Zweidimensionale Plots

Die wohl wichtigste, weil am häufigsten verwendete Grafikfunktion ist die Funktion `plot`. Die Eingabe `help plot` liefert folgende Informationen.

```
» help plot

 PLOT   Linear plot.
    PLOT(X,Y) plots vector Y versus vector X. If X or Y is a
    matrix, then the vector is plotted versus the rows or
    columns of the matrix, whichever line up.  If X is a scalar
    and Y is a vector, length(Y) disconnected points are plotted.
```

```
PLOT(Y) plots the columns of Y versus their index.
If Y is complex, PLOT(Y) is equivalent to
PLOT(real(Y),imag(Y)).
In all other uses of PLOT, the imaginary part is ignored.

Various line types, plot symbols and colors may be obtained
with PLOT(X,Y,S) where S is a character string made from one
element from any or all the following 3 colunms:

     y     yellow        .     point              -     solid
     m     magenta       o     circle             :     dotted
     c     cyan          x     x-mark             -.    dashdot
     r     red           +     plus               --    dashed
     g     green         *     star
     b     blue          s     square
     w     white         d     diamond
     k     black         v     triangle (down)
                         ^     triangle (up)
                         <     triangle (left)
                         >     triangle (right)
                         p     pentagram
                         h     hexagram

For example, PLOT(X,Y,'c+:') plots a cyan dotted line with a
plus at each data point; PLOT(X,Y,'bd') plots blue diamond at
each data point but does not draw any line.

PLOT(X1,Y1,S1,X2,Y2,S2,X3,Y3,S3,...) combines the plots defined
by the (X,Y,S) triples, where the X's and Y's are vectors or
matrices and the S's are strings.

For example, PLOT(X,Y,'y-',X,Y,'go') plots the data twice, with
a solid yellow line interpolating green circles at the data
points.

The PLOT command, if no color is specified, makes automatic use
of the colors specified by the axes ColorOrder property.  The
default ColorOrder is listed in the table above for color
systems where the default is yellow for one line, and for
multiple lines, to cycle through the first six colors in the
table. For monochrome systems, PLOT cycles over the axes
LineStyleOrder property.

PLOT returns a column vector of handles to LINE objects, one
handle per line.
```

```
    The X,Y pairs, or X,Y,S triples, can be followed by
    parameter/value pairs to specify additional properties
    of the lines.

    See also SEMILOGX, SEMILOGY, LOGLOG, GRID, CLF, CLC, TITLE,
    XLABEL, YLABEL, AXIS, AXES, HOLD, COLORDEF, LEGEND, SUBPLOT,
    and STEM.

 Overloaded methods
    help idmodel/plot.m
    help iddata/plot.m
    help ntree/plot.m
    help dtree/plot.m
    help wvtree/plot.m
    help rwvtree/plot.m
    help edwttree/plot.m
```

Die MATLAB-Hilfe in dieser Form zeigt die grundlegenden Verwendungsmöglichkeiten von `plot`. Darüber hinaus gibt es jedoch noch zahlreiche andere Möglichkeiten, Optionen an `plot` zu übergeben. Eine Diskussion dieser Themen würde allerdings den Rahmen dieses Buches sprengen. Der interessierte Leser sei hierfür auf [13] verwiesen.

Wie die Hilfefunktion zeigt, werden prinzipiell zwei Vektoren benötigt, um einen Graph zu plotten. Der erste Vektor repräsentiert dabei den Vektor der x-Werte und der zweite Vektor den zugehörigen Vektor der y-Werte. Die Vektoren müssen dafür natürlich *gleiche Länge* haben. Wenn dies nicht der Fall ist, setzt MATLAB eine entsprechende Fehlermeldung ab, es sei denn, dass x ein Skalar ist (s. `help plot`). Dies kommt in der Praxis, selbst bei erfahrenen MATLAB-Nutzern, immer wieder vor, ist aber ein leicht zu korrigierender Fehler.

Es können aber auch mehrere Funktionen gleichzeitig geplottet werden, entweder indem man die x, y-Paare nacheinander in die Parameterliste schreibt oder wenn etwa stets der gleiche x-Vektor verwendet wird, indem man die y-Vektoren zu einer entsprechenden Matrix zusammenfasst.

Zudem kann durch zusätzliche Parameter die Gestalt der Graphen in Linienart und Farbe verändert werden.

Unser erstes Beispiel greift das Beispiel auf Seite 32 nochmals auf und stellt das dort ermittelte Ergebnis grafisch dar.

```
» t=(0:1:5);
» s=sin(t);
» plot(t,s)
```

Man beachte, dass in diesem Beispiel die numerische Ausgabe der Variablen `t` und `s` unterdrückt wurde!

Der Plotbefehl öffnet ein Fenster mit der in Abbildung 1.4 dargestellten Grafik. Die Achseneinteilung wurde hier und in den nachfolgenden Grafiken gegenüber der voreingestellten Einteilung zu Gunsten einer besseren Übersichtlichkeit vergröbert. Siehe hierzu auch den entsprechenden Abschnitt auf Seite 45.

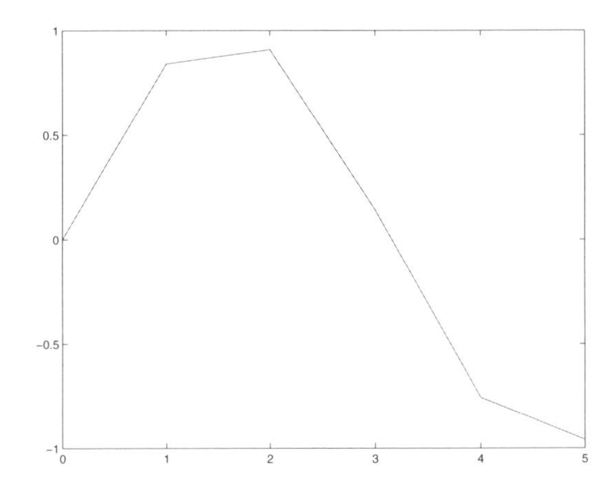

Abbildung 1.4: MATLAB-Beispiel einer einfachen x, y-Grafik

Man erkennt, dass das Ergebnis normalerweise in Form eines Polygonzugs geplottet wird. Dies führt manchmal, insbesondere wenn die Abszissenwerte weit auseinander liegen, zu Fehlinterpretationen des Plots. Also Vorsicht! Außerdem werden die Achsen automatisch nur numerisch beschriftet. Gitternetze, Achsenbezeichnungen und Titel muss man mit zusätzlichen MATLAB-Kommandos selbst anbringen.

Die folgenden Befehle generieren den Plot in Abbildung 1.5. Hierbei wurde zur Darstellung ein anderer Linienstil (Kreise) gewählt und die Farbe auf Magenta (was hier natürlich nicht dargestellt werden kann) umgesetzt (Voreinstellung von MATLAB ist die Farbe Blau).

```
» t=(0:1:5);
» s=sin(t);
» plot(t,s,'mo')
```

Im nächsten Beispiel werden für den Zeitvektor `t=(0:0.01:2)` ein Sinus der Amplitude 1 und der Frequenz[5] 5 Hz, ein Cosinus der Amplitude 2 und der Frequenz 3 Hz sowie die Exponentialfunktion e^{-2t} berechnet und in einen Graphen geplottet.

```
» t=(0:0.01:2);
» sinfkt=sin(2*pi*5*t);
» cosfkt=2*cos(2*pi*3*t);
» expfkt=exp(-2*t);
» plot(t,[sinfkt; cosfkt; expfkt])
```

[5] Man beachte: die allgemeine Form einer harmonischen Schwingung mit Frequenz f, Amplitude A und Nullphase φ ist $f(t) = A\sin(2\pi f t + \varphi)$.

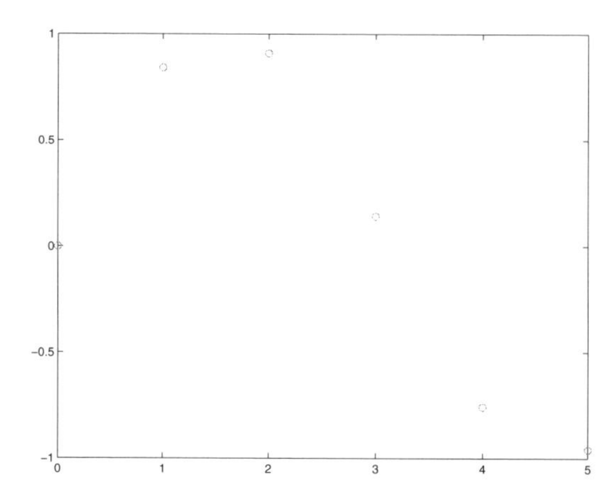

Abbildung 1.5: x, y-Grafik mit anderem „Linienstil“

Dies liefert die in Abbildung 1.6 dargestellte Grafik.

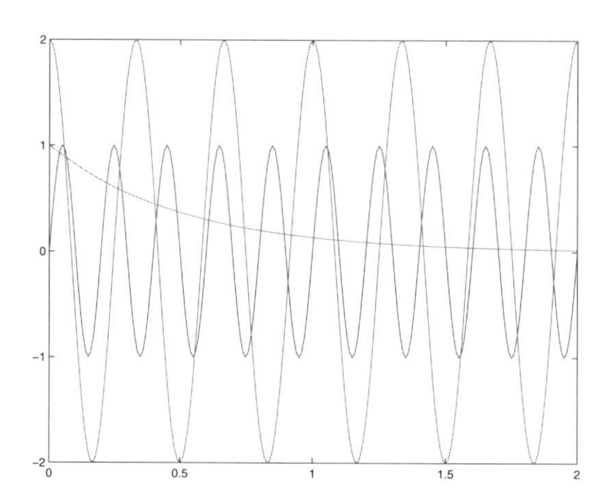

Abbildung 1.6: x, y-Grafik mit mehreren Funktionen

In Abbildung 1.7 ist diese Grafik nochmals dargestellt, wobei aber von den Möglichkeiten der unterschiedlichen Linienformen Gebrauch gemacht wurde, um die Funktionsgraphen voneinander zu unterscheiden. Die entsprechende Plotanweisung ist

```
» plot(t,sinfkt,'r-', t, cosfkt, 'b--', t, expfkt, 'g.')
```

Hierbei muss also die Variable `t` jedes Mal neu wiederholt werden. Die Sinusfunktion wird dabei mit den obigen Einstellungen rot (**r**ed) und mit einer durchgezogenen Linie geplottet, die Cosinusfunktion blau (**b**lue) und gestrichelt, die Exponentialfunktion grün (**g**reen) und gepunktet.

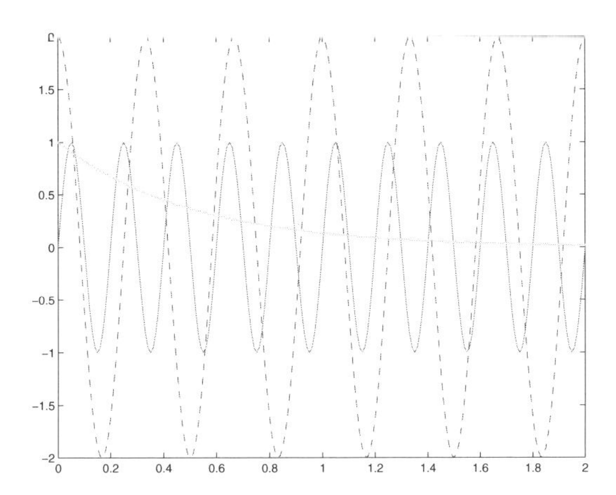

Abbildung 1.7: x, y-Grafik mit mehreren Funktionen und verschiedenen Linienfarben und -stilen

Neben dieser wohl am häufigsten verwendeten Plotfunktion bietet MATLAB noch eine Reihe anderer zweidimensionaler Plotfunktionen an. In der Signalverarbeitung häufiger verwendet wird etwa die Funktion `stem`, welche diskrete Signale in Form einer Lattenzaungrafik darstellt. Diese Funktion eignet sich aber nur für geringe Datenmengen, da sonst die Linien zu nahe aneinanderrücken und die die Linien abschließenden kleinen Kreise unschön überlappen. In solchen Fällen ist dann `plot` wieder übersichtlicher. Die Abbildung 1.8 zeigt das Ergebnis der folgenden MATLAB-Sequenz:

```
» t=(0:0.05:2);
» cosfkt=2*cos(2*pi*t);
» stem(t,cosfkt)
```

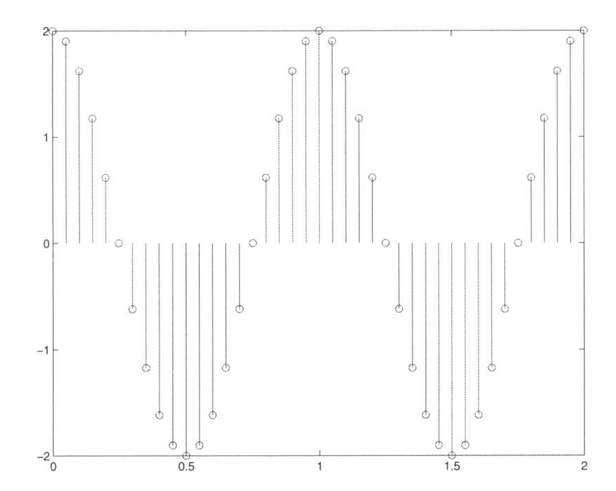

Abbildung 1.8: x, y-Grafik mit der Plotfunktion `stem`

Für die Dokumentation solcher Grafiken wesentlich ist auch eine geeignete Beschriftung der Achsen und eine Titelzeile. Außerdem ist es manchmal nützlich, die Grafik mit einem Gitternetz zu versehen, um die Werte besser vergleichen zu können sowie Ausschnitte aus einer Grafik zu vergrößern.

Auch hierfür bietet MATLAB natürlich Funktionen an. Für die Beschriftung sind dies `xlabel`, `ylabel` und `title`, für das Gitternetz die Funktion `grid` und für die Vergrößerung die Funktion `zoom`, welche eine Ausschnittsvergrößerung mit Hilfe der Maus gestattet sowie das Kommando `axis`, bei dem die x, y-Bereiche explizit angegeben werden müssen.

Die Grafiken 1.9 und 1.10 zeigen das Ergebnis folgender MATLAB-Befehlssequenz, in welcher diese Möglichkeiten genutzt werden:

```
» t=(0:0.05:2);
» cosfkt=2*cos(2*pi*t);
» plot(t,cosfkt)
» xlabel('Zeit / s')
» ylabel('Amplitude / V')
» title('Eine Cosinus-Spannung der Frequenz 1 Hz')
» figure                  % Neues Fenster öffnen !!!!
» plot(t,cosfkt) » xlabel('Zeit / s')
» ylabel('Amplitude / V')
» axis([0, 0.5, 0, 2]) % Ausschnitt im Intervall [0, 0.5] aber
                        % nur Amplituden im Intervall [0, 2]
» title('Ausschnitt der Cosinus-Spannung der Frequenz 1 Hz')
```

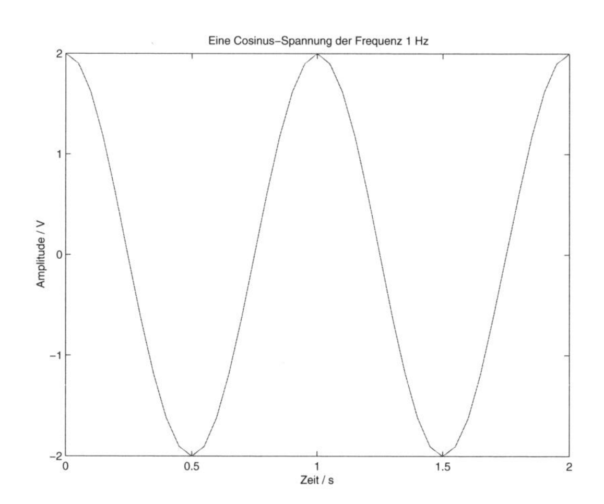

Abbildung 1.9: Beschriftete x, y-Grafik mit der Plotfunktion

Auf die weiteren zweidimensionalen Plotfunktionen soll an dieser Stelle nicht eingegangen werden. Der Leser möge sich im Helpmenü oder im MATLAB-Handbuch [17] oder in [13] selbst über die Möglichkeiten informieren und damit experimentieren.

Im Folgenden wollen wir aber noch kurz auf die Möglichkeiten der Nachbearbeitung von Grafiken und auf 3D-Grafiken eingehen.

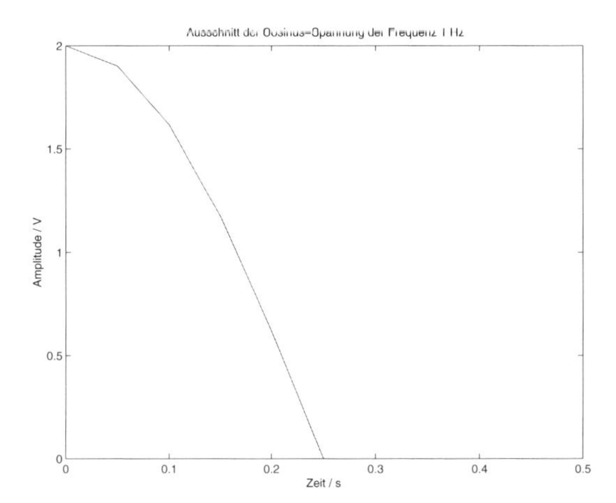

Abbildung 1.10: Ausschnitt aus Abbildung 1.9 mit dem `axis`-Kommando

Grafiknachbearbeitung

MATLAB 6 zeichnet sich gegenüber seinen Vorgängerversionen durch weitreichende Verbesserungen bei der Nachbearbeitung von Grafiken und beim Export von Grafiken aus. Da dies für die Dokumentation von MATLAB-Berechnungen von großer Bedeutung ist, soll an dieser Stelle kurz darauf eingegangen werden.

Das Plotfenster einer MATLAB-Grafik stellt sich dem Benutzer in der in Abbildung 1.11 dargestellten Form dar.

Über die unterhalb des Pull-Down-Menüs erkennbare sogenannte *Toolbar* können die wesentlichen Funktionen zur Manipulation der Grafik angewählt werden. Die Funktionen sind natürlich auch über das Pull-Down-Menü selbst erreichbar. Neben den Windows-üblichen Icons für Speichern, Drucken etc. im linken Drittel der Toolbar erkennt man im rechten Drittel Lupensymbole, mit denen die Grafik vergrößert oder verkleinert werden kann sowie ein Symbol für die Rotation der Grafik. Letzteres ist insbesondere bei der Betrachtung von 3-dimensionalen Grafiken (vgl. den nachfolgenden Unterabschnitt) sehr praktisch und von großem Nutzen.

Die Funktionen werden durch Anwahl mit der Maus und anschließende entsprechende Mausaktionen innerhalb der Grafik ausgelöst.

Im mittleren Drittel befinden sich von links nach rechts die Symbole zum Auslösen der Ploteditierung (Pfeil), zum Hinzufügen von Text (A), Pfeilen (Pfeil) und Linien (Linie).

Möchte man zum Beispiel die Titelbeschriftung ändern, so genügt es nach Anwahl des Ploteditierungspfeils in den Titeltext zu klicken und anschließend den Text zu verändern. Entsprechend kann durch einen Doppelklick auf die Linien der Stil der Linien nachträglich verändert werden. Ein Doppelklick auf die Achsen ermöglicht die

Veränderung der Achseneinteilung und weiterer Achseneigenschaften über das dann erscheinende Auswahlfenster, welches in Abbildung 1.12 wiedergegeben ist.

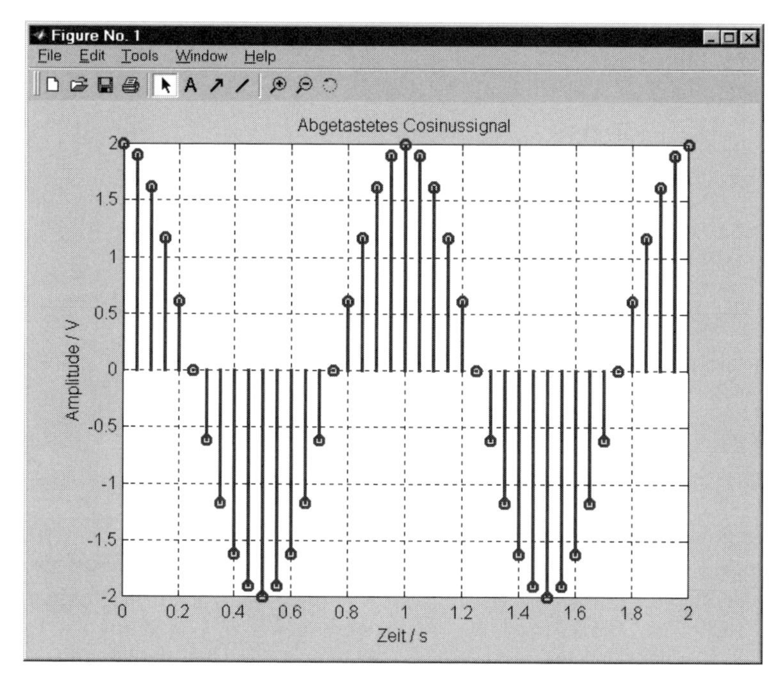

Abbildung 1.11: MATLAB-Plotfenster mit Beispiel-Graph

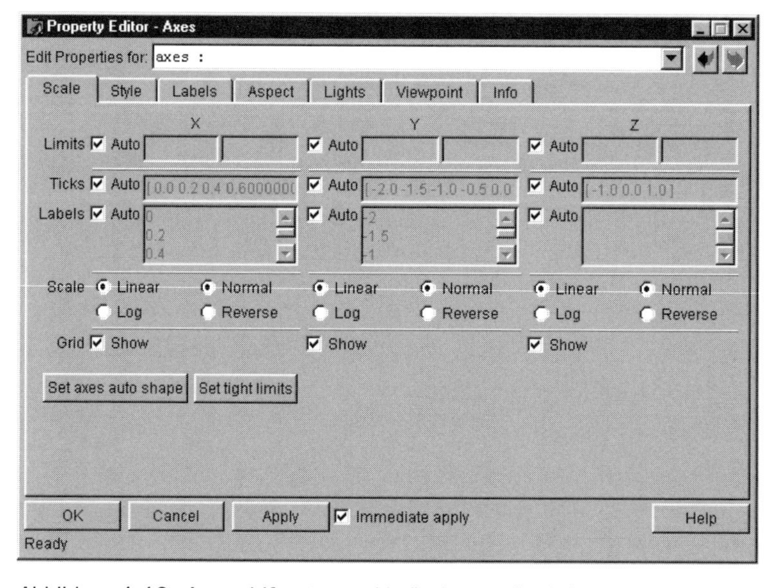

Abbildung 1.12: Auswahlfenster zur Veränderung der Achseneigenschaften

Die entsprechenden Funktionen können, statt durch Doppelklick auf die Objekte der Grafik auch durch Auswahl der Menüs `Edit - Figure Properties`, `Edit - Axes Properties` oder `Edit - Current Object Properties` erreicht werden. So öffnet etwa die Auswahl von `Edit - Axes Properties` ebenfalls das in Abbildung 1.12 dargestellte Auswahlfenster.

Daneben sind über die Menüeinträge `Insert` und `Tools` noch weitaus mehr Funktionen zu erreichen, die es ermöglichen, das Aussehen der Grafik nachträglich zu beeinflussen. Auf die Unzahl von Möglichkeiten, die sich daraus ergeben, können wir an dieser Stelle natürlich nicht eingehen. Hier sei an die Experimentierfreudigkeit des Lesers appelliert.

Zum Abschluss soll an dieser Stelle noch auf die für die Dokumentation von grafischen Ergebnissen wichtigen Funktionalitäten für den Grafik-Export von MATLAB 6 hingewiesen werden. Im Plotfenster können unter dem Menübefehl `File - Export...` verschiedene Formate, wie etwa *Encapsulated Postscript*, *TIFF*, *Portable Network Graphics* etc. ausgewählt werden, in die eine Grafik konvertiert und gespeichert werden kann. Natürlich sind die Grafiken über `Edit - Copy Figure` weiterhin über die Windows-Zwischenablage in andere Anwendungen exportierbar.

Dreidimensionale Plots

Auch hier wollen und können wir nicht auf alle Möglichkeiten von MATLAB explizit eingehen. Die wichtigsten dreidimensionalen Grafikfunktionen sind wohl `mesh` und `surf` zur Darstellung eines dreidimensionalen Maschen- bzw. Kachelplots und `contour` zur Darstellung eines Höhenlinienplots. Im folgenden Beispiel wird die zweidimensionale Funktion

$$f(x, y) = \sin(x^2 + y^2)e^{-0.2\cdot(x^2+y^2)}$$

mit Hilfe der Funktion `mesh` bzw. `surf` auf dem Quadrat

$$[-3,3] \times [-3,3]$$

welches mit einem Quadrategitter der Kantenlänge 0.1 versehen ist, dargestellt. Berechnet wird dabei der Wert der Funktion an jedem Gitterpunkt. Die Funktionswerte werden dabei mit einer Kachel verbunden und der ganze Graph perspektivisch, von einem von MATLAB voreingestellten Blickpunkt (den man allerdings mit den im vorangegangenen Abschnitt beschriebenen Möglichkeiten leicht ändern kann) dargestellt.

Die folgende Befehlsfolge liefert die in Abbildung 1.13 bzw. 1.14 dargestellten Plots.

```
» x=(-3:0.1:3);               % Gitterraster in x-Richtung
» y=(-3:0.1:3)';              % Gitterraster in y-Richtung
» v=ones(length(x),1);        % Hilfsvektor
» X=v*x;                      % Gittermatrix der x-Werte
» Y=y*v';                     % Gittermatrix der y-Werte
»                             % Funktionswerte
```

```
» f=sin(X.^2+Y.^2).*exp(-0.2*(X.^2+Y.^2));
» mesh(x,y,f)               % Maschenplot mit mesh
» mxf = max(max(f));        % Maximum der Funktionswerte
» mif = min(min(f));        % Minimum der Funktionswerte
» axis([-3,3,-3,3,mif,mxf])% Achsen anpassen
» xlabel('x-Achse');        % Achsen beschriften
» ylabel('y-Achse');
» figure                    % neuer Plot
» surf(x,y,f)               % Kachelplot mit surf
» axis([-3,3,-3,3,mif,mxf])% Achsen anpassen
» xlabel('x-Achse');        % Achsen beschriften
» ylabel('y-Achse');
```

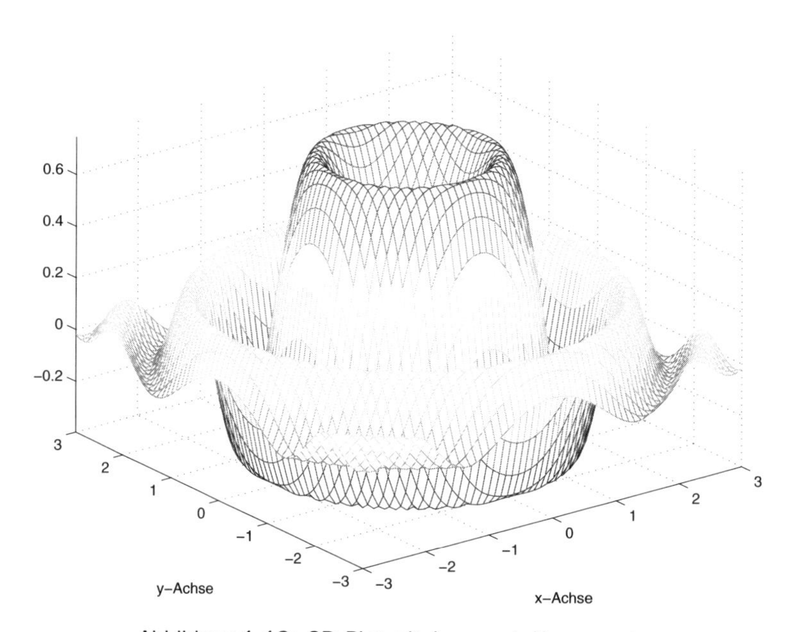

Abbildung 1.13: 3D-Plot mit dem `mesh`-Kommando

Interessant ist dabei die Technik zur Erzeugung des x, y-Gitters. Hier wird auf elegante Weise von der Matrixalgebra Gebrauch gemacht, was einem das Schreiben einer Doppelschleife erspart, wie dies etwa in der Programmiersprache C++ geschehen müsste.

Der Leser sollte sich unbedingt die Übung 26, S. 52 zu Gemüte führen, um zu begreifen, was dabei eigentlich passiert und worin der Trick besteht.

Zum Vergleich mit dem Plotergebnis von `mesh` und `surf` sei in der Grafik 1.15 ein 3D-Höhenlinienplot der Funktion dargestellt. Er wurde mit dem MATLAB-Kommando

```
» contour3(x,y,f,30)
```

erzeugt. Die Zahl 30 gibt dabei die Zahl der darzustellenden Höhenlinien an.

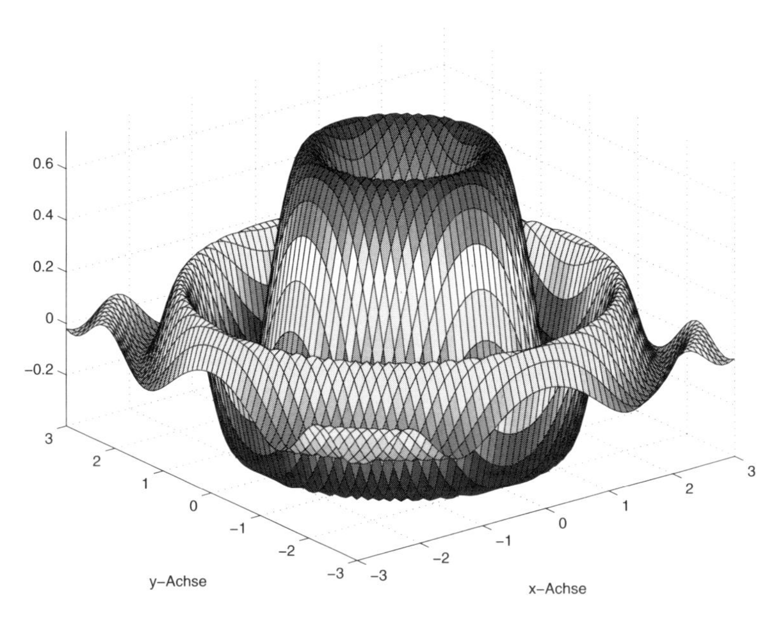

Abbildung 1.14: 3D-Plot mit dem `surf`-Kommando

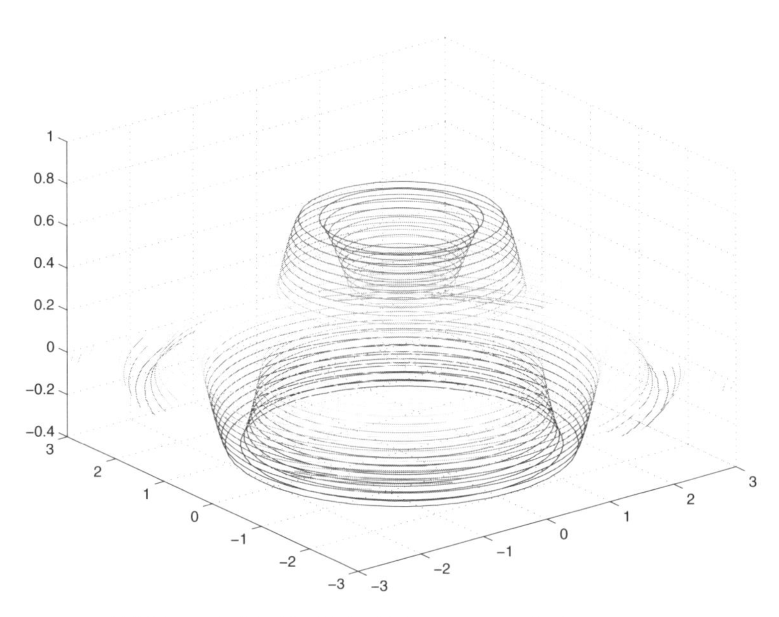

Abbildung 1.15: 3D-Plot mit dem `contour3`-Kommando

Subplots und Mehrfachplots

MATLAB bietet neben der Darstellung von Plots in verschiedenen Einzelfenstern auch die Möglichkeit, mehrere Plots in *einem* Fenster darzustellen. Dies lässt sich etwa mit dem `subplot`-Kommando bewerkstelligen.

Das folgende Beispiel zeigt, wie die komplexe Funktion $f(t) = t^2 e^{jt} j^t$ nach Betrag und Phase geplottet werden kann, wobei die beiden Plots übereinander dargestellt werden.

```
» t=(0:0.1:5);
» f=(t.^2).*exp(j*t).*(j.^t);  % * und ^ sind Feldoperationen!!
» subplot(211)                 % Obere Grafik anlegen
» plot(t,abs(f))
» subplot(212)                 % Untere Grafik anlegen
» plot(t,angle(f))
```

Die Abbildung 1.16 zeigt das Ergebnis.

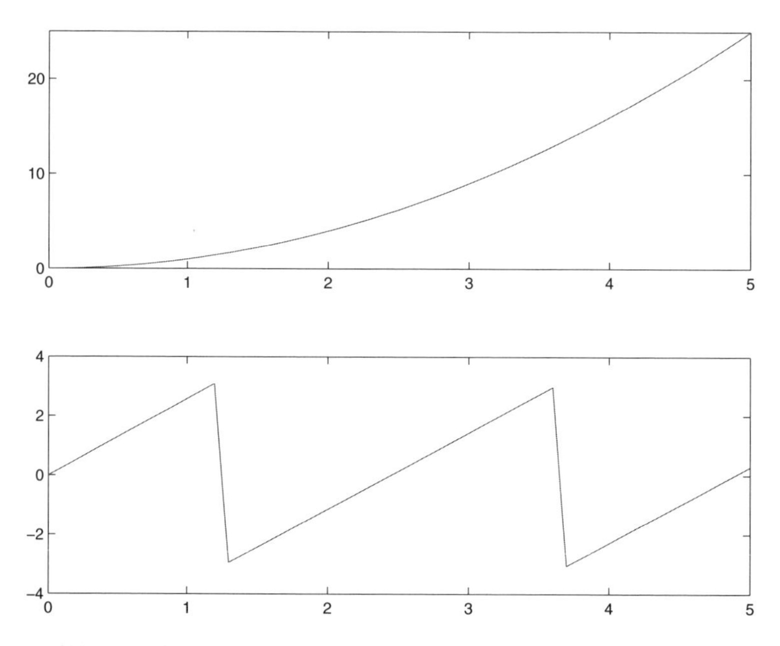

Abbildung 1.16: Plot zweier Grafiken mit dem `subplot`-Kommando

Wie zu sehen ist, legt das Kommando `subplot` lediglich die Achsen der Grafik an der richtigen Stelle an. Den eigentlichen Plot besorgt immer noch der Befehl `plot`.

Der Parameter des `subplot`-Befehls gibt an, wie viele Grafiken in vertikaler Richtung (erste Zahl) und horizontaler Richtung (zweite Zahl) insgesamt geplottet werden sollen. Die dritte Zahl gibt an, welche der Teilgrafiken gemeint ist, gezählt von links oben nach rechts unten. Beispielsweise bedeutet `subplot(325)`, dass die 5. Grafik in einem Array von 3×2 Grafiken (für den nachfolgenden Plotbefehl) gemeint ist.

Eine andere Möglichkeit, mehrere Plots in einem Fenster darzustellen, ist das Aufeinanderzeichnen von Grafiken wie in Abbildung 1.6 und 1.7. Für den Plot mehrerer Grafiken *aufeinander* kann neben den auf Seite 41ff beschriebenen Möglichkeiten auch das Kommando `hold` verwendet werden. Es friert die aktuelle Grafik ein, so dass die nächste Grafik nicht in ein eigenes Fenster, sondern in dasselbe Fenster geplottet wird. Hierzu ein Beispiel:

```
» t=(0:0.5:10);
» sinfkt=sin(2*pi*5*t);
» cosfkt=2*cos(2*pi*3*t);
» plot(t,sinfkt)
» hold
» plot(t,cosfkt)
```

Die aktuelle Grafik ist dabei immer die Grafik, deren Plotfenster „oben" ist, also das, mit dem zuletzt gearbeitet wurde. Man sollte daher vor Verwendung des `hold`-Kommandos durch Anklicken des entsprechenden Plotfensters sicherstellen, dass die richtige Grafik überschrieben wird.

Übungen

Bearbeiten Sie die folgenden Aufgaben zur Einübung der Plotfunktionen.

Übung 21 (*Lösung Seite 174*)

Begründen Sie, warum die Sequenz

```
» t=(0:0.01:2);
» sinfkt=sin(2*pi*5*t);
» cosfkt=2*cos(2*pi*3*t);
» expfkt=exp(-2*t);
» plot(t,[sinfkt, cosfkt, expfkt])
```

zu einem MATLAB-Fehler führt!

Übung 22 (*Lösung Seite 175*)

Geben Sie die MATLAB-Befehlsfolge

```
» t=(0:0.5:10);
» sinfkt=sin(2*pi*5*t);
» cosfkt=2*cos(2*pi*3*t);
» expfkt=exp(-2*t);
» plot(t,[sinfkt; cosfkt; expfkt])
```

ein und interpretieren Sie das (etwas seltsame) grafische Ergebnis.

Übung 23 (*Lösung Seite 176*)

Experimentieren Sie mit den Plotfunktionen `plot` und `stem`, wobei Sie unterschiedliche Diskretisierungsschrittweiten und unterschiedliche Liniendarstellungen verwenden sollten.

Verändern Sie nachträglich auch Liniendarstellung und Achseneinteilung mit Hilfe der Editierbefehle des Plotfensters.

Übung 24 (*Lösung Seite 176*)

Experimentieren Sie mit den Plotfunktionen `semilogx`, `semilogy` und `loglog`, um die unterschiedlichen Möglichkeiten der logarithmischen Achsendarstellung zu erlernen.

Verwenden Sie dabei die in der Signalverarbeitung und Regelungstechnik [2, 5, 15] vorkommenden sogenannten Frequenzübertragungsfunktionen[6] eines Integrators

$$H(j\omega) = \frac{1}{j\omega}$$

und eines Verzögerungsgliedes 1. Ordnung

$$H(j\omega) = \frac{1}{1 + j\omega}$$

wobei Sie jeweils den Absolutbetrag der Funktionen plotten sollten.

Entscheiden Sie, welche Darstellung wohl am geeignetsten ist.

Übung 25 (*Lösung Seite 177*)

Beschriften Sie die Ergebnisplots aus Übung 24 mit Hilfe entsprechender MATLAB-Kommandos und experimentieren Sie mit den Befehlen `axis` und `zoom`.

Führen Sie die gleichen Aufgaben zum Vergleich mit Hilfe der Editierbefehle des Plotfensters durch.

Üben Sie dabei auch die Dokumentation einer MATLAB-Grafik in einem Textverarbeitungsprogramm, indem Sie die Grafik über die Zwischenablage (`Edit – Copy Figure`) in das Dokument einfügen (`paste`).

Übung 26 (*Lösung Seite 178*)

Testen Sie die Befehlssequenz zum `surf`-Plot-Beispiel auf Seite 47 mit zwei Vektoren der Form

$$\vec{x} = \begin{pmatrix} -1 & 0 & 1 \end{pmatrix} \quad \text{und} \quad \vec{y} = \begin{pmatrix} -2 & 0 & 2 \end{pmatrix}$$

und machen Sie sich klar, worin der Trick zur Erzeugung des x, y-Gitters besteht.

---

[6] Der Begriff Frequenzübertragungsfunktionen wird in der Literatur behandelt. Ein Verständnis dieses Begriffs ist aber für die vorliegende Aufgabe nicht wesentlich.

Übung 27 (*Lösung Seite 179*)

Testen Sie einige der übrigen dreidimensionalen Plotfunktionen mit Hilfe des Beispiels auf Seite 47 aus. Einen Überblick über diese Plotfunktionen erhalten Sie durch Eingabe von `help graph3d` in der MATLAB-Kommandooberfläche.

Übung 28 (*Lösung Seite 179*)

Plotten Sie Betrag und Phase der in Übung 24 verwendeten Frequenzübertragungsfunktionen jeweils in einer Grafik übereinander (so etwas nennt man dann ein *Bode-Diagramm*). Verwenden Sie für den Betrag auf der y-Achse einen logarithmischen Maßstab.

Übung 29 (*Lösung Seite 179*)

Plotten Sie die Exponentialfunktionen

$$e^{-t/2} \quad \text{und} \quad e^{-2t/5}$$

über dem Intervall $[0,2]$

1. übereinander in einen Plot
2. nebeneinander in verschiedene Plots
3. untereinander in verschiedene Plots

Beschriften Sie einen der Plots geeignet und versuchen Sie die Plots dann mit Hilfe der Zwischenablage in einer M$ WinWord-Datei zu speichern.

Übung 30 (*Lösung Seite 180*)

Berechnen und plotten Sie die Funktion

$$x^2 + y^2$$

auf dem Rechteck $[-2,2] \times [-1,1]$.

Verwenden Sie dabei ein Gitternetz, welches in x-Richtung eine äquidistante Unterteilung der Länge 0.2 hat und in y-Richtung eine äquidistante Unterteilung der Länge 0.1.

1.2.6 I/O-Operationen

I/O-Operationen beziehen sich auf den Datenaustausch zwischen MATLAB und externen Dateien. Ein solcher Mechanismus ist sehr nützlich, will man zum Beispiel extern gewonnene Messdaten in MATLAB einlesen oder Ergebnisse von MATLAB-Simulationen in andere Applikationen einbinden.

Die Kommandos `load` und `save`

MATLAB kennt viele Datei-Schnittstellen. Die elementarsten unter ihnen werden durch die Kommandos `load` und `save` repräsentiert.

So kann zum Beispiel mit Kommando

```
» save wssicherung
```

der Inhalt des Workspace (also das, was mit `whos` angezeigt wird) in eine Binärdatei namens `wssicherung.mat` gesichert werden (Endung .mat) gespeichert werden. Zielverzeichnis ist dabei das in dem Menüeintrag `Current Directory` (vgl. Abbildung 1.1 Seite 13) eingestellte Arbeitsverzeichnis. Diese Einstellung kann selbstverständlich durch die explizite Angabe eines Verzeichnisses vor dem Dateinamen überschrieben werden.

Mit `load <pfad/dateiname>` oder `load <dateiname>` können die so gespeicherten Variablen wieder in den Workspace eingelesen werden.

Durch Angabe zusätzlicher Optionen, die in der entsprechenden Hilfe zu den Kommandos beschrieben sind, können auch einzelne Variablen mit `save` in Dateien gesichert und mit `load` geladen werden. Darüber hinaus kann auch das Dateiformat verändert werden. Ein wichtiger Fall ist hierbei das ASCII-Format.

So könnte etwa mit

```
» save DieVarX.txt X -ASCII
```

eine Variable `X` des Workspace im ASCII-Format in einer Datei `DieVarX.txt` gesichert werden.

Mit `load` kann dann diese oder auch andere externe ASCII-Dateien, z.B. mit anderen Programmen aufgenommene Messreihen, (wieder) eingelesen werden. Allerdings müssen hierfür die Daten in einem *Matrixformat* aufbereitet sein, damit MATLAB sie einer Matrix (deren Name dann automatisch identisch mit dem Dateinamen ohne Endung ist) im Workspace zuordnen kann.

Alternativ zu `save` und `load` können im interaktiven Betrieb auch die Menübefehle `File - Save Workspace As ...` und `File - Import Data` verwendet werden. Im letzteren Fall öffnet sich der sogenannte *Import Wizard*, welcher flexible Möglichkeiten des Datenimports bietet.

Der Import Wizard

Die Kommandos `save` und `load` sind vor allen Dingen dann unverzichtbar, wenn Lade- und Speicheroperationen *in Programmen* (vgl. Abschnitt 1.5) durchgeführt werden sollen. Nutzt man MATLAB 6 im interaktiven Betrieb, also von der Kommandooberfläche aus, so bietet sich zum Laden von Daten der bereits angesprochene

Import Wizard als Alternative an. Durch Anwählen des Menübefehls `File - Import Data` öffnet sich zunächst ein Dateiauswahlfenster, bei dem das Arbeitsverzeichnis und verschiedene Dateiformate zur Auswahl angeboten werden. Klickt man eine Datei an, so öffnet sich das in Abbildung 1.17 dargestellte Dialogfeld:

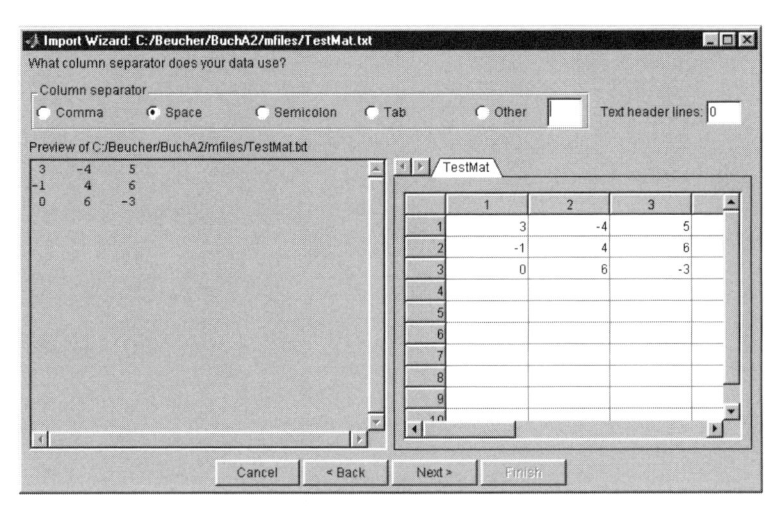

Abbildung 1.17: Der Import Wizard

Hier wird eine Vorschau der zu ladenden Daten angeboten und es können noch einige zusätzliche Einstellungen vorgenommen werden, bevor die Matrix mit dem Auswahlbutton `Finish` im Workspace gespeichert werden kann. In der Kommandoebene wird die Speicherung mit einer entsprechenden Meldung quittiert.

Spezielle I/O-Funktionen

Zu den I/O-Operationen gehören neben den oben besprochenen noch verschiedene Schreib- und Leseoperationen zum Schreiben und Lesen in und von Dateien, welche zum Teil eine ähnliche Syntax wie entsprechende C/C++-Funktionen haben.

Von speziellem Interesse sind darüber hinaus noch Funktionen zum Einlesen von Bild- und Audio-Formaten.

Einen vollständigen Überblick über die Funktionen liefert Ihnen die Eingabe von `help iofun`. Das Kommando listet eine ganze Reihe von MATLAB-Funktionen auf, mit denen der Import und Export verschiedener Dateiformate bewerkstelligt werden kann. Die Diskussion dieser Funktionen würde jedoch zu weit führen. Wir belassen es an dieser Stelle mit einem Hinweis auf Übung 33, wo ein entsprechender Vorgang einmal mit einer Audio-Datei durchgespielt werden soll.

Das Kommando path

Im Zusammenhang mit Dateioperationen erscheint es angebracht, an dieser Stelle auch das Kommando path zu erwähnen. Mit ihm können die aktuellen Zugriffspfade von MATLAB angezeigt und gesetzt werden.

Mit

```
» path
```

werden die aktuellen Suchpfade angezeigt. Will man einen Pfad, etwa das Arbeitsverzeichnis (Current Directory), z.B. C:\mymatlab\beuchersbuch einbinden, so kann dies sehr schnell mit folgendem Befehl erfolgen:

```
» path(path, 'C:\mymatlab\beuchersbuch');
```

Natürlich kann ein solches Verzeichnis sehr einfach auch wieder mit Hilfe eines Menübefehls hinzugefügt werden, im vorliegenden Fall mit File - Set Path....

MATLAB findet automatisch alle m-Files (Kommandos, eigene MATLAB-Programme) in den mit path angezeigten Verzeichnissen.

Schreibt man eigene Programme (vgl. Abschnitt 1.5), so empfiehlt sich das Anlegen des eigenen Arbeitsverzeichnisses im Suchpfad. Bitte legen Sie aber Ihre Programme nicht in irgendeinem Toolbox-Verzeichnis ab. Beim nächsten automatischen Update dieser Toolbox sind diese dann nämlich verloren!

Übungen

Bearbeiten Sie die folgenden Aufgaben zum Ein- und Auslesen externer Dateien.

Übung 31 (*Lösung Seite 180*)

Erzeugen Sie mit einem Editor einen Vektor und/oder eine Matrix von reellen Zahlen und speichern Sie diese unter einem Dateinamen ab.

Löschen Sie alle Matrizen des Workspace mit clear.

Versuchen Sie anschließend mit dem load-Kommando die Dateiinhalte einzulesen und analysieren Sie anschließend den Inhalt des Workspace.

Vergleichen Sie hierzu auch unbedingt die nachfolgende Übung 32!

Übung 32 (*Lösung Seite 181*)

Erzeugen Sie mit einem normalen Editor eine ASCII-Datei mit einem Spaltenvektor aus komplexen Zahlen. Lesen Sie diese mit Hilfe von MATLAB in den MATLAB-Workspace ein!

Übung 33 (*Lösung Seite 181*)

Lesen Sie mit Hilfe einer geeigneten MATLAB-Funktion eine der unter `C:\WINDOWS\MEDIA` zu findenden *.wav-Dateien ein und stellen Sie das entsprechende Audiosignal grafisch dar. Achten Sie dabei darauf, dass die Zeitachse mit den richtigen Zeiten beschriftet ist.

Multiplizieren Sie anschließend das Signal mit dem Faktor 10 und speichern Sie es im *.wav-Format unter einem anderen Namen wieder ab.

Wie hören sich die Audiosignale im Vergleich an?

Übung 34 (*Lösung Seite 182*)

Lösen Sie die Aufgabe aus Übung 33 erneut mit dem „Microsoft-Sound" (Datei `Der Microsoft-Sound.wav`) und dem Faktor 0.

Übung 35 (*Lösung Seite 182*)

Erstellen Sie einen Ordner `C:\mymatlab` und richten Sie diesen Ordner so ein, dass Sie ihn als Arbeitsverzeichnis für MATLAB verwenden können.

1.2.7 Elementare Matrix-Manipulationen

Zu den am häufigsten verwendeten MATLAB-Befehlen gehören einige sogenannte elementare Matrix-Manipulationen [14, 19], über die der Befehl `help elmat` einen vollständigen Überblick liefert.

Ein paar dieser Befehle, wie etwa die Kommandos `zeros` und `ones` zum Erzeugen einer Matrix aus Nullen oder Einsen, haben wir bereits in den vorangegangenen Abschnitten verwendet. Diese sind vor allem für die Initialisierung von Vektoren oder Matrizen sehr nützlich.

Nachfolgend wird eine 2×2-Matrix mit Nullen, eine 3×2-Matrix mit Einsen und ein Vektor der Länge eines vorher definierten Vektors $\vec{x}_1$ mit Nullen initialisiert.

```
» M=zeros(2,2)

M =

     0     0
     0     0

» N=ones(3,2)

N =

     1     1
```

```
     1     1
     1     1

» x1 = [1,2,3,4,5,6];
» v=zeros(length(x1),1)

v =

     0
     0
     0
     0
     0
     0
```

Nützlich ist oft auch der Befehl eye zur Erzeugung einer Einheitsmatrix. Hier ein Beispiel:

```
» E5 = eye(5)

E5 =

     1     0     0     0     0
     0     1     0     0     0
     0     0     1     0     0
     0     0     0     1     0
     0     0     0     0     1
```

Von großer Bedeutung, vor allem in Programmen, sind auch die automatische Feststellung der Länge eines Vektors und der Größe einer Matrix, die mit den Kommandos `length` und `size` errechnet werden können. Nachfolgend wird die Länge des eben definierten Vektors $\vec{x}_1$ ermittelt:

```
» length(x1)

ans =

     6
```

Die folgende Befehlssequenz eliminiert die 2. Spalte aus der oben erzeugten Einheitsmatrix E5 und bestimmt anschließend die Größe der resultierenden Matrix:

```
» B = E5;             % Umspeichern der Matrix E5
» B(:,2) = [ ];       % Leeren der 2. Spalte
» B

B =
```

```
     1     0     0     0
     0     0     0     0
     0     1     0     0
     0     0     1     0
     0     0     0     1

» size(B)              % Größe feststellen

ans =

     5     4
```

Zu den nach `help elmat` von MATLAB aufgelisteten Befehlen gehören des Weiteren Kommandos zur Erzeugung spezieller Matrizen und spezieller Variablen und Konstanten. Wir überlassen es dem Leser, diese Kommandos zu erforschen, wobei wir es allerdings nicht versäumen wollen, auf das Kommando `why` gesondert hinzuweisen.

Im Zusammenhang mit elementaren Matrixoperationen sollte auch der Operator $'$ zur *Transponierung* einer Matrix oder eines Vektors erwähnt werden, obwohl dieser Operator nicht in der entsprechenden Rubrik aufgelistet ist.

Die Transponierung einer Matrix wird erreicht, indem das $'$-Symbol der zu transponierenden Matrix nachgestellt wird.

Beispielsweise liefert die folgende Befehlssequenz identische Spaltenvektoren $\vec{x}_1$ und $\vec{x}_2$

```
» x1 = [1; 2; 3; -1; 4; 5]    % Spaltenvektordefinition
» x2 = [1  2  3  -1  4  5]'   % Zeilenvektor transponiert
```

und die Befehlsfolge

```
» M = [1 2; 3 -2; -1 4]       % eine 3x2-Matrix
» N = M'
```

erzeugt aus der 3×2-Matrix

$$M = \begin{pmatrix} 1 & 2 \\ 3 & -2 \\ -1 & 4 \end{pmatrix}$$

die dazu transponierte Matrix

$$N = \begin{pmatrix} 1 & 3 & -1 \\ 2 & -2 & 4 \end{pmatrix}.$$

Bei komplexen Matrixeinträgen, werden die Matrizen durch den Operator $'$, entsprechend den mathematischen Regeln, geklappt und konjugiert:

```
» M = [i 2; 3 -j]        % eine 2x2-Matrix mit komplexen Einträgen

M =

        0 + 1.0000i   2.0000
   3.0000                  0 - 1.0000i

» N = M'                 % die transponierte Matrix
N =

        0 - 1.0000i   3.0000
   2.0000                  0 + 1.0000i
```

Aus

$$M = \begin{pmatrix} j & 2 \\ 3 & -j \end{pmatrix}$$

ist also

$$N = \begin{pmatrix} -j & 3 \\ 2 & j \end{pmatrix}$$

entstanden.

Will man die Konjugierung der Einträge vermeiden, so ist die Transponierungsoperation wieder als Feldoperator zu definieren:

```
» K = M.'

K =

        0 + 1.0000i   3.0000
   2.0000                  0 - 1.0000i
```

Aus

$$M = \begin{pmatrix} j & 2 \\ 3 & -j \end{pmatrix}$$

ist in diesem Fall, wie gewünscht,

$$K = \begin{pmatrix} j & 3 \\ 2 & -j \end{pmatrix}$$

entstanden.

Übungen

Bearbeiten Sie die folgenden Aufgaben zu elementaren Matrixmanipulationen.

Übung 36 (*Lösung Seite 182*)

Definieren Sie den Vektor

$$\vec{r} = \begin{pmatrix} j & j+1 & j-7 & j+1 & -3 \end{pmatrix}$$

unter MATLAB als Spalten- und Zeilenvektor.

Übung 37 (*Lösung Seite 183*)

Bearbeiten Sie die Übung 2, S. 21 Teil 1 nochmals unter Verwendung der Funktion `repmat`.

Übung 38 (*Lösung Seite 183*)

Erzeugen Sie mit Hilfe einer geeigneten elementaren Matrix-Manipulation einen Vektor von 10 Punkten zwischen 0 und 1, welche bezüglich einer *(zehner-)logarithmischen* Skala äquidistant sind. Dies bedeutet, dass die *Zehnerlogarithmen* der erzeugten Zahlen in gleichem Abstand aufeinander folgen sollen.

Plotten Sie anschließend zur Kontrolle diese Punkte mit `loglog`.

Welchen Graph müssen Sie sehen?

Übung 39 (*Lösung Seite 183*)

Erzeugen Sie die Grafiken zum 3D-Plotbeispiel auf Seite 47, indem Sie das Gitterraster mit der Funktion `meshgrid` erzeugen.

Übung 40 (*Lösung Seite 183*)

Auf welche Weise können Sie unter MATLAB den Vektor

$$\vec{y} = (1, 1.1, 1.2, 1.3, 1.4, \cdots, 9.8, 9.9, 10)$$

definieren?

Übung 41 (*Lösung Seite 184*)

Drehen Sie mit einer geeigneten elementaren Matrix-Manipulation die Reihenfolge der Einträge des in Übung 40 definierten Vektors um, d.h. erzeugen Sie den Vektor

$$\vec{y} = (10, 9.9, 9.8, 9.7, \cdots, 1.2, 1.1, 1).$$

1.2.8 Strukturen

Im Abschnitt 1.1 wurde bereits erläutert, dass in MATLAB 6 neben den klassischen numerischen Matrizen in Anlehnung an andere höhere Programmiersprachen weitere Datenstrukturen definiert werden können.

Wir wollen im Folgenden kurz auf die Datenstruktur `structure` eingehen, mit der so genannte *Strukturen* definiert werden können. Darunter versteht man Felder (Arrays), mit denen unterschiedliche Datentypen zu einer logischen Einheit zusammengefasst werden können. Der Zugriff auf diese Daten erfolgt dabei nicht über numerische Indizierung, wie bei Matrizen, sondern über Namen.

Definition von Strukuren

Wir versuchen dies sofort an einem Beispiel zu illustrieren. Nehmen wir an, wir wollten bestimmte Eigenschaften einer MATLAB-Grafik zusammenfassen, etwa

- Titel der Grafik
- x-Achsen-Beschriftung
- y-Achsen-Beschriftung
- Anzahl der Graphen
- Farbe der Graphen
- grid gesetzt (ja=1, nein=0)
- dargestelltes x-Intervall
- dargestelltes y-Intervall

In dieser Auflistung kommen Zahlen, numerische Vektoren und Strings vor. Eine solche Auflistung kann unter MATLAB natürlich nicht mehr als Matrix dargestellt werden.

Wir definieren dazu folgendermaßen eine Struktur `Grafik`:

```
» Grafik.Titel = 'Beispiel';
» Grafik.xlabel = 'Zeit / s';
» Grafik.ylabel = 'Spannung / V';
» Grafik.anz = 2;
» Grafik.farbe = ['r', 'b'];
» Grafik.grid = 1;
» Grafik.xVals = [0,5];
» Grafik.yVals = [-1,1];
» whos
```

```
  Name          Size            Bytes  Class

  Grafik        1x1              1100  struct array

Grand total is 44 elements using 1100 bytes
```

Offenbar wurde durch die obigen Anweisungen im Workspace ein Element (1×1-Array) `Grafik` definiert, das sämtliche Informationen enthält, wie der Aufruf von `Grafik` zeigt:

```
» Grafik

Grafik =

      Titel: 'Beispiel'
     xlabel: 'Zeit / s'
     ylabel: 'Spannung / V'
        anz: 2
      farbe: 'rb'
       grid: 1
      xVals: [0 5]
      yVals: [-1 1]
```

Alternativ kann eine Struktur auch über die MATLAB-Funktion `struct` definiert werden. Wir wollen auf diese Möglichkeit allerdings nicht näher eingehen. Der interessierte Leser sei hierzu auf die Hilfe verwiesen.

Die große Bedeutung einer Zusammenfassung von Daten zu einer Struktur wird sich dem Leser erst im Zusammenhang mit der Programmierung von MATLAB-Funktionen (vgl. Abschnitt 1.5) erschließen. Die logische Zusammenfassung einzelner Daten zu einer Einheit erleichtert, insbesondere bei umfangreichen Aufgaben, die Programmierung enorm und erhöht die Lesbarkeit der Programme. Dies betrifft insbesondere die Übergabe von Parametern. Lange, unübersichtliche Parameterlisten können durch Verwendung von Strukturen verkürzt werden und machen, logisch zusammengefasst, das Programm für Programmierer und Programmnutzer transparenter (vgl. Lösung zu Übung 51).

An dieser Stelle können wir diesen Aspekt natürlich noch nicht weiterverfolgen. Wir belassen es daher bei der Diskussion elementarer Operationen, wie der Definition von Strukturen und der Zugriffsoperationen auf die Strukturfelder.

Zugriff auf Strukturfelder

Ein Zugriff auf die Datenfelder der Struktur erfolgt durch *Angabe des Namens* der Struktur und des angesprochenen Feldes. So kann man beispielsweise mit

```
» TitString = Grafik.Titel
```

```
TitString =

Beispiel
```

auf den Eintrag `Titel` der Struktur zugreifen und das Ergebnis der Variablen `TitString` zuweisen.

Oder hat sich etwa die rechte Intervallgrenze der Grafik geändert und man möchte dies in der Struktur eintragen, so könnte das durch folgende Anweisung geschehen:

```
» Grafik.xVals(2) = 25

Grafik =

     Titel: 'Beispiel'
    xlabel: 'Zeit / s'
    ylabel: 'Spannung / V'
       anz: 2
     farbe: 'rb'
      grid: 1
     xVals: [0 25]
     yVals: [-1 1]
```

Änderung der Struktur

Eine Struktur kann durch Elimination von Feldern oder durch hinzufügen von Feldern ohne weiteres geändert werden. So bewirkt etwa

```
» Grafik = rmfield(Grafik, 'farbe')

Grafik =

     Titel: 'Beispiel'
    xlabel: 'Zeit / s'
    ylabel: 'Spannung / V'
       anz: 2
      grid: 1
     xVals: [0 25]
     yVals: [-1 1]
```

dass das Feld `farbe` aus der Struktur eliminiert wird. Wir könnten es beispielsweise anschließend ersetzen durch eine Struktur, in der Farbe *und* Linienstil zusammengefasst werden:

```
» Style.farbe = 'rb';
» Style.linie = '-o';
» Grafik.Stil = Style
```

```
Grafik =

      Titel: 'Beispiel'
     xlabel: 'Zeit / s'
     ylabel: 'Spannung / V'
        anz: 2
       grid: 1
      xVals: [0 25]
      yVals: [-1 1]
       Stil: [1x1 struct]
```

Gleiches könnte auch mit der MATLAB-Funktion `setfield` erreicht werden.

Das Beispiel zeigt im Übrigen auch, dass Strukturen selbst wieder Felder von Strukturen sein können. Ebenso können Strukturen ihrerseits wieder zu Arrays zusammengefasst werden.

Übung 42 (*Lösung Seite 184*)

Ändern Sie das Feld `yVals` der Struktur `Grafik` so, dass es den Wert `[-2 0]` hat. Untersuchen Sie dabei, ob es hierzu verschiedene Möglichkeiten gibt.

Übung 43 (*Lösung Seite 185*)

Speichern Sie die zweite, in der `Stil`-Teilstruktur gespeicherte Linienfarbe in einer eigenen Variablen.

1.3 Die MATLAB-Hilfe

Das Hilfekommando `help` wurde in den vorangegangenen Abschnitten schon hinreichend oft erwähnt. Kennt man den Namen eines Kommandos oder einer Befehlsgruppe oder einer ganzen Toolbox, so kann man sich mit der Anweisung `help <Name_der_Funktion>` im Kommandofenster die gewünschte Information hierüber anzeigen lassen [17].

Diese Informationen erhält man auch, wenn man den Menübefehl `Help - MATLAB Help` anwählt und den entsprechenden Befehl oder die entsprechende Befehlsgruppe im Suchfenster der Karteikarte `Index` oder `Search` eingibt. Dies ist insbesondere dann nützlich, wenn man den Namen des Befehls nicht mehr genau kennt, denn die Suchfunktion lässt die Suche nach Stichworten im Volltext der MATLAB Handbücher zu. Abbildung 1.18 zeigt das Hilfefenster, welches sich nach Anwahl des Menübefehls öffnet.

Darüber hinaus stehen die Handbücher der MATLAB-Dokumentation auch im *.HTML-Format und im *.pdf-Format für Adobes Acrobat Reader zur Verfügung. Das alles setzt natürlich voraus, dass die HTML- bzw. pdf-Dokumentationen bei der Installation von MATLAB und seiner Toolboxes auch mit installiert wurden.

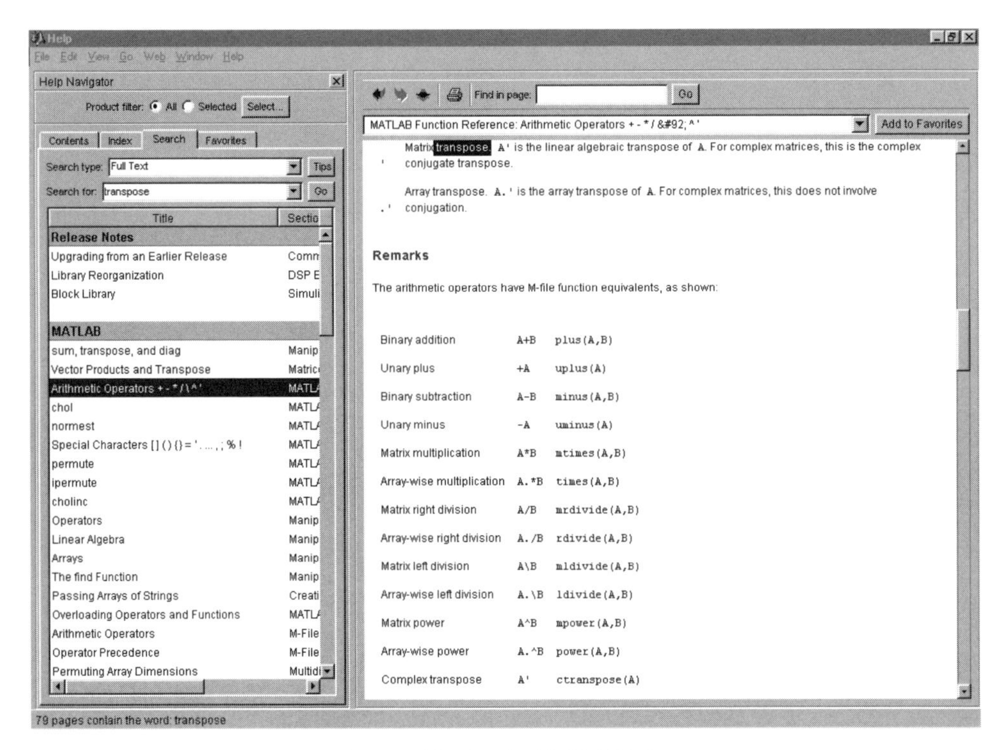

Abbildung 1.18: Das MATLAB-Hilfefenster

1.4 Symbolische Rechnungen mit der Symbolics Toolbox

Auf den prinzipiellen Unterschied zwischen algebraischen und numerischen Simulationswerkzeugen wurde bereits im Einführungsabschnitt hingewiesen. MATLAB ist ein *numerisches* Simulationswerkzeug und bezieht seine Stärken aus dieser Tatsache. Allerdings ist es manchmal wünschenswert, auch symbolische Rechnungen durchführen zu können. Für den MATLAB-Anwender wäre es dabei von Vorteil, das tun zu können, ohne MATLAB zu verlassen, denn dies würde ihn zwingen, sich in die fremde Befehlssyntax eines Computeralgebra-Programms wie MAPLE oder MATHEMATICA einzuarbeiten. Die Symbolics Toolbox von MATLAB, welche nun auch in der Studenten-Version zur Verfügung steht, trägt diesem Wunsch Rechnung. Bei dieser Toolbox handelt es sich im Wesentlichen um eine Adaptation des Kerns von MAPLE in der MATLAB-Syntax. Wir können an dieser Stelle nur sehr kurz auf die Möglichkeiten dieser Toolbox eingehen, da eine umfassendere Beschreibung den Rahmen dieses Buches sprengen würde. Einen ersten Überblick über die Möglichkeiten der Toolbox erhält man durch Eingabe des Befehls `help symbolic`. Der nachfolgende Auszug aus der Antwort auf dieses Kommando zeigt, welche Haupt-Befehlsgruppen zur Verfügung stehen. Nachfolgend geben wir dazu einige wesentliche Beispiele an.

```
Calculus.
  diff        - Differentiate.
  int         - Integrate.
  limit       - Limit.
  taylor      - Taylor series.
  ...

Linear Algebra.
  ...
  eig         - Eigenvalues and eigenvectors.
  ...
  poly        - Characteristic polynomial.

Simplification.
  simplify    - Simplify.
  ...
  subs        - Symbolic substitution.

Solution of Equations.
  solve       - Symbolic solution of algebraic equations.
  dsolve      - Symbolic solution of differential equations.
  ...

...

Basic Operations.
  sym         - Create symbolic object.
  syms        - Short-cut for constructing symbolic objects.
  pretty      - Pretty print a symbolic expression.
  ...

...

Access to Maple. (Not available with Student Edition.)
  maple       - Access Maple kernel.
  ...
```

Um eine symbolische Berechnung durchführen zu können, muss man MATLAB mitteilen, dass es sich bei den Variablen, die in den folgenden Befehlen verwendet werden, um *Symbole* und eben *nicht*, wie sonst in MATLAB üblich, um (numerische) Variablen handelt. Mit der Anweisung

```
» syms x y v
```

etwa werden die *Symbole* x y v angelegt. Ein Blick auf den Workspace bestätigt dies:

```
» whos
  Name       Size         Bytes  Class
  v          1x1            126  sym object
  x          1x1            126  sym object
  y          1x1            126  sym object
Grand total is 6 elements using 378 bytes
```

Ein symbolischer Ausdruck in diesen Variablen kann nun mit entsprechenden Befehlen der Toolbox bearbeitet werden. Der nachfolgende Befehl etwa differenziert die Funktion

$$f(x, y) = \sin(xy^2)\cos(vxy)$$

nach y bzw. nach v:

```
» f = sin(x*y^2)*cos(v*x*y)         % Funktion definieren
f =
sin(x*y^2)*cos(v*x*y)
» dfy = diff(f,'y')                 % nach Symbol y ableiten
dfy =
2*cos(x*y^2)*x*y*cos(v*x*y)-sin(x*y^2)*sin(v*x*y)*v*x
» dfv = diff(f,'v')                 % nach Symbol v ableiten
dfv =
-sin(x*y^2)*sin(v*x*y)*x*y
```

Interessant ist an diesem Beispiel, dass es die MATLAB-Funktion `diff` zweimal gibt, nämlich einmal als „gewöhnliche" MATLAB-Funktion (s. `help diff`) und als „überladene" symbolische Funktion (s. `help sym/diff`). Diese Technik ermöglicht es, eine natürliche Namensgebung beizubehalten, allerdings zu dem Preis, dass der Anwender ein wenig Acht geben muss, welche der Funktionen gerade von ihm gemeint wird.

Das vorangegangene Beispiel zeigt einen wesentlichen Nachteil bei der Verwendung der Symbolics Toolbox auf. Die Ausgabe der Ergebnisse ist in den meisten Fällen sehr unübersichtlich und schlecht zu lesen. Es empfiehlt sich meist, das Kommando `pretty` zu verwenden, um die Ausgaben im Kommandofenster einigermaßen lesbar zu machen, etwa so:

```
» f = sin(x*y^2)*cos(v*x*y);
» pretty(f)

                                         2
                              sin(x y ) cos(v x y)
» dfy = diff(f,'y');
» pretty(dfy)

                      2                          2
           2 cos(x y ) x y cos(v x y) - sin(x y ) sin(v x y) v x
» dfv = diff(f,'v');
```

```
» pretty(dfv)

                                      2
                               -sin(x y ) sin(v x y) x y
```

Im Wesentlichen stellt die Symbolics Toolbox, wie bereits erwähnt, dem Anwender die Funktionalität von MAPLE zur Verfügung. Ausgenommen davon sind grafische Befehle. Wer über die Vollversion von MATLAB und die Toolbox verfügt und sich darüber hinaus in MAPLE auskennt, dem steht über den Befehl `maple` die ganze Welt von MAPLE offen. Mit diesem Kommando ist es nämlich möglich, einen MAPLE-Befehl unter MATLAB in der Originalsyntax abzusetzen. Beispielsweise könnte die zweite Ableitung nach x der obigen Beispielfunktion $f(x, y)$ folgendermaßen bestimmt werden:

```
»                            % Zuordnung zu f nach MAPLE-Syntax
» maple('f := sin(x*y^2)*cos(v*x*y);')

ans =

f := sin(x*y^2)*cos(v*x*y)

» df = maple('diff(f,x$2);')  %2. Ableitung nach MAPLE-Syntax

df =

-sin(x*y^2)*y^4*cos(v*x*y)-2*cos(x*y^2)*y^3*sin(v*x*y)*v
                              -sin(x*y^2)*cos(v*x*y)*v^2*y^2

» df = sym(df)                 % Umwandlung von String in Symbol;
                               % nötig, da df zunächst ein String
                               % ist (siehe:whos)

df =

-sin(x*y^2)*y^4*cos(v*x*y)-2*cos(x*y^2)*y^3*sin(v*x*y)*v
                              -sin(x*y^2)*cos(v*x*y)*v^2*y^2

» pretty(df)                   % pretty-print des Ergebnisses

          2   4                          2   3
  -sin(x y ) y  cos(v x y) - 2 cos(x y ) y  sin(v x y) v

                      2                   2  2
        - sin(x y ) cos(v x y) v  y
```

Leider steht diese Möglichkeit in der Studenten-Version von MATLAB nicht zur Verfügung.

Symbolische „Nebenrechnungen"

Eine in manchen Berechnungen ganz nützliche Anwendung der Symbolics Toolbox ist die zwischenzeitliche Berechnung symbolischer Ausdrücke in an und für sich numerischen Rechnungen. Ein Beispiel wäre die exakte Berechnung von Integralen statt der numerischen Näherung des Integrals, wenn der funktionale Ausdruck des Integranden zur Verfügung steht. Das folgende einfache Beispiel aus der Elektrotechnik soll diese Anwendung verdeutlichen [6], [11]. Berechnet werden soll der sogenannte *Effektivwert* einer gleichgerichteten Sinusspannung der Amplitude 1. Der Effektivwert einer Wechselspannung kann interpretiert werden als der Spannungswert derjenigen Gleichspannung, welcher die gleiche Energie wie die Wechselspannung hat. Dieser ist für ein periodisches Signal $f(t)$ der Dauer T s allgemein definiert als

$$U_{\text{eff}} = \sqrt{\frac{1}{T}\int_0^T f^2(t)\,dt}$$

Man vergleiche dazu die Abbildung 1.19.

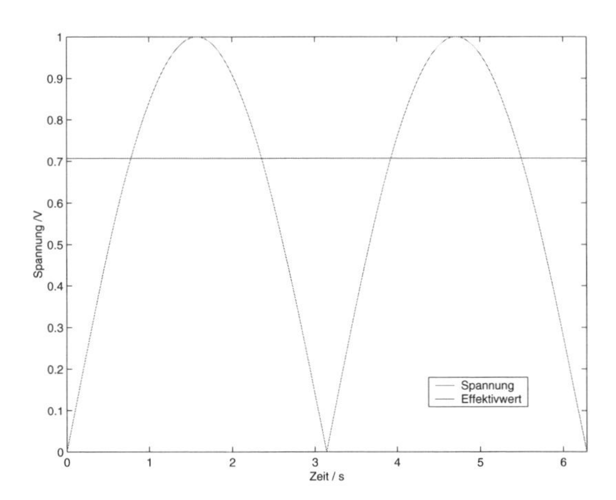

Abbildung 1.19: Gleichgerichteter Sinus und Effektivwertgleichspannung

Sie zeigt einen gleichgerichteten Sinus der Periode $T = 2\pi$ s und die zum Effektivwert gehörende Gleichspannung.

Um dies mit MATLAB in zu berechnen, müssten wir folgende MATLAB-Sequenz eingeben:

```
» T = 2*pi;                % Periodendauer festlegen
» t=(0:0.5:2*pi);          % Zeitintervall unterteilen
» f=sqrt(sin(t).^2);       % Gleichgerichteten Sinus definieren
» plot(t,f);               % und grafisch darstellen
» IntU = trapz(t,f.^2);    % Integral mit der numerischen Integra-
                           % tionsmethode Trapezregel integrieren
```

```
                              % (Dies ist eine NÄHERUNG des Integr.)
» Ueff = sqrt((1/T)*IntU);   % Effektivwert berechnen
```

Durch die Verwendung der numerischen Integrationsmethode (hier die Trapezregel mit der eingebauten MATLAB-Funktion `trapz`) erhalten wir eine Näherung des Effektivwerts, im vorliegenden Fall

```
Ueff =

    0.7050
```

Mit dieser Näherung und damit dem von der Diskretisierung des Zeitintervalls abhängigen Fehler muss nun weitergerechnet werden.

In diesem einfachen Beispiel jedoch könnte man den Effektivwert *exakt* berechnen, indem man die Möglichkeiten der Symbolics Toolbox einsetzt. In diesem Fall würde die Lösung so aussehen

```
» T = 2*pi;                   % Periodendauer festlegen
» t=(0:0.5:2*pi);             % Zeitintervall unterteilen (diesmal
                              % aber nur für den Plot)
» f=sqrt(sin(t).^2);          % Gleichgerichteten Sinus definieren
                              % (für den Plot)
» plot(t,f);                  % und grafisch darstellen
» syms x P                    % Symbolische Größen definieren
                              % (nicht t,T, da sonst Zeitvektor
                              % und Periode T überschrieben werden)
» F = sqrt(sin(x)^2);         % Signal symbolisch definieren
                              % Integral SYMBOLISCH integrieren
                              % (nach x im Intervall [0,P]
                              % (Dies ist der EXAKTE Wert des
                              % Integrals)
» UeI = int( (1/P)*F^2,x,0,P)

UeI =

1/2*(-cos(P)*sin(P)+P)/P

» Ue = sqrt(UeI);             % Effektivwert exakt berechnen
                              % Jetzt den tatsächlichen Wert
                              % T für P einsetzen (mit
                              % der Ersetzungsfunktion subs)
Ueff = subs(Ue,P,T)           % liefert den numerischen Wert

Ueff =

    0.7071
```

Ab jetzt kann numerisch mit dem exakten Wert von `Ueff` weitergerechnet werden. Der exakte Wert ist im Übrigen *immer* $\frac{1}{\sqrt{2}}$ für eine Sinusschwingung der Amplitude 1. Dies ist ganz unabhängig von der Periodendauer!

Man erkennt in dem obigen Beispiel auch den numerischen Fehler in der Annäherung mit `trapz`, der von der viel zu groben Diskretisierung (hier 0.5) des Integrationsintervalls herrührt.

Allgemein können solche symbolischen Zwischenschritte oft vorteilhaft eingesetzt werden, insbesondere bei der Berechnung von Ableitungen (vgl. Übung 47) oder bei der Lösung einfacherer Differentialgleichungen.

Übungen

Bearbeiten Sie die folgenden Aufgaben zur Symbolics Toolbox. Studieren Sie vorab mit `help ...` genau die Syntax der symbolischen Funktion, die Sie verwenden möchten.

Übung 44 (*Lösung S. 185*)

Integrieren Sie die Funktion

$$g(x) = \sin(5x - 2) \tag{72.1}$$

zweimal symbolisch auf (Stammfunktionsbildung).

Übung 45 (*Lösung S. 186*)

Bestimmen Sie das Taylor-Polynom 3. Ordnung der Funktion $g(x)$ im Entwicklungspunkt $x_0 = 1$.

Übung 46 (*Lösung S. 186*)

Lösen Sie symbolisch die Differentialgleichung

$$\dot{y} = xy^2 \tag{72.2}$$

mit Hilfe des Kommandos `dsolve`.

Übung 47 (*Lösung S. 187*)

Plotten Sie in das gleiche Plotfenster verschiedenfarbig aufeinander die Funktion aus Übung 44 sowie deren erste und zweite Ableitung über dem Intervall [0,10].

Für Leser mit MAPLE-Kenntnissen:

Übung 48 (*Lösung S. 187*)

Integrieren Sie die Funktion aus Übung 44 zweimal symbolisch auf (Stammfunktionsbildung), indem Sie die MAPLE-Funktionalität verwenden.

1.5 MATLAB-Programmierung

Wie im vorangegangenen Abschnitt schon erwähnt, ist MATLAB nicht nur ein numerisches Programm zur Auswertung von Formeln, sondern eine eigene *Programmiersprache*. Dies bedeutet, dass MATLAB neben den schon angesprochenen Befehlen auch über typische Programmiersprachenkonstrukte wie Schleifen und Verzweigungen verfügt sowie das Schreiben eigener Funktionen und Prozeduren zulässt.

Die Diskussion dieser Möglichkeiten ist Gegenstand dieses Abschnittes.

1.5.1 MATLAB-Prozeduren

Der erste Schritt in Richtung Programmierung ist die Erstellung von *Script-Files*, in denen MATLAB-Befehlssequenzen zu einfachen Prozeduren zusammengefasst werden.

Die Vorgehensweise besteht darin, die MATLAB-Befehlssequenzen mit einem Texteditor, welcher zum Beispiel mit dem Menüeintrag `File - New - M-File` im MATLAB-Workspace geöffnet werden kann (vgl. Abschnitt 1.5.6), in eine Datei zu schreiben und diese dann unter einem Namen (z.B. **prozed.m**) als so genanntes *m-File* in einem für MATLAB zugänglichen Pfad abzuspeichern (man schaue sich hierzu ggf. die Ausführungen zum `path`-Befehl in Abschnitt 1.2.6 nochmals an).

Die Befehlssequenz kann dann anschließend im Workspace mit dem Befehl **prozed** ausgeführt werden. Um Probleme zu vermeiden, sollte man nach Möglichkeit keinen der schon vorhandenen Befehlsnamen verwenden. Ob ein solcher schon existiert kann man vorab prüfen, indem man `help <name>` im Workspace eingibt.

Wir illustrieren diese Vorgehensweise an einem Beispiel. Dazu haben wir die aus Abschnitt 1.2.5 bekannte Sequenz

```
» t=(0:0.01:2);
» sinfkt=sin(2*pi*5*t);
» cosfkt=2*cos(2*pi*3*t);
» expfkt=exp(-2*t);
» plot(t,[sinfkt; cosfkt; expfkt])
```

leicht erweitert und in folgender Weise in ein m-File namens **funkbsp.m** geschrieben.

```
% Prozedur funkbsp
%
```

```
% Aufruf:  funkbsp
%
% Erstes Beispiel für ein Script-File
%
% Buch: MATLAB und Simulink
%
% Autor: Prof. Dr. Ottmar Beucher
%        FH Karlsruhe
% Version: 1.01
% Datum: 31.01.1998/21.3.2002

t=(0:0.01:2);
sinfkt=sin(2*pi*5*t);
cosfkt=2*cos(2*pi*3*t);
expfkt=exp(-2*t);
plot(t,[sinfkt; cosfkt; expfkt])
xlabel('Zeit / s')
ylabel('Amplitude')
title('Drei wunderschöne Signale')
```

Die Sequenz kann dann mit

```
» funkbsp
```

komplett ausgeführt werden. Besonders sei an dieser Stelle auf den Kopf der Datei hingewiesen. Mit vorangestelltem % kann hier ein dokumentierender Kommentar der Befehlssequenz *vorangestellt* werden. Das Besondere daran ist nicht, dass der Sinn des Programms dadurch auch Jahre später noch verständlich bleibt — eine solche Dokumentation gehört zum guten Programmierstil und der Leser sollte sich das im eigenen Interesse frühzeitig angewöhnen —, sondern, dass dieser so vorangestellte Text im MATLAB-Workspace mit `help funkbsp` angezeigt werden kann. Der Helpmechanismus für alle MATLAB-Funktionen, auch für die selbst geschriebenen, ist so gestaltet, dass bei Eingabe von `help <Funktionsname>` alle Kommentarzeilen der Script- oder Funktionsdatei bis zur ersten leeren Zeile oder MATLAB-Anweisung ausgegeben werden. Aus Platzgründen werden wir die Kommentierung der abgedruckten Programme im Folgenden allerdings nicht mehr vollständig wiedergeben. Hierfür sei auf die Begleitsoftware verwiesen. Die vollständige Kommentierung kann im übrigen auch durch Eingabe von `help <Funktionsname>` im MATLAB-Workspace angezeigt werden.

Abschließend ist zu bemerken, dass die im Script-File definierten Variablen nach Ausführung des Programms im MATLAB-Workspace bekannt sind. Dies ist ein wesentlicher Unterschied zu dem Verhalten der im Folgenden zu besprechenden MATLAB-Funktionen!

1.5.2 MATLAB-Funktionen

Wesentlich flexibler als die pure Zusammenfassung von MATLAB-Befehlen in Script-Files zu verwenden, ist es jedoch, MATLAB-*Funktionen* zu definieren, da diesen *Parameter* übergeben werden können.

Mit Hilfe dieses Mechanismus kann ein Programm unter verschiedenen Voraussetzungen ausgeführt werden. Am einfachsten macht man sich dies an Hand eines Beispiels klar. Dazu modifizieren wir das Script-File **funkbsp.m** des obigen Beispieles zunächst wie folgt:

```
function [t, sinfkt, cosfkt, expfkt]= funkbsp2(f1, f2, damp)
%
% Funktion funkbsp2
%
% Aufruf:  [t, sinfkt, cosfkt, expfkt] = funkbsp2(f1, f2, damp)
% oder     funkbsp2(f1, f2, damp)
%
% Erstes Beispiel für eine MATLAB-Funktion
%
% Hier gehört normalerweise auch die Beschreibung der Ein- und
% Ausgangsparameter sowie der wesentlichen Funktionsmerkmale hin!

t=(0:0.01:2);
sinfkt=sin(2*pi*f1*t);
cosfkt=2*cos(2*pi*f2*t);
expfkt=exp(-damp*t);
plot(t,[sinfkt;cosfkt; expfkt])
xlabel('Zeit / s')
ylabel('Amplitude')
title('Drei wunderschöne Signale')
```

und speichern es unter dem Namen **funkbsp2.m** ab. Die Funktionsnamen und die Dateinamen müssen stets übereinstimmen, da MATLAB die Funktionen in einem *namensgleichen* m-File sucht.

Was hat sich geändert?

Zunächst sind drei Parameter `f1, f2, damp` hinzugekommen. Diese nehmen Werte für die Frequenzen der zu berechnenden Sinus- und Cosinussignale sowie einen Parameter für die Exponentialfunktion auf.

Diese Parameter, die *Eingabeparameter*, stehen unmittelbar hinter dem Funktionsnamen als eine durch Kommas getrennte, in runden Klammern eingeschlossene Liste. *Vor* dem Funktionsnamen steht eine weitere Liste von Namen, diesmal in den für Vektoren typischen eckigen Klammern. Diese Liste nimmt im vorliegenden Beispiel die Vektornamen der im Funktionsrumpf verwendeten Vektoren auf. Das dazwischenstehende Gleichheitszeichen signalisiert, dass es sich um *Ausgabeparameter* handelt.

Man beachte, dass Ein- und Ausgabeparameter in der Kommentierung vor den eigentlichen Anweisungen, welche ja mit dem Helpmechanismus unter MATLAB angezeigt werden kann, ausführlich beschrieben sind. Dies erleichtert die spätere Verwendung der Funktion, insbesondere für andere Nutzer, wesentlich. Sehr praktisch ist auch die Angabe der Aufrufsyntax oder eines Beispielaufrufes in diesem Hilfekommentar. Dieser kann etwa nach der Anzeige mit `help ...` direkt in die Kommandoebene kopiert, ggf. verändert und sofort ausgeführt werden.

Wozu die Unterscheidung zwischen Ein- und Ausgabeparameter dient, macht der folgende Aufruf der Funktion deutlich.

```
» clear
» [zeit, s1, c1, e1]= funkbsp2(3, 5, 4);
» whos
  Name        Size          Bytes  Class

  c1          1x201          1608  double array
  e1          1x201          1608  double array
  s1          1x201          1608  double array
  zeit        1x201          1608  double array

Grand total is 804 elements using 6432 bytes
```

Man erkennt, dass die Namen in den Parameterlisten lediglich *Platzhalter* für die wahren Werte sind, die bei Aufruf der Funktion in die Liste eingesetzt werden. Die Variablen sind also nur bekannt und gültig innerhalb des Funktionsrumpfs und zur Ausführungszeit der Funktion. Man sagt, die Variablen sind *lokal!*

Dass dies so ist, zeigt der Aufruf von `whos` nach dem Funktionsaufruf.

Natürlich können der Funktion statt Zahlen auch Variablen übergeben werden, und falls man an den berechneten Vektoren nicht weiter interessiert ist, sondern nur an der im vorliegenden Fall durch die Funktion gelieferten Grafik, benötigt man auch keinen Rückgabevektor. Dies zeigt das folgende Beispiel:

```
» clear
» whos


» frq1=6;
» frq2=1;
» dmpng=7;
» funkbsp2(frq1,frq2,dmpng);
» whos
  Name         Size          Bytes  Class

  ans          1x201          1608  double array
```

```
  dmpng         1x1                    8  double array
  frq1          1x1                    8  double array
  frq2          1x1                    8  double array

Grand total is 204 elements using 1632 bytes
```

Wie zu erkennen ist, sind jetzt die Eingabeparameter bekannt (sie wurden ja vorher im Workspace definiert) und der Rückgabevektor wird in der Variablen ans gespeichert, die standardmäßig als Rückgabevariable verwendet wird, wenn nichts anderes angegeben wird.

Nicht bekannt sind allerdings weiterhin die Parameter f1, f2 und damp aus dem Quelltext der Funktion. Diese sind ja, wie bereits erwähnt, *Platzhalter* für die eigentlichen übergebenen Variablen.

Allerdings sollte man sich durch dieses Beispiel nicht täuschen lassen. Die Eingabeparameter sind nach wie vor *lokal!*

Wir machen dies an folgendem einfachen Beispiel klar:

```
function [sum]= funkbsp3(a, b)
%
% Funktion funkbsp3
%
% Aufruf:  [sum]= funkbsp2(a, b)
%
% Zweites Beispiel für eine MATLAB-Funktion
%
% Berechnet die Summe zweier Vektoren a und b,
% welche dazu natürlich die gleiche Dimension haben sollten,
% was vom Programm in dieser Version aber nicht geprüft wird.
%
% Soll die Eigenschaften lokaler Variablen verdeutlichen!

sum = a+b;        % Das solls tun!

                  % Und jetzt ein kleiner Versuch!
a = a.^2;         % Quadrierung der Komponenten von a
```

Wir rufen diese Funktion auf und schauen, was passiert:

```
» clear
» v1 = [1 2 3];
» v2 = [-2 2 5];
» diesum = funkbsp3(v1,v2)

diesum =
```

```
    -1     4     8

» whos
  Name         Size           Bytes  Class

  diesum       1x3               24  double array
  v1           1x3               24  double array
  v2           1x3               24  double array

Grand total is 9 elements using 72 bytes

» v1

v1 =

     1     2     3

» v2

v2 =

    -2     2     5
```

Wie zu sehen ist, berechnet die Funktion **funkbsp3** brav die Summe von $\vec{v}_1$ und $\vec{v}_2$. Diese werden jedoch dabei *nicht* verändert, obwohl programmintern der Platzhalter von $\vec{v}_1$ komponentenweise quadriert wird. Dies wird auch gemacht, aber eben mit einer *lokalen* Variablen[7]. Der eigentliche Eingangsparameter bleibt geschützt.

Hinzugefügt werden sollte abschließend noch, dass im Gegensatz zu den Script-Files *innerhalb einer Funktion nicht* auf Variable des Workspace zugegriffen werden kann. Auch dies ist eine Konsequenz des Konzepts der lokalen Variablen. Zudem gibt es *auch keinen call-by-reference-Mechanismus*, wie etwa bei den Programmiersprachen[8] C/C++, das heißt, Ergebnisse können nicht über die Parameterliste zurückgeliefert werden, sondern ausschließlich über den Rückgabevektor.

Übungen

Bearbeiten Sie die folgenden Aufgaben zur Einübung des Funktionsbegriffes.

Übung 49 (*Lösung Seite 188*)

Ändern Sie die Funktion **funkbsp3** so ab, dass auf das Ergebnis der Quadrierung von Vektor $\vec{a}$ zugegriffen werden kann.

---

[7] Es gibt in MATLAB auch das Konzept, Variablen als *global* zu definieren. Wir wollen hierauf aber erst in Kapitel 2 eingehen.

[8] Dort realisiert über Zeigervariable bzw. Referenzen.

Übung 50 (*Lösung Seite 188*)

Ändern Sie die Funktion **funkbsp2** so ab, dass die Farben für den Plot der Graphen an die Funktion übergeben werden können und die Signale dann auch entsprechend geplottet werden.

Übung 51 (*Lösung Seite 189*)

Ändern Sie die Funktion **funkbsp2** so ab, dass die Parameter der Funktion in Form einer Parameterstruktur `fktparams` übergeben werden. Die Strukturfelder sollen dabei die ursprünglichen Parameter der Funktion **funkbsp2** enthalten.

Übung 52 (*Lösung Seite 189*)

Schreiben Sie eine MATLAB-Funktion, die eine Kreisscheibe für einen vorgegebenen Radius plottet und Kreisumfang und Kreisfläche als Ergebnis zurückliefert. Verwenden Sie dabei das Kommando `axis equal`, um die Achseneinteilungen des Plots gleich lang zu machen, sonst kommt ein Ei heraus.

Radius und Füllfarbe der Kreisscheibe sollen als Parameter übergeben werden. Der Kreismittelpunkt soll der Einfachheit halber stets der Ursprung sein.

Verwenden Sie zum Plotten die MATLAB-Funktion `fill` zum Füllen von Polygonzügen, indem Sie den zu zeichnenden Kreis durch einen geeigneten Polygonzug annähern. Überlegen Sie sich dazu, wie die Kreispunkte mathematisch ausgedrückt werden können [14, 19] und wählen Sie dann geeignete Kreispunkte so aus, dass der durch die Verbindung der Punkte entstehende Polygonzug einem Kreis möglichst nahe kommt.

Konsultieren Sie bezüglich der korrekten Verwendung von `fill` das Hilfemenü!

1.5.3 MATLAB-Sprachkonstrukte

Wie bereits erwähnt, ist MATLAB auch eine Programmiersprache und verfügt damit auch über die programmiersprachentypischen Konstrukte. Einen Überblick über diese Konstrukte erhalten Sie, wenn Sie im MATLAB Workspace `help lang` (`lang` steht für language!) eingeben. Im Folgenden ist ein Teil des von diesem Befehl gelieferten Ergebnisses wiedergegeben. Diejenigen Befehle, auf die wir im Rahmen dieser Einführung nicht eingehen wollen, haben wir dabei ausgeblendet.

```
Programming language constructs.

Control flow.
  if          - Conditionally execute statements.
  else        - IF statement condition.
  elseif      - IF statement condition.
  end         - Terminate scope of FOR, WHILE, SWITCH, TRY
                and IF statements.
```

```
    for          - Repeat statements a specific number of times.
    while        - Repeat statements an indefinite number of times.
    break        - Terminate execution of WHILE or FOR loop.
    continue     - Pass control to the next iteration
                   of FOR or WHILE loop.
    switch       - Switch among several cases based on expression.
    case         - SWITCH statement case.
    otherwise    - Default SWITCH statement case.
    try          - Begin TRY block.
    catch        - Begin CATCH block.
    return       - Return to invoking function.

  Evaluation and execution.
    ...
    eval       - Execute string with MATLAB expression.
    feval      - Execute function specified by string.
    ...

  Scripts, functions, and variables.
    ...

  Argument handling.
    ...
    nargin       - Number of function input arguments.
    nargout      - Number of function output arguments.
    varargin     - Variable length input argument list.
    varargout    - Variable length output argument list.
    ...

  Message display.
    error      - Display error message and abort function.
    ...

  Interactive input.
    ...
    pause      - Wait for user response.
    ...
```

MATLAB unterscheidet also sechs Klassen von Sprachkonstrukten. Von besonderem Interesse sind für diese Einführung die für alle höheren Programmiersprachen typischen Kontrollflusskonstrukte, mit denen der Ablauf einer Befehlsfolge innerhalb eines Programms gesteuert werden kann.

Die nächsten Beispiele sollen den Umgang mit diesen Konstrukten verdeutlichen.

if-Konstrukt – Konvertierung komplexer Zahlen

Ein einfaches Beispiel für eine Fallunterscheidung, die mit einem `if`-Konstrukt behandelt werden kann, ist die Umrechnung von komplexen Zahlen aus ihrer algebraischen Darstellung in die Exponentialdarstellung [14, 19].

Bei dieser Umrechnung muss ja bekanntlich für die korrekte Berechnung des Argumentwinkels unterschieden werden, in welchem Quadranten[9] sich der komplexe Zeiger, welcher die Zahl repräsentiert, befindet.

Die nachfolgende MATLAB-Funktion **FkonvertKomplex** setzt diese Aufgabe um und liefert zu einer komplexen Zahl, welche als Parameter übergeben wird, Betrag und Argument der Zahl zurück. Das Argument wird sowohl in rad als auch in grad zurückgeliefert.

```
function [Betrag, Arg, ArgGrad]= FkonvertKomplex(cmplxNum)
%
% Funktion FkonvertKomplex
%
% Aufruf:  [Betrag, Arg, ArgGrad]= FkonvertKomplex(cmplxNum)
%
% Beispiel für den Umgang mit MATLABs if-Konstrukt
%
% Das vorliegende Beispiel berechnet Betrag und Argument
% der in algebraischer Darstellung (MATLABs Standarddarstellung)
% übergebenen komplexen Zahl cmplxNum.
%
% Eingabeparameter:    cmplxNum    Zahl (reell oder komplex)
%
% Ausgabeparameter:    Betrag      Betrag von cmplxNum
%                      Arg         Argument von cmplxNum
%                      ArgGrad     Argument von cmplxNum in Grad

% Betrag berechnen

Betrag = abs(cmplxNum);

% Real- und Imaginärteil berechnen

cmplxNumRT = real(cmplxNum);
cmplxNumIm = imag(cmplxNum);
```

[9] Dies wird in der Literatur unterschiedlich gehandhabt. Im Programm `FkonvertKomplex` wird das Argument der komplexen Zahl stets als *positiver Winkel* im Gegenuhrzeigersinn gemessen ab der positiven reellen Achse berechnet. Da die MATLAB-Funktion `atan` aber die Winkel zwischen $-\pi/2$ und $\pi/2$ bestimmt, muss entsprechend dem Quadranten, in dem sich der Zeiger befindet, eine Winkelkorrektur durchgeführt werden.

```
% Quadrant feststellen

if cmplxNumRT > 0
   if cmplxNumIm >= 0        % Erster Quadrant!
      Arg = atan(cmplxNumIm/cmplxNumRT);
   else                      % Vierter Quadrant!
      Arg = atan(cmplxNumIm/cmplxNumRT) + 2*pi;
   end;
elseif cmplxNumRT < 0        % Zweiter und dritter Quadrant!
      Arg = atan(cmplxNumIm/cmplxNumRT) + pi;
else                         % Sonderfall: Realteil = 0
   if cmplxNumIm >= 0        % Imaginärteil positiv
      Arg = pi/2;
   else                      % Imaginärteil negativ
      Arg = 3*pi/2;
   end;
end;

% Umrechnung des Arguments in Grad

ArgGrad = Arg*180/pi;
```

Das Programm umfasst mehrere geschachtelte `if`-Konstrukte und ist somit etwas unübersichtlich. Bei mehreren Alternativen eignet sich besser ein `switch`-Konstrukt, welches wir weiter unten noch besprechen werden.

Das Programm zeigt jedoch den Umgang mit `if`-Konstrukten recht umfassend, da auch ein `elseif`-Anteil vorhanden ist. Dieser ermöglicht die Unterscheidung der Zeiger nach Quadraten *inklusive* des Sonderfalles, dass der Zeiger auf der imaginären Achse liegt.

for-Schleife — Mittelwertberechnung

Ein einfaches Beispiel für eine Schleifenprogrammierung mit einem `for`-Konstrukt ist die Berechnung des Mittelwertes einer Folge von Zahlen. MATLAB-typisch sind die zu mittelnden Zahlen natürlich als Vektor organisiert bzw. zu organisieren. Selbstverständlich gibt es unter MATLAB bereits eine vorgefertigte Funktion zur Mittelwertberechnung, die Funktion `mean`, aber die nachfolgende selbst geschriebene Funktion **FmittelWert** soll diese Aufgabe mit Hilfe des `for`-Schleifen-Konstrukts lösen.

Eine `for`-Schleife ist immer dann einzusetzen, wenn eine bestimmte *vorher bekannte* Anzahl von Operationen wiederholt werden soll. Im vorliegenden Beispiel ist die Anzahl der Komponenten des Vektors (Zahl der zu mittelnden Zahlen) bekannt.

Die nachfolgende Funktion summiert diese Zahlen nacheinander auf und teilt dann durch die Anzahl der Zahlen.

```
function [MWert]= FmittelWert(Nums)
%
% Funktion FmittelWert
%
% Aufruf:  [MWert]= FmittelWert(Nums)
%
% Beispiel für den Umgang mit MATLABs for-Konstrukt
%
% Das vorliegende Beispiel berechnet den Mittelwert
% der Komponenten des Vektors Nums.
%
%
% Eingabeparameter:    Nums        zu mittelnde Zahlen als
%                                  Vektor organisiert
%
% Ausgabeparameter:    MWert       berechneter Mittelwert

% Größe des Vektors berechnen

N = length(Nums);

% Variable MWert für den Mittelwert auf 0
% vorinitialisieren

MWert = 0;

% Komponenten nacheinander einzeln auf MWert aufaddieren

for k=1:N           % tue dies von 1. bis N.ter Komponente
   MWert = MWert + Nums(k);
end;

% MWert durch die Anzahl der Zahlen (N) teilen

MWert = MWert/N;
```

Wie am Beispiel zu sehen, muss nach dem Schlüsselwort `for` die Bedingung angegeben werden, unter der die Anweisungen bis zum Ende der Schleife (gekennzeichnet durch das Schlüsselwort `end`) zu wiederholen sind. Diese Bedingung muss eine endlich Anzahl von Fällen umfassen. In den meisten Fällen wird dies, wie im Beispiel, das Hoch- bzw. Herunterzählen einer Zählvariable sein. Dies kann im Übrigen auch in größeren Schritten erfolgen. So würde etwa die Anweisung

```
for k=1:2:N
```

im obigen Beispiel bewirken, dass nur die ungeraden Komponenten zur Berechnung herangezogen werden.

Als Schlussbemerkung sei jedoch darauf hingewiesen, dass die obige Programmierung für MATLAB sehr atypisch ist. Viele Schleifen, so auch diese, lassen sich durch vektorielle Konstruktionen in MATLAB einfacher und eleganter lösen (vgl. Übung 54). Allerdings gibt es durchaus auch andere Situationen, bei denen man um ein klassisches Schleifenkonstrukt nicht herumkommt.

for-Schleife – Maximalwertsuche

Ein weiteres einfaches Beispiel für die Anwendung einer `for`-Schleife ist die Bestimmung des Maximums einer Folge von Zahlen (wofür es allerdings auch wieder ein eingebautes MATLAB-Kommando gibt, nämlich das Kommando `max`. Ein ähnliches Kommando (`min`) gibt es für das Minimum).

Auch hier geht es wieder darum, eine feste, vorher bestimmte Anzahl von Fällen abzuarbeiten, die typische Aufgabe für eine `for`-Schleife.

Die nachfolgende Funktion löst die gestellte Aufgabe.

```
function [MWert]= FmaxWert(Nums)
%
% Funktion FmaxWert
%
% Aufruf:  [MWert]= FmaxWert(Nums)
%
% Beispiel für den Umgang mit MATLABs for-Konstrukt
%
% Das vorliegende Beispiel berechnet den Maximalwert
% der Komponenten des Vektors Nums.
%
%
% Eingabeparameter:    Nums        zu mittelnde Zahlen, als
%                                  Vektor organisiert
%
% Ausgabeparameter:    MWert       berechneter Maximalwert

% Größe des Vektors berechnen

N = length(Nums);

% Variable MWert für den Maximalwert auf den
% ersten Variablenwert vorinitialisieren

MWert = Nums(1);

% Komponenten nacheinander durchsuchen

for k=2:N                % tue dies von 2. bis N.ter Komponente
```

```
    if Nums(k) > MWert  % Vergleiche laufende Komponente
       MWert = Nums(k); % mit bisherigem Maximum; falls
    end                 % größer, ordne diese Zahl MWert zu
end;
```

while-Schleife — Einlesefunktion

In den bisherigen Beispielen war die Zahl der zu wiederholenden Operationen vorher bekannt, so dass alle Fälle in der Durchlaufbedingung einer `for`-Schleife dargestellt werden konnten. In den obigen Beispielen geschah dies konkret durch Angabe eines Zählvektors, etwa `1:2:N`.

In vielen Fällen ist jedoch die Anzahl der gleichartig durchzuführenden Operationen vorab nicht bekannt. Ein einfaches Beispiel hierfür ist etwa das Einlesen von Daten, bis ein Datum ein bestimmtes Endekriterium erfüllt.

Die nachfolgende einfache Funktion **FInput** fordert den Benutzer zur Eingabe von Daten auf und speichert sie in einem Ausgangsvektor, bis die erste eingegebene Zahl *negativ* ist.

Das Programm verwendet zur Eingabeaufforderung die vorgefertigte MATLAB-Funktion `input` und eine sogenannte `while`-Schleife zum Einlesen der Daten.

```
function [InVector]= FInput()
%
% Funktion FInput
%
% Aufruf:  [InVector]= FInput
%
% Beispiel für den Umgang mit MATLABs while-Konstrukt
%
% Das vorliegende Beispiel fordert den Benutzer zur
% Eingabe von Daten auf und speichert diese in einem
% Vektor [InVector]. Dieser Vorgang wird so lange
% wiederholt, bis eine NEGATIVE Zahl eingegeben wird.
%
%
% Eingabeparameter:    keine
%
% Ausgabeparameter:    InVector  Eingelesene Werte

% Aufforderung des Benutzers zur Dateneingabe
% dat enthält dann das eingegebene Datum

dat = input('Geben Sie eine Zahl ein! (Ende, falls negativ):');
InVector= dat;      % Initialisiere damit InVektor
```

```
% Prüfung und weitere Eingabeaufforderung bis
% Endekriterium erfüllt

while dat >= 0         % solange Datum positiv:
                       % lese nächste Zahl ein
   dat = input('Geben Sie eine Zahl ein! (Ende, falls negativ):');
                       % an InVektor anhängen
   InVector= [InVector; dat];
end;
```

Bei der oben verwendeten `while`-Schleife wird der Block bis zu der zur Konstruktion gehörenden `end`-Anweisung so lange durchlaufen, wie die nach `while` angegebene Bedingung *wahr* ist. Im vorliegenden Fall also die Bedingung `dat>=0`. Vor dem ersten Durchlauf muss die Bedingung auswertbar sein, was im vorliegenden Fall das Einlesen und Auswerten zumindest *eines* Wertes vorab nötig macht. In anderen Programmiersprachen gibt es für solche Fälle die `do-while`-Konstruktion, bei der die Schleife *in jedem Fall* mindestens einmal durchlaufen wird. In MATLAB muss dieses Verhalten mit einer gesonderten Vorabauswertung des Schleifenrumpfs nachgebildet werden.

Am Rande sei noch bemerkt, dass das obige Beispiel den Anfänger sehr leicht dazu verführt, nur noch Funktionen zu schreiben, bei denen die Parameter nicht über die Parameterliste, sondern interaktiv via `input`-Funktion an die Funktion übergeben werden. Die Verwendung dieser Funktion ist aber eher untypisch und macht meist nur für Testzwecke Sinn, da eine solche Funktion im Allgemeinen natürlich nicht innerhalb anderer Programme verwendet werden kann. Man sollte seine Energie also lieber darauf verschwenden, den Parameterübergabe-Mechanismus von MATLAB zu verstehen.

switch-Konstrukt — Kennwerte eines Vektors

Wenn es sich um viele zu unterscheidende Fälle handelt, wird eine `if...elseif`-Konstruktion meist sehr unübersichtlich. In solchen Fällen empfiehlt es sich, besser eine `switch...case`-Konstruktion zu verwenden.

Das nachfolgende Programm verwendet eine solche Konstruktion, um verschiedene Kennwerte eines Vektors in Abhängigkeit von einem übergebenen Parameter (im vorliegenden Fall ein String) zu berechnen.

```
function [Ergebnis]= FVektMulti(vektor, operation)
%
% Funktion FVektMulti
%
% Aufruf:  [Ergebnis]= FVektMulti(vektor, operation)
%
% Aufrufbeispiel: Erg = FVektMulti([-1 3 14 2 -3], 'l2norm')
%
```

```
% Beispiel für den Umgang mit MATLABs switch..case-Konstrukt
%
% Das vorliegende Beispiel berechnet verschiedene Kenngrößen
% für einen Vektor, wie z.B. Norm, Länge etc. in Abhängigkeit
% von dem unter dem Parameter operation angegebenen String.
%
% Eingabeparameter:    vektor      Reeller Vektor
%                      operation   String, der die durchzuführende
%                                  Operation angibt: 'l2norm',
%                                  'max','min','l1norm','mittel'
%                                   'maxnorm','laenge')
%
% Ausgabeparameter:    Ergebnis    berechneter Wert

% Gesuchte Größe entsprechend operation berechnen

switch operation

   case 'l2norm'              % Euklidische Norm berechnen
        dim = size(vektor); % Dimension des Vektors feststellen
        if dim(2)<dim(1)    % wenn kein Zeilenvektor, dann
         vektor = vektor';  % einen erzeugen
        end;
        Ergebnis = sqrt(vektor*vektor');

   case 'max'                 % Maximum der Werte der Komponenten
        Ergebnis = max(vektor);

   case 'min'                 % Minimum der Werte der Komponenten
        Ergebnis = min(vektor);

   case 'l1norm'              % Summe der Beträge der Komponenten
        Ergebnis = sum(abs(vektor));

   case 'maxnorm'             % größter Betrag der Komponenten
        Ergebnis = max(abs(vektor));

   case 'mittel'              % Mittelwert der Komponenten
        Ergebnis = mean(vektor);

   case 'laenge'              % Länge des Vektors
        Ergebnis = length(vektor);

   otherwise
        error('Der eingegebene Parameter war nicht zulässig!
                            Bitte help FVektMulti eingeben!');
```

```
end;
```

Zugegebenermaßen ist diese Funktion nicht besonders sinnvoll, da im vorliegenden Fall Einzelfunktionen sicherlich angebrachter sind, jedoch geht es ja hier mehr um die Demonstration des `switch...case`-Konstrukts und nicht um das Problem selbst.

Man erkennt, dass nach `switch` eine Bedingung angegeben werden muss, mit der die Unterscheidung der Fälle durchgeführt wird. Dies kann wie im Beispiel ein String sein, aber auch eine Zahl oder allgemein ein Ausdruck. Nachfolgend werden die Anweisungen angegeben, die in den verschiedenen Fällen durchgeführt werden sollen. Diese werden durch die Auswertung des Ausdruckes nach dem Schlüsselwort `case` unterschieden. Kommt der Ausdruck in den unter `switch` angegebenen Fällen vor, so werden die Anweisungen danach ausgeführt, ansonsten die Anweisung nach `otherwise`, die im vorliegenden Fall in der Ausgabe einer entsprechenden Fehlermeldung mit Hilfe der `error`-Funktion besteht. Ein `break` nach jeder `case`-Anweisung, wie etwa unter C++ ist nicht vonnöten.

In einem weiteren Beispiel wollen wir das `switch`-Konstrukt dazu verwenden, um eine Funktion zu schreiben, bei der in Abhängigkeit von der *Anzahl* der Ein- und Ausgabeparameter verschiedene Reaktionen ausgelöst werden sollen. Zugleich illustriert dies nebenbei die Verwendung der Argumentfunktionen `nargin` und `nargout`. Wir modifizieren dazu das schon bekannte Programm **funkbsp.m** von Seite 75:

```
function [t, sinfkt, cosfkt] = FSwitchIn(f1, f2, damp)
%
% Funktion FSwitchIn
%
% Aufruf:  [t, sinfkt, cosfkt] = FSwitchIn(f1, f2)
% oder     [t, sinfkt, cosfkt] = FSwitchIn(f1, f2, damp)
%
% Beispiel für eine MATLAB-Funtkion mit variabler Anzahl
% von Eingangsparametern

...

t=(0:0.01:2);

switch nargin
    case 2
        sinfkt=sin(2*pi*f1*t);
        cosfkt=2*cos(2*pi*f2*t);
        plot(t,[sinfkt; cosfkt])
        xlabel('Zeit / s')
        ylabel('Amplitude')
        title('Eine Sinus und eine Cosinusschwingung')
    case 3
        sinfkt=sin(2*pi*f1*t);
```

```
        cosfkt=2*cos(2*pi*f2*t);
        expfkt=exp(-damp*t);
        plot(t,[sinfkt; cosfkt; expfkt])
        xlabel('Zeit / s')
        ylabel('Amplitude')
        title('Drei wunderschöne Signale')
    otherwise
        error('Die Funktion FSwitchIn sollte 2 oder 3
                                         Eingangsparameter haben!');
end;

if nargout < 3
        error('Die Funktion FSwitchIn sollte Zeitvektor
                                 und 2 Sinussignale zurückliefern!');
end
```

Mit Hilfe von `nargin` und `nargout` kann die Funktion die Anzahl der beim Aufruf verwendeten Parameter ermitteln. Dies wird im Beispiel genutzt, um bestimmte Eingabekombinationen abzufangen und ggf. Fehlermeldungen abzusetzen.

Mit Hilfe von `varargin` kann im Übrigen eine Eingabeparameterliste mit variabler Länge verarbeitet werden. Wir wollen auf diese Möglichkeit aber im Rahmen dieser Einführung nicht näher eingehen.

Übungen

Bearbeiten Sie die folgenden Aufgaben zur Einübung der MATLAB-Programmierkonstrukte.

Übung 53 (*Lösung Seite 190*)

Schreiben Sie eine Funktion, die mit einem Schleifenkonstrukt aus einem an die Funktion übergebenen Vektor die *positiven* Werte herausliest und zusammengefasst in einem Ausgabevektor zurückliefert (vgl. Abschnitt 1.2.3, S. 29ff).

Übung 54 (*Lösung Seite 191*)

Schreiben Sie eine Funktion, die das Standardskalarprodukt zweier Vektoren (vgl. Übung 8, S. 28) mit Hilfe einer `for`-Schleife berechnet.

Diese Lösung ist nicht sehr elegant und MATLAB-untypisch. Wie würde ein MATLAB-Programmierer diese Aufgabe lösen?

Übung 55 (*Lösung Seite 191*)

Schreiben Sie die Funktion `Finput` so um, dass die zur Beendigung der Eingabe nötige negative Zahl *nicht* in den Ausgabevektor mit übernommen wird.

Übung 56 (*Lösung Seite 192*)

Schreiben Sie eine Funktion, die $\sin(x)$ zwischen 0 und 2π in einer vorgegebenen Farbe plottet. Die Farbe soll dabei als Parameter in der Form `'rot'`, `'blau'`, `'grün'` und `'magenta'` übergeben werden. Die verschiedenen Fälle für die Farben sollen mit einem `switch...case`-Konstrukt unterschieden werden.

Übung 57 (*Lösung Seite 192*)

Programmieren Sie mit Hilfe einer `while`-Schleife die vom Newton-Verfahren herrührende Näherung für $\sqrt{2}$ mit Hilfe der Rekursion [14, 19]

$$x_{n+1} = \frac{x_n^2 + 1}{2 \cdot x_n}, \qquad x_0 = 2 \tag{90.1}$$

Iterieren Sie dabei so lange, bis sich x_n nur noch in der 4. Nachkommastelle verändert.

Übung 58 (*Lösung Seite 193*)

Schreiben Sie mit Hilfe einer **while**-Schleife eine MATLAB-Funktion, die für zwei ganze Zahlen a und b die Division mit Rest berechnet.

Die Funktion soll also beispielsweise für $a = 10$ und $b = 3$ das Ergebnis $q = 3$ und den Rest $r = 1$ zurück liefern.

Dies soll auf folgende Weise geschehen: Innerhalb der while-Schleife wird von a so lange b abgezogen, wie dies möglich ist, ohne dass der Rest kleiner wird als b. Im obigen Beispiel etwa kann das offensichtlich 3 mal geschehen und der Rest ist in diesem Fall 1.

Es braucht dabei funktionsintern *nicht* geprüft zu werden, ob a und b positive ganze Zahlen sind. Gehen Sie beim Programmieren davon aus, dass das Programm nur mit positiven ganzen Zahlen aufgerufen wird.

Übung 59 (*Lösung Seite 194*)

Schreiben Sie eine Funktion, welche zwei Sinusschwingungen plottet. Die Frequenzen der Schwingungen sollen dabei als Parameter übergeben werden. Ebenso sollen Plotbereich, Plotfarbe und Beschriftung an die Funktion übergeben werden. Dazu soll allerdings die Struktur `Grafik` von Seite 62 verwendet werden.

1.5.4 Die Funktionen `eval` und `feval`

Interessante Möglichkeiten eröffnen die Funktionen `eval` und `feval`. Mit diesen Funktionen ist es MATLAB möglich, *Strings als MATLAB-Ausdrücke, etwa Befehle, auszuwerten!*

Von besonderem Interesse ist dabei `feval` zur Auswertung von Funktionsausdrücken. Die Eingabe von `help feval` im Workspace liefert hierüber folgende Auskunft:

```
» help feval

FEVAL Execute the specified function
    FEVAL(F,x1,...,xn) evaluates the function specified by a
    function handle or function name, F, at the given arguments,
    x1,...,xn. For example, if F = @foo, FEVAL(F,9.64) is the
    same as foo(9.64).

    If a function handle is bound to more than one built-in or
    M-file, (that is, it represents a set of overloaded functions),
    then the data type of the arguments x1 through xn, determines
    which function is executed.

    FEVAL is usually used inside functions which take function
    handles or function strings as arguments.  Examples include
    FZERO and EZPLOT.

    [y1,..,yn] = FEVAL(F,x1,...,xn) returns multiple output
    arguments.

    ...
```

Mit `feval` ist es also möglich, *Funktionsnamen* als Parameter an andere Funktionen zu übergeben. Die Funktionsnamen werden unter MATLAB 6 als sogenannte *function handles* übergeben, wobei dem Funktionsnamen ein @ vorangestellt werden muss. Es wird jedoch auch, um die Kompatibilität zu älteren MATLAB-Versionen zu wahren, die Übergabe als Namensstring (d.h. in der Form `'Funktionsname'`) unterstützt.

Wozu die Übergabe eines Funktionsnamens gut sein kann, soll ein Beispiel verdeutlichen. Wir betrachten dazu zunächst folgenden Quelltext zur Funktion **funkbsp5**:

```
function [integral]= funkbsp5(a, b, F, N)
%
% Funktion funkbsp5
%
% Aufruf:  [int]= funkbsp5(a, b, F, N)
%
% Aufrufbeispiel: integ = funkbsp5(2, 4, @tstfnkt, 3)
%
% Beispiel für den Umgang mit MATLABs feval-Funktionen
%
% Das vorliegende Beispiel berechnet das Integral der
% Funktion F, deren Name als String an funkbsp5
% übergeben wird im Intervall [a,b].
```

```
% Zur Berechnung des Integrals wird dabei die Simpson
% Regel verwendet, wobei das Intervall in N DOPPELintervalle
% zerlegt wird.

% Intervall [a,b] diskretisieren (Stützstellen bestimmen)

h=(b-a)/(2*N);                      % Teilintervalllänge
intval=(a:h:a+2*N*h);               % Stützstellen

                                    % F an den Intervallgrenzen
integral = feval(F,a)+feval(F,b);

                                    % F an den Stützstellen mit
                                    % den ungeraden Indizes
for i=3:2:2*N
 integral = integral+2*feval(F,intval(i));
end;

                                    % F an den Stützstellen mit
                                    % den geraden Indizes
for i=2:2:2*N
 integral = integral+4*feval(F,intval(i));
end;

                                    % Normierung mit h/3
integral = integral*h/3;
```

Wie im Eingangskommentar zu lesen ist, handelt es sich bei diesem Programm um eine Implementierung der *Simpson-Regel* zur numerischen Integration einer reellen Funktion $F(x)$ im Intervall $[a, b]$ mit $2n+1$ Stützstellen ($2n$ Teilintervalle der Länge h) [14, 19].

Der Funktion **funkbsp5** werden dabei die Integrationsgrenzen a und b und der Funktions*name* als *Handle* übergeben. Damit die Simpson-Integration korrekt durchgeführt werden kann, muss MATLAB in seinen Suchpfaden ein m-File (gleichen Namens) finden, in dem diese Funktion definiert ist. In der Begleitsoftware sind beispielhaft zwei Funktionen unter dem Namen **tstfnkt** und **tstfnkt2** definiert.

Ein entsprechender Aufruf für **tstfnkt2**, welche die Cosinusfunktion definiert, liefert für 3 Doppelintervalle, entsprechend 7 Stützstellen im Intervall [2,4]:

```
» simpint= funkbsp5(2, 4, @tstfnkt2, 3)

simpint =

   -1.6662
```

Der exakte Wert ist im Übrigen -1.66609992.

Der Aufruf kann auch (noch) in der Form

```
» simpint= funkbsp5(2, 4, 'tstfnkt2', 3)
```

erfolgen. In der Programmierung sollte man sich auf diese Aufrufkonvention allerdings nicht mehr stützen und Handles benutzen.

Die Funktionsweise von `eval` soll an Hand des folgenden kleinen Beispiels erläutert werden.

```
» clear all
» whos
» dieBefehle = ['x = 2.0; ', 'y = 3.0; ', 'z = x*y; ', 'whos']

dieBefehle =

x = 2.0; y = 3.0; z = x*y; whos

» eval(dieBefehle)
  Name            Size          Bytes  Class

  dieBefehle      1x31             62  char array
  x               1x1               8  double array
  y               1x1               8  double array
  z               1x1               8  double array

Grand total is 34 elements using 86 bytes

» z

z =

     6
```

In der Variablen `dieBefehle` wird eine Folge von MATLAB-Befehlen *als String* definiert. Dieser String wird durch den anschließenden `eval`-Befehl als MATLAB-Befehlsfolge interpretiert und offensichtlich korrekt ausgeführt, wie man an dem in `z` gespeicherten Multiplikationsergebnis sieht.

Natürlich macht der Einsatz eines `eval`-Befehls im interaktiven Modus kaum Sinn, da gleich der Befehl eingegeben werden kann. Innerhalb eines Programms allerdings, kann man damit je nach Programmsituation Befehle „zusammenbauen" und ausführen lassen. Zur Illustration empfehlen wir die Bearbeitung der Übungsaufgabe 61.

Der eval-Mechanismus wird auch bei der Anwendung der in MATLAB (und in Simulink) integrierten numerischen Lösungsverfahren für Differentialgleichungen verwendet. Dies wird Gegenstand des folgenden Abschnitts sein.

Übungen

Bearbeiten Sie die folgenden Aufgaben zur Einübung im Umgang mit `feval` und `eval`.

Übung 60 (*Lösung Seite 195*)

Schreiben Sie eine Funktion, mit welcher Sie für eine vorgegebene reelle Funktion und zwei Intervallgrenzen a und b das Integral nach der Trapezregel numerisch berechnen können [14, 19].

Modifizieren Sie dazu **funkbsp5.m**!

Übung 61 (*Lösung Seite 195*)

Schreiben Sie ein Programm, welches mit Hilfe der Zufallsgenerator-Funktion `rand` n Zufallssignale der Länge 10 erzeugt, diese in Variablen speichert und die Variablen anschließend einzeln im ASCII-Format in Textdateien ablegt. Die Zahl der n Signale soll der Funktion als Parameter übergeben werden.

Bezüglich der Verwendung von `rand` konsultieren Sie bitte die MATLAB-Hilfe.

1.5.5 Lösung von Differentialgleichungen

Für die (*numerische*) Lösung von Differentialgleichungen bietet MATLAB u.A. die Methoden[10] `ode23` und `ode45` an.

Diese Methoden sind auch Grundlage der Berechnungen von Simulink, wie in Kapitel 2 gezeigt werden wird.

Hinter diesen Methoden verbergen sich numerische Lösungsalgorithmen für gewöhnliche Differentialgleichungen. Auf die mathematischen Hintergründe dieser Methoden können wir an dieser Stelle nicht eingehen, hierfür sei auf die einschlägige mathematische Literatur verwiesen [14, 19].

Um zu zeigen, wie etwa `ode23` zur numerischen Lösung von Differentialgleichungen verwendet wird, hier zunächst ein Auszug aus der Beschreibung von `ode23`:

```
» help ode23

 ODE23  Solve non-stiff differential equations, low order
    method. [T,Y] = ODE23(ODEFUN,TSPAN,Y0) with TSPAN =
```

[10] Die numerischen Lösungsmethoden für Differentialgleichungen sind gegenüber MATLAB 4 wesentlich verfeinert worden. Ebenso hat sich der Umfang an Methoden vergrößert [12]. Wir können an dieser Stelle lediglich auf die mehr oder weniger direkt auf dem Runge-Kutta-Verfahren basierenden Methoden eingehen. Wir werden in Kapitel 2 sehen, wie man dieses Problem mit Hilfe von Simulink umgehen bzw. lösen kann. Im Zusammenhang mit Differentialgleichungen, die in normalen m-Files definiert werden können, ist `ode23` oder `ode45` zu verwenden.

```
[T0 TFINAL] integrates the system of differential equations
y' = f(t,y) from time T0 to TFINAL with initial conditions Y0.
Function ODEFUN(T,Y) must return a column vector corresponding
to f(t,y). Each row in the solution array Y corresponds to
a time returned in the column vector T. To obtain solutions
at specific times T0,T1,...,TFINAL (all increasing or all
decreasing), use TSPAN = [T0 T1 ... TFINAL].

[T,Y] = ODE23('F',TSPAN,Y0,OPTIONS) solves as above with
default integration parameters replaced by values in OPTIONS,
an argument created with the ODESET function.  See ODESET for
details.

...
```

Die übrige Beschreibung umfasst weitere Optionen des Befehls. Diese sind jedoch für den Anfang nicht relevant.

Rückgabeparameter der Funktion sind der berechnete Zeitvektor `T` und die zugehörige Wertematrix der Lösung(en) `Y`.

Wie der Beschreibung zu entnehmen ist, müssen der Methode `ode23` neben den Anfangsbedingungen $\vec{y}_0$ und dem Intervall, in dem die Lösung berechnet werden soll ($[t_0, t_{\text{final}}]$), in einem m-File *eine* resp. *ein System* von gewöhnliche(n) Differentialgleichung(en) übergeben werden. Der Dateiname wiederum wird dann der Methode `ode23` als *function handle* übergeben. MATLAB 6 unterstützt allerdings auch noch die alte Aufrufkonvention, bei der der Dateiname der Definitionsdatei der Differentialgleichung (des Differentialgleichungssystems) als Namensstring übergeben werden kann.

Die Vorgehensweise ist bei `ode45` und den anderen Verfahren analog.

Wir illustrieren diese Vorgehensweise an einem (klassischen) Beispiel.

Mathematisches Pendel

Wir interessieren uns für die Lösung der Differentialgleichung des sogenannten mathematischen Pendels [7, 14]

$$\ddot{\alpha}(t) = -\frac{g}{l} \cdot \sin(\alpha(t)) \qquad g = 9.81\ \frac{\text{m}}{\text{s}^2} \tag{95.1}$$

Dabei ist $\alpha(t)$ der Winkel, den das Pendel (der Länge l) zur Zeit t bezogen auf die Ruhelage einnimmt (vgl. Abbildung 1.20).

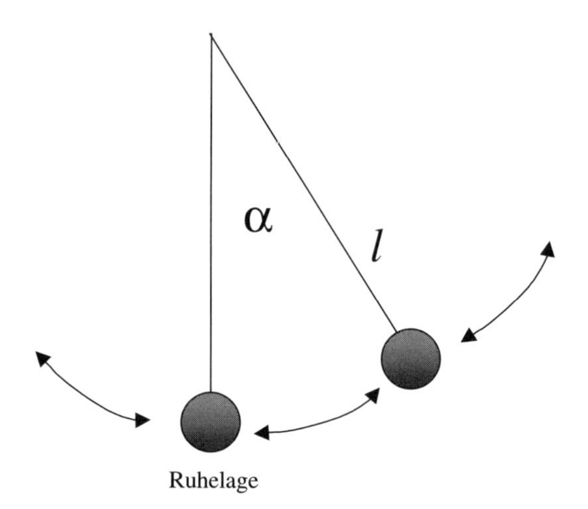

Abbildung 1.20: Mathematisches Pendel

Da es sich um eine Differentialgleichung 2. Ordnung handelt, benötigen wir zu ihrer Lösung *zwei* Anfangsbedingungen

$$\vec{\alpha}(0) = \begin{pmatrix} \alpha(0) \\ \dot{\alpha}(0) \end{pmatrix} \tag{96.1}$$

welche die Ausgangslage (Auslenkung) des Pendels und seine Anfangsgeschwindigkeit definieren. Diese Anfangsbedingungen werden als Vektor für $\vec{y}_0$ an die Integrationsmethode übergeben.

Zur Beschreibung der Differentialgleichung müssen wir *in MATLAB* definieren, wie die Ableitungen der gesuchten Funktion $\alpha(t)$ voneinander abhängen. Dies müssen wir natürlich mit Hilfe der *numerischen Werte* der Funktion tun, d.h. mit den Vektoren der Funktion und ihren Ableitungen zu den Diskretisierungszeitpunkten.

Wir tun dies mit Hilfe einer MATLAB-Funktion **pendgl**, wobei wir die erste und die zweite Ableitung beschreiben und als Vektor zurückliefern.

Die Struktur der Funktion muss dabei einer definierten Form genügen, auf die wir im Weiteren noch näher eingehen werden. Einen vollständigen Überblick erhält man durch Eingabe von `odefile` in der Suchmaske der MATLAB-Hilfe.

Die Funktion hat folgende Gestalt:

```
function [alphadot]= pendgl(t,alpha)
%
% Funktion pendgl
%
% Aufruf:  [alphadot]= pendgl(t,alpha)
%
% Beispiel für die Lösung von Differentialgleichungen
```

```
% untcr MATLAB mit ode23
%
% Die vorliegend Funktion definiert die Differentialgleichung
% des mathematischen Pendels (l=Pendelänge).
% Damit MATLAB damit umgehen kann, muss die DGL 2. Ordnung
% vorher in ein System von DGL 1. Ordnung umgewandelt werden.

l=10;                          % Pendellänge
g=9.81;                        % Erdbeschleunigung

                               % Vorinitialisierung
alphadot = [0;0];

                               % erste Gleichung 1. Ordnung
alphadot(1) = alpha(2);

                               % zweite Gleichung 1. Ordnung
alphadot(2) = -(g/l)*sin(alpha(1));
```

Diese Implementierung ist zweifelsohne kommentierungsbedürftig!

Zunächst muss bemerkt werden, damit MATLABs `ode23` mit der Differentialgleichung 95.1 umgehen kann, muss diese in ein *Differentialgleichungssystem 1. Ordnung* umgewandelt werden!

Dazu setzen wir

$$\begin{aligned} \alpha_1(t) &:= \alpha(t) \\ \alpha_2(t) &:= \dot{\alpha}(t) \end{aligned} \tag{97.1}$$

Die Differentialgleichung 95.1 lässt sich dann folgendermaßen umschreiben:

$$\begin{aligned} \dot{\alpha}_1(t) &= \alpha_2(t) \\ \dot{\alpha}_2(t) &= -\frac{g}{l} \cdot \sin(\alpha_1(t)) \end{aligned} \tag{97.2}$$

mit den Anfangsbedingungen

$$\vec{\alpha}(0) = \begin{pmatrix} \alpha(0) \\ \dot{\alpha}(0) \end{pmatrix} = \begin{pmatrix} \alpha_1(0) \\ \alpha_2(0) \end{pmatrix} \tag{97.3}$$

Genau *auf diese Darstellung* bezieht sich `ode23` und die zugehörige Repräsentation der Differentialgleichung im m-File **pendgl.m**.

Die Gleichung `alphadot(1) = alpha(2);` repräsentiert dabei den ersten Teil von Gleichungssystem 97.2 und `alphadot(2) = -(g/l)*sin(alpha(1));` den zweiten Teil, wobei gemeint ist, dass zu jedem Zeitpunkt die Werte der rechten Seite an die Komponenten des die Ableitungen repräsentierenden Vektors übergeben werden.

Der Parameter t *muss* in **pendgl** mit übergeben werden, auch wenn er funktionsintern nicht verwendet wird. Er wird von ode23 benötigt. ode23 verwurstet auch erst die Anfangsbedingungen.

Grundsätzlich müssen alle mit ode23 (oder anderen Methoden) zu lösenden Differentialgleichungen auf eine Form *Vektor der Ableitungen* 1. *Ordnung gleich Funktion des Lösungsvektors* gebracht und in einer MATLAB-Datei so dargestellt werden.

Die folgenden Aufrufe liefern dann eine Darstellung der Lösung für die Anfangswerte $\alpha(0) = \frac{\pi}{4}$ und $\dot{\alpha}(0) = 0$ im Intervall [0,20] und für eine Pendellänge von 10. Die Lösung und ihre Ableitung (gestrichelte Linie) sind grafisch in Abbildung 1.21 dargestellt.

```
» [t,loesung] = ode23(@pendgl, [0, 20], [pi/4,0]);
» plot(t,loesung(:,1),'r-',t,loesung(:,2),'g--')
```

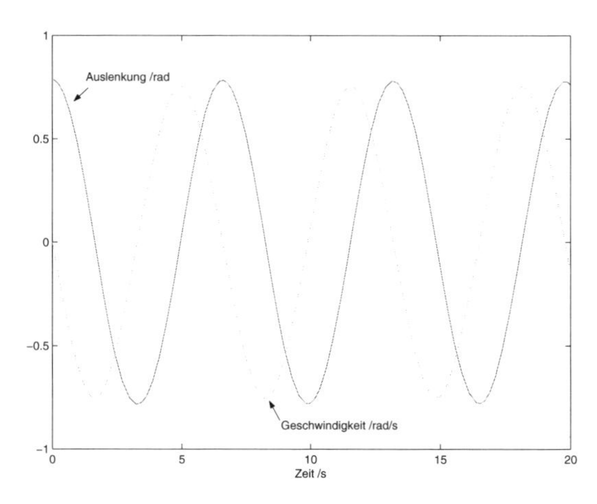

Abbildung 1.21: Lösung der Differentialgleichung 95.1 mit MATLABs ode23

Zu der berechneten Lösung sei noch Folgendes angemerkt.

Der Lösungsalgorithmus arbeitet intern mit einer sogenannten *Schrittweitensteuerung*. Dies bedeutet, dass dort, wo die Lösung wenig variiert *große* und dort, wo sie stark variiert, *kleine* Schrittweiten verwendet werden. Dies erhöht die Effektivität der Algorithmen. Ein Blick auf den Workspace verdeutlicht im obigen Beispiel, wie die Schrittweite (s. Vektor t) laufend angepasst wurde:

```
» [t,loesung]

ans =

         0    0.7854         0
    0.0001    0.7854   -0.0001
    0.0007    0.7854   -0.0005
```

```
    0.0036    0.7854   -0.0025
    0.0180    0.7853   -0.0125
    0.0901    0.7826   -0.0624
    0.2372    0.7659   -0.1634
    0.4390    0.7193   -0.2976
    0.6822    0.6283   -0.4470
    0.9558    0.4857   -0.5894
    ...
```

Manchmal ist es jedoch wünschenswert, die Lösung mit einer *äquidistanten* Schrittweite weiter zu verarbeiten. In diesem Fall kann der Vektor, an dem die Lösung ausgewertet werden soll, beim Aufruf von `ode23` explizit angegeben werden:

```
» [t,loesung] = ode23(@pendgl, (0:0.1:20), [pi/4,0]);
» [t,loesung]

ans =

         0    0.7854         0
    0.1000    0.7819   -0.0693
    0.2000    0.7715   -0.1381
    0.3000    0.7543   -0.2059
    0.4000    0.7304   -0.2723
    0.5000    0.6999   -0.3366
    0.6000    0.6631   -0.3985
    0.7000    0.6202   -0.4572
    0.8000    0.5717   -0.5123
    0.9000    0.5178   -0.5631
    1.0000    0.4592   -0.6091
    1.1000    0.3961   -0.6498
    1.2000    0.3293   -0.6845
    1.3000    0.2593   -0.7130
    1.4000    0.1868   -0.7346
```

Die Schrittweite (s. Vektor `t`) ist nun, wie gewünscht, äquidistant mit Abstand 0.1.

Eine weitere wichtige Bemerkung betrifft die Tatsache, dass die im Beispiel benötigten Parameter g und l in der Beschreibungsfunktion **pendgl** mit festen Werten definiert sind.

Die Parameter l und g sind daher in der vorliegenden Version nur veränderbar, wenn der Quelltext von **pendgl** geändert wird, was natürlich nicht die Lösung sein kann, wenn man etwa die Pendellänge im Rahmen einer Mehrfachsimulation variieren will.

Es besteht prinzipiell jedoch die Möglichkeit, weitere Parameter an die Definitionsfunktionen der Differentialgleichungen zu übergeben. Der interessierte Leser möge hierzu die MATLAB-Dokumentation [17] oder die MATLAB-Hilfe zu Rate ziehen und sich ggf. mit der Übungsaufgabe 67 befassen.

RC-Tiefpass

Wir wollen den Abschnitt mit einem weiteren, diesmal etwas einfacheren Beispiel abschließen.

Abbildung 1.22 zeigt das Schaltbild einer RC-Kombination mit Spannungsquelle [11, 6].

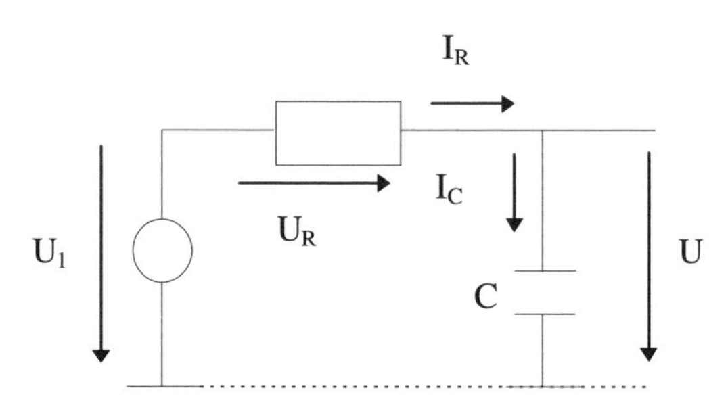

Abbildung 1.22: RC-Kombination mit Spannungsquelle

Die Spannung am Ausgang des Systems genügt bekanntlich folgender linearer Differentialgleichung 1. Ordnung:

$$\frac{d}{dt}u(t) = -\frac{1}{RC}u(t) + \frac{1}{RC}u_1(t) \qquad (100.1)$$

Wir lösen diese Differentialgleichung numerisch mit Hilfe von MATLABs `ode23`-Funktion, indem wir zunächst die Differentialgleichung in einer MATLAB-Funktion namens **rckomb** wie folgt repräsentieren:

```
function [udot]= rckomb(t,u)
%
% Funktion rckomb
%
% Aufruf:  [udot]= rckomb(t,u)
%
% Beispiel für die Lösung von Differentialgleichungen
% unter MATLAB mit ode23
%
% Die vorliegend Funktion definiert die Differentialgleichung
% einer RC-Kombination mit Spannungsquelle u1(t).


R = 10000;                 % Widerstand R
C = 4.7*10e-6;             % Kapazität des Kondensators C

udot = 0;                  % Vorinitialisierung

                           % die Gleichung 1. Ordnung
```

```
                                     % u1(t) muss als Funktion
                                     % unter MATLAB definiert sein

udot = -(1/(R*C))*u + (1/(R*C))*u1(t);
```

Die verwendete Funktion $u_1(t)$ muss als MATLAB-Funktion definiert sein. Wir haben im vorliegenden Beispiel den Einheitssprung als Funktion u_1 definiert und in folgender Weise im m-File **u1.m** im Arbeitsverzeichnis abgelegt:

```
function [sprng]= u1(t)
%
% Funktion u1
%
% Aufruf:  [sprng]= u1(t)
%
% Implementierung der Einheitssprungfunktion
%
% ...

sprng = t>=0;  % So einfach ist das!
               % Reflechissez !!
```

Die MATLAB-Befehle

```
» [t,loesung] = ode23(@rckomb, [0, 3], 0);
» plot(t,loesung)
```

liefern dann die in Abbildung 1.23 dargestellte Lösung im Zeitintervall [0,3] s. Dabei wurden die im Programm festgelegten Werte 10 kΩ und 4.7 μF verwendet, welche eine Zeitkonstante von $\tau = RC = 0.47$ s liefern.

Dieser Wert kann sehr schön an der Grafik abgelesen werden, denn bekanntlich erreicht die Sprungantwort ja nach dieser Zeit das $(1 - e^{-1})$-fache, sprich 63 % der Sprunghöhe (hier 1).

Übungen

Bearbeiten Sie die folgenden Aufgaben zur Einübung der Vorgehensweise zur Lösung von Differentialgleichungen unter MATLAB.

Übung 62 (*Lösung Seite 196*)

Schreiben Sie eine Funktion, mit welcher Sie die Differentialgleichung des mathematischen Pendels *in der linearisierten* Form

$$\ddot{\alpha}(t) = -\frac{g}{l} \cdot \alpha(t) \qquad (101.1)$$

lösen können.

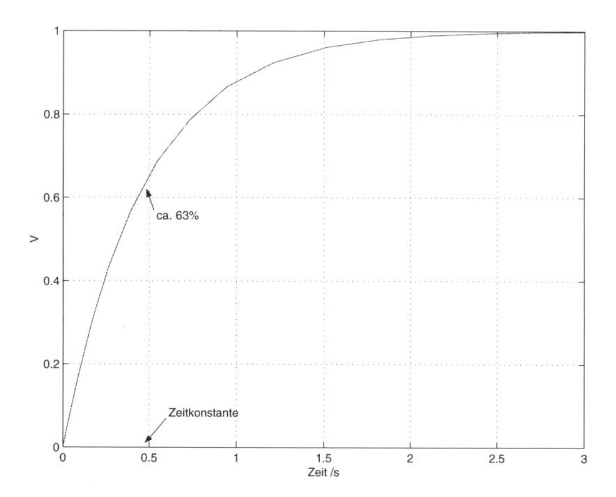

Abbildung 1.23: Sprungantwort der RC-Kombination für 10 kΩ und 4.7 μ F

Modifizieren Sie dazu **pendgl.m**!

Vergleichen Sie anschließend beide numerische Lösungen für große Anfangsauslenkungen.

Übung 63 (*Lösung Seite 197*)

Bestimmen Sie die Lösung der Differentialgleichung 100.1 der RC-Kombination mit Spannungsquelle für verschiedene Erregungsfunktionen (Quellspannungen) $u_1(t)$.

Übung 64 (*Lösung Seite 199*)

Lösen Sie eine der Beispiel-Differentialgleichungen mit Hilfe des Verfahrens `ode45` und vergleichen Sie diese Lösung mit der von `ode23`.

Übung 65 (*Lösung Seite 199*)

Lösen Sie mit Hilfe von MATLAB die folgende Differentialgleichung eines Wachstumsprozesses [4, 7]:

$$\dot{P}(t) = \alpha(P(t))^{\beta} \quad \text{mit} \quad \alpha = 2.2,\ \beta = 1.0015 \tag{102.1}$$

Übung 66 (*Lösung Seite 199*)

Lösen Sie mit Hilfe von MATLAB die Differentialgleichung des sogenannten VZ1-Gliedes (Verzögerungsglied 1. Ordnung [5, 15])

$$\frac{d}{dt}v(t) + \frac{1}{T}v(t) = \frac{K}{T}u(t) \tag{102.2}$$

Machen Sie dabei sinnvolle Annahmen über K und T, an Hand deren Sie für das numerische Ergebnis eine Plausibilitätsbetrachtung machen können [2, 5, 15].

Übung 67 (*Lösung Seite 200*)

Lösen Sie mit Hilfe von MATLAB die Differentialgleichung des mathematischen Pendels (Gleichung 95.1) für verschiedene Pendellängen. Die jeweilige Pendellänge soll dabei bei Aufruf des Lösungsalgorithmus (`ode23`) übergeben werden können.

Modifizieren Sie dazu **pendgl.m** entsprechend, nachdem Sie in der MATLAB-Hilfe ermittelt haben, auf welche Weise zusätzliche Parameter an die Definitionsfunktion der Differentialgleichung übergeben werden können.

Übung 68 (*Lösung Seite 201*)

Lösen Sie mit Hilfe von MATLAB das Differentialgleichungssystem

$$\begin{aligned} \dot{y}_1(t) &= -2y_1(t) - y_2(t) \qquad & y_1(0) &= 1 \\ \dot{y}_2(t) &= 4y_1(t) - y_2(t) \qquad & y_2(0) &= 1 \end{aligned} \tag{103.1}$$

Vergleichen Sie die Lösung mit Hilfe der exakten Lösung, welche Sie von Hand oder mit Hilfe der Symbolics Toolbox berechnen können.

1.5.6 Der MATLAB-Editor und -Debugger

Eine nützliche Weiterentwicklung innerhalb von MATLAB 6 ist der integrierte Editor-Debugger, der nun über die wesentlichen, von Editoren anderer Hochsprachenentwicklungssysteme gewohnten Features, wie etwa die farbige Hervorhebung von Schlüsselworten, Kommentaren etc. verfügt. Die wesentlichste Neuerung gegenüber MATLAB 4 ist jedoch der integrierte Debugger, der die Programmentwicklung insbesondere größerer Programme wesentlich erleichtert.

Der Editor wird immer dann automatisch geöffnet (es sei denn, man hat einen anderen Editor eingestellt, wofür aber im Allgemeinen keine Notwendigkeit besteht), wenn mit den Menübefehlen `File - Open...` bzw. `File - New` ein m-File geöffnet oder neu angelegt wird.

Alternativ kann eine Datei auch im `Current Directory` - Fenster (vgl. Abb. 1.1) durch Doppelklick angewählt werden. Dann öffnet sich der Editor-Debugger automatisch mit der entsprechenden Datei.

Die Öffnung von **pendgl.m** beispielsweise erzeugt das in Abbildung 1.24 dargestellte Fenster.

Auf die einzelnen Menüeinträge soll hier nicht näher eingegangen werden. Die meisten Einträge entsprechen dem für Windows-Editoren üblichen Standard.

Etwas näher soll dagegen auf die Debugging-Möglichkeiten eingegangen werden. Mit Hilfe der Menüeinträge unter `Breakpoints` oder durch Klick auf das Icon mit dem roten Punkt können sogenannte *Breakpoints* gesetzt oder gelöscht werden. Ein Breakpoint wird anschließend durch einen roten Punkt im Quelltext angezeigt. Bei der

Ausführung des Programms erfolgt dann ein automatischer Wechsel in den Editor und das Programm wird an der Stelle des Breakpoints angehalten. Die bis dahin belegten Variablenwerte können anschließend bequem angeschaut werden, indem man mit dem Mauszeiger auf die jeweilige Variable zeigt (ohne Mausklick). Die Werte werden in einem automatisch ausklappenden Fenster angezeigt. Alternativ können die Variablen auch im Kommandofenster angezeigt werden. Darüber hinaus ist es möglich, die Werte zur Programmlaufzeit zu *verändern*, was zu Testzwecken sehr nützlich ist.

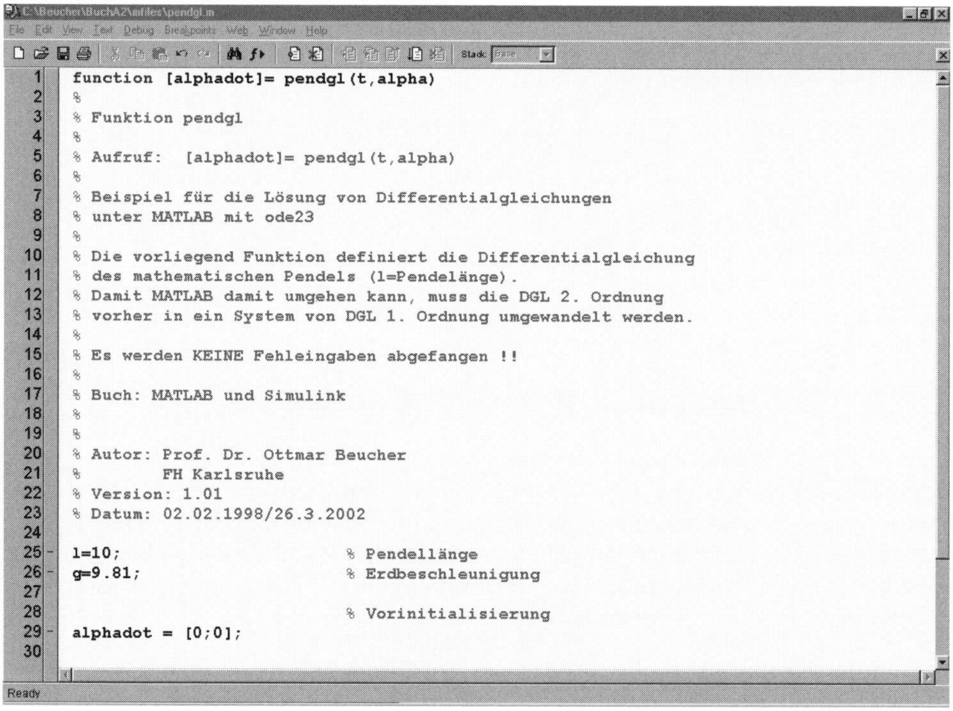

```
1    function [alphadot]= pendgl(t,alpha)
2    %
3    % Funktion pendgl
4    %
5    % Aufruf:  [alphadot]= pendgl(t,alpha)
6    %
7    % Beispiel für die Lösung von Differentialgleichungen
8    % unter MATLAB mit ode23
9    %
10   % Die vorliegend Funktion definiert die Differentialgleichung
11   % des mathematischen Pendels (l=Pendelänge).
12   % Damit MATLAB damit umgehen kann, muss die DGL 2. Ordnung
13   % vorher in ein System von DGL 1. Ordnung umgewandelt werden.
14   %
15   % Es werden KEINE Fehleingaben abgefangen !!
16   %
17   % Buch: MATLAB und Simulink
18   %
19   %
20   % Autor: Prof. Dr. Ottmar Beucher
21   %        FH Karlsruhe
22   % Version: 1.01
23   % Datum: 02.02.1998/26.3.2002
24
25 - l=10;                          % Pendellänge
26 - g=9.81;                        % Erdbeschleunigung
27
28                                  % Vorinitialisierung
29 - alphadot = [0;0];
30
```

Abbildung 1.24: Editor/Debugger mit geöffneter Datei **pendgl.m**

Breakpoints werden gesetzt, indem man den Cursor auf die gewünschte Programmzeile positioniert und danach den Menüpunkt zum Setzen des Breakpoints anwählt.

Abbildung 1.25 zeigt einen gesetzten Breakpoint in **pendgl.m** und einen Mauszeiger auf einer Variable mit ausgeklapptem Variablenwertfenster.

Die einzelnen Variablenwerte können im MATLAB-Kommandofenster verändert werden, indem man dort bei einer Programmunterbrechung nach einem Breakpoint einfach die neuen Werte eingibt. So können etwa nach einem Stopp bei dem in Abbildung 1.25 angezeigten Breakpoint die Komponenten der Variablen `alpha` durch die Anweisung

```
K» alpha = [0.5;0.1]
```

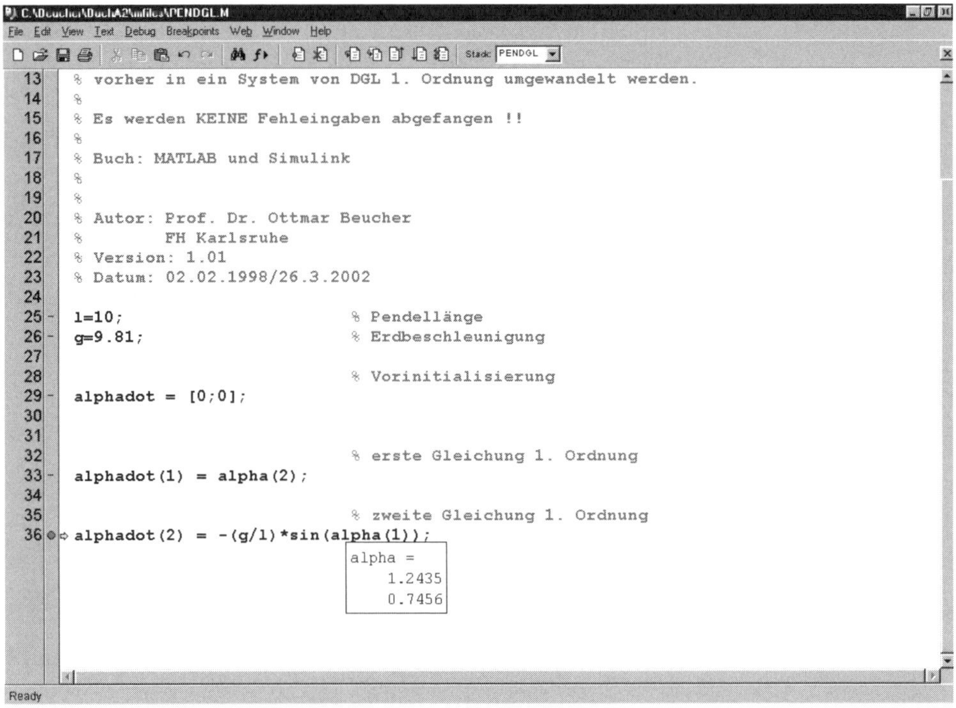

```
13 % vorher in ein System von DGL 1. Ordnung umgewandelt werden.
14 %
15 % Es werden KEINE Fehleingaben abgefangen !!
16 %
17 % Buch: MATLAB und Simulink
18 %
19 %
20 % Autor: Prof. Dr. Ottmar Beucher
21 %        FH Karlsruhe
22 % Version: 1.01
23 % Datum: 02.02.1998/26.3.2002
24
25 l=10;                          % Pendellänge
26 g=9.81;                        % Erdbeschleunigung
27
28                                % Vorinitialisierung
29 alphadot = [0;0];
30
31
32                                % erste Gleichung 1. Ordnung
33 alphadot(1) = alpha(2);
34
35                                % zweite Gleichung 1. Ordnung
36 alphadot(2) = -(g/l)*sin(alpha(1));
                       alpha =
                           1.2435
                           0.7456
```

Abbildung 1.25: Editor/Debugger mit geöffnetem File **pendgl.m**, Breakpoint und angezeigtem Variableninhalt

auf 0.5 und 0.1 gesetzt werden. Man beachte dabei den Eingabeprompt `K»`. Dieser zeigt an, dass sich MATLAB im Debug-Modus befindet.

Wird das Programm anschließend im Debug-Modus fortgesetzt (s. Menüpunkt `Debug`), so wird mit *diesen* Werten weitergerechnet.

Man beachte, dass der Workspace des Debug-Modus verschieden ist vom eigentlichen MATLAB-Workspace. Im Debug-Modus können nur die Variablen des gerade ausgeführten Programms angeschaut (`whos`) und verändert werden. Die eigentlichen Workspace-Variablen sind dann nicht zugänglich.

Der Leser ist gehalten, sich mit den Möglichkeiten des Debuggers vertraut zu machen. Will er größere MATLAB-Programme entwickeln, so wird sich dieser vergleichsweise geringe Aufwand sicher auszahlen.

KAPITEL 2

Einführung in Simulink ®

Bei dem Simulationswerkzeug *Simulink* handelt es sich um ein Programm zur Simulation *dynamischer Systeme* mit einer speziell hierfür konzipierten grafischen Oberfläche. Innerhalb der MATLAB-Umgebung ist Simulink eine *MATLAB-Toolbox*, die sich von den anderen Toolboxes eben durch diese spezielle Oberfläche, mit der dann auch eine besondere „Programmiertechnik" verbunden ist, unterscheidet. Daneben ist ein weiterer Unterschied, dass der Quellcode des Simulink-Systems nicht offen liegt, was für unsere Zwecke aber nicht von Belang ist.

Ziel des Kapitels ist es, in den *einfachen* Umgang mit Simulink einzuführen und die Interaktion von Simulink mit MATLAB deutlich zu machen.

2.1 Was ist Simulink?

Wie bereits erwähnt, kann man mit *Simulink* dynamische Systeme simulieren. In den allermeisten Fällen handelt es sich dabei um *lineare oder nichtlineare zeitabhängige Vorgänge*, die sich mit *Differentialgleichungen* oder (im zeitdiskreten Fall) mit Differenzengleichungen beschreiben lassen.

Eine andere, hierfür häufig und gern verwendete Beschreibungsform ist die des *Blockschaltbildes*. Hier versucht man das Verhalten des Systems durch eine grafische Darstellung zu erfassen, die im wesentlichen aus der Darstellung einzelner Teilblöcke des Systems besteht sowie des Signalflusses zwischen diesen Blöcken.

Abbildung 2.1 zeigt ein Beispiel (VZ1-Glied, s. Abschnitt 1.5, S. 73ff).

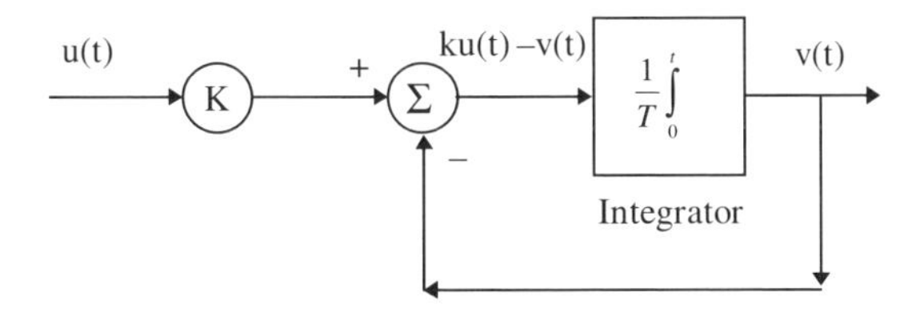

Abbildung 2.1: Dynamisches System in Blockschaltbilddarstellung

Auf dieser Darstellungsform fußt Simulink.

Mit Hilfe einer grafischen Oberfläche kann man dann ein solches Blockschaltbild (fast) unmittelbar in Simulink umsetzen und die Wirkung des dargestellten Systems simulieren.

Es muss jedoch erwähnt werden, dass zu einer über grundlegende Dinge hinausgehenden Nutzung von Simulink einige Kenntnisse aus der Regelungstechnik und der Systemtheorie vonnöten sind, die wir im Rahmen dieser Einführung nicht voraussetzen können und wollen [2, 5, 10, 15]. Daher muss die Behandlung von Simulink hier auf ein zentrales Thema beschränkt bleiben, nämlich die *numerischen Lösung* einfacher *Differentialgleichungen.*

Wie bereits erwähnt, werden (zeitkontinuierliche) dynamische Systeme durch Differentialgleichungen beschrieben. Wenn wir also das System durch ein Blockschaltbild beschreiben und die Reaktion des Systems auf ein Erregungssignal simulieren, beobachten wir nichts anderes als *die Lösung der zugrundeliegenden Differentialgleichung.* Es ist also möglich, falls es uns gelingt eine Differentialgleichung in ein Blockschaltbild umzuwandeln, die Differentialgleichung mit Simulink numerisch zu lösen. Simulink ist also ein *numerischer Differentialgleichungslöser.*

In Abschnitt 2.3 wird gezeigt, wie man Simulink für diese Zwecke einsetzen kann.

2.2 Funktionsprinzip und Handhabung von Simulink

Der Start des Programms Simulink erfolgt durch das Kommando `simulink` oder durch das Kommando[1] `simulink3` im der MATLAB-Kommandoebene.

Im ersten Fall öffnet sich der sogenannte *Block Library Browser.* Dieser stellt in der vom Windows-Explorer und von verschiedenen modernen Compilern gewohnten Weise die verfügbaren Blöcke der Simulink-Bibliothek in Form einer Liste dar.

Die Blockbibliothek ist dabei in Funktionsgruppen organisiert, etwa solche zur Erzeugung von Signalen (Funktionen), wie `Sources`, oder Funktionsblöcke für nichtlineare Operationen, wie unter `Nonlinear`.

Wählt man einen Block durch Mausklick an, so wird unten rechts im Browser automatisch der entsprechende Block so angezeigt, wie er nachher in den Blockschaltbildern dargestellt wird.

Im zweiten Fall, also bei Aufruf von `simulink3` erscheint das in Abbildung 2.2 dargestellte Fenster, in welchem die Symbole für die verschiedenen Klassen von Funktionsblöcken in Form von Icons dargestellt werden.

Es ist natürlich Geschmackssache, für welche Form der Öffnung von Simulink man sich entscheidet. Im Folgenden bevorzugen wir die zweite Lösung, d.h. die Verwendung von Icons.

Bei Anwahl eines solchen Icons öffnet sich dann ein Fenster mit den zur Funktionsbibliothek gehörenden Funktionssymbolen. Ein Doppelklick auf `Sources` etwa, öffnet das in Abbildung 2.3 dargestellte Fenster, welches die von Simulink zur Verfügung gestellten Funktionsblöcke zur Erzeugung von Signalen anzeigt.

---

1 Auch unter Simulink 4 heißt das Kommando noch `simulink3`!

Abbildung 2.2: Die grafische Form der Simulink-Blockbibliothek

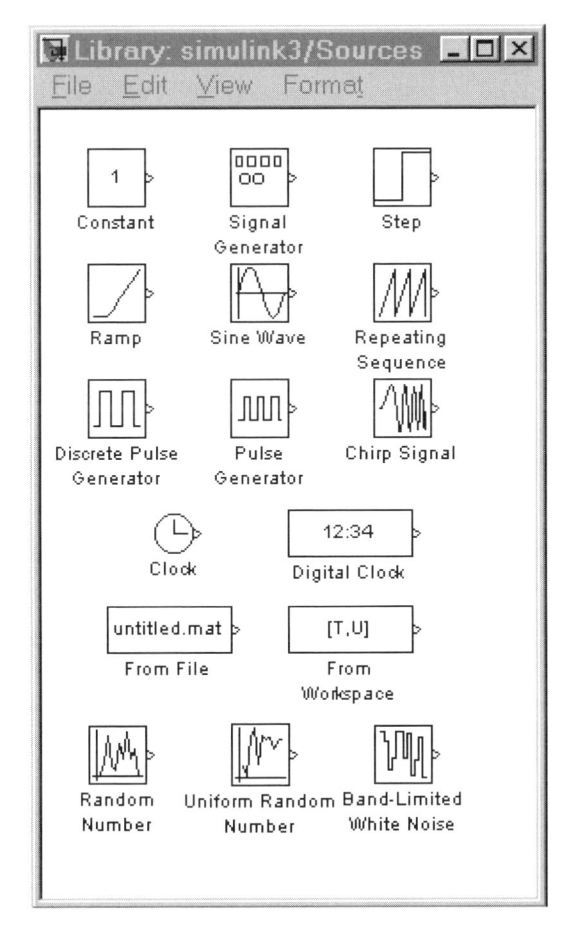

Abbildung 2.3: Die Simulink-Funktionsbibliothek `Sources`

Zu sehen sind etwa die Blöcke `Sine Wave` zur Erzeugung einer Sinusschwingung oder `untitled.mat` zum Laden eines Signals aus einer Datei.

Das System ist auch vom Anwender erweiterbar, das heißt, es können eigene Funktionsblöcke definiert werden. Wir werden auf diese Möglichkeit in Abschnitt 2.4 kurz eingehen.

2.2.1 Konstruktion eines Simulink-Blockschaltbildes

Will man nun mit Hilfe der Blockbibliotheken ein eigenes Simulationssystem konstruieren, so muss man zunächst im Simulink-Fenster (vgl. Abbildung 2.2) durch Auswahl von **File – New Model** ein leeres Fenster öffnen. Bereits bestehende Blockschaltbilder können unter ihrem Dateinamen mit **File – Open...** geöffnet werden. Es empfiehlt sich, das leere Fenster gleich unter einem geeigneten Dateinamen mit **File – Save As...** als mdl-File abzuspeichern (mdl = model; ab Simulink 3 haben die Simulink-Files endlich eigene Endungen, was die Unterscheidung von MATLAB-m-Files im Gegensatz zu früher wesentlich erleichtert).

Im folgenden Beispiel nennen wir das File **s_test1.mdl**. In das leere Fenster ziehen wir jetzt aus dem geöffneten `Sources`-Fenster oder dem Block Library Browser mit Hilfe der Maus einen Block, etwa den Block `Sine Wave`.

Will man den Namen Sine Wave nicht verwenden (etwa weil man mehrere solcher Blöcke im System hat und die Blöcke durch ihre Namen unterscheiden will), so kann man auf den Schriftzug Sine Wave mit der Maus klicken und den Namen mit der Tastatur editieren. Auf diese Weise können wir den Block beispielsweise in *Quellsignal* umbenennen.

Das System **s_test1** hat dann die in Abbildung 2.4 zu sehende Gestalt. Der `Sine Wave`-Block wurde nachträglich mit der Maus durch Ziehen an den Ecken noch etwas vergrößert.

Im nächsten Schritt wollen wir das Quellsignal *integrieren*. Dazu öffnen wir die Funktionsbibliothek `Continuous`. Aus dieser ziehen wir den Block `Integrator` in das Systemfenster von **s_test1** und verbinden mit der Maus den Ausgang des Quellsignalblocks mit dem Integratoreingang (dies erfordert am Anfang etwas Übung. Am besten zieht man das Verbindungssignal immer entgegen der Signalflussrichtung vom Eingang des Zielblocks zum Ausgang des Quellblocks, im vorliegenden Fall also vom Integrator zum Quellsignal). Das System hat dann die in Abbildung 2.5 zu sehende Gestalt.

Der Leser möge sich nicht an der Eintragung $\frac{1}{s}$ im Integratorblock stören. Es handelt sich hierbei um die *Laplace-Transformierte* der Integration [2, 5, 15]. Die meisten linearen Funktionsblöcke sind mit der Laplace-Transformierten bzw. dem diskreten Pendant dazu, der Z-Transformierten, gekennzeichnet. Für diese Einführung müssen wir aber nicht näher auf diese Transformationen eingehen, da wir im Wesentlichen nur den Integratorblock benötigen.

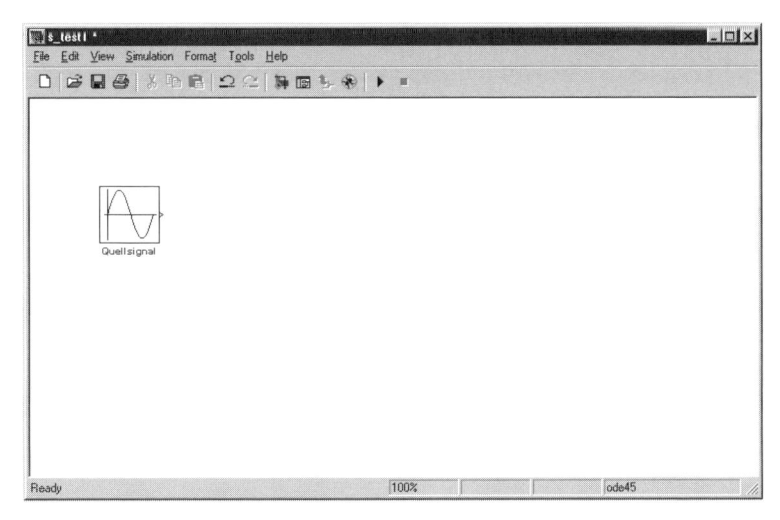

Abbildung 2.4: Das Simulink-System **s_test1** nach Einfügung des `Sine Wave`-Blocks

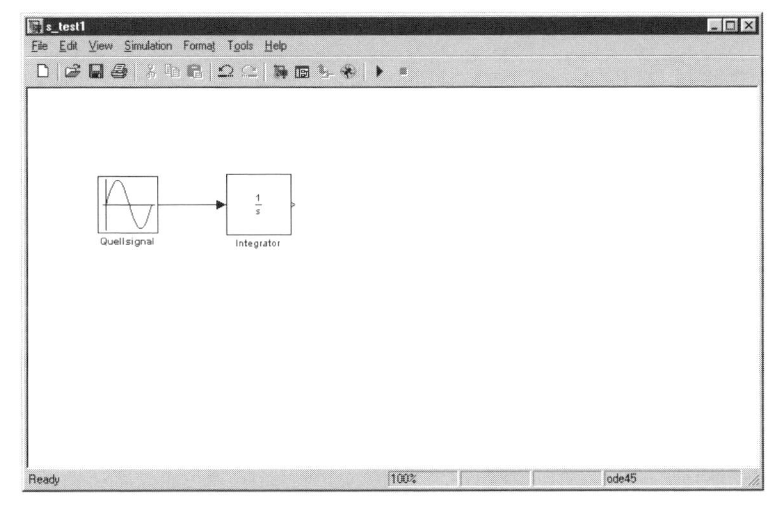

Abbildung 2.5: Das Simulink-System **s_test1** nach Einfügung des `Sine Wave`-Blocks und des `Integrator`-Blocks

Wir erweitern nun das Testsystem **s_test1** so, dass wir das Sinussignal und sein Integral in einem Fenster sehen können. Dazu wählen wir aus der Bibliothek `Signals&Systems` zunächst einen *Multiplexer*-Block[2] `Mux` und fügen ihn in das System ein und aus der Bibliothek `Sinks` wählen wir den Block `Scope`. Quellsignal und Integratorausgang werden anschließend mit der Maus mit zwei Eingängen des Multiplexers verbunden und dessen Ausgang mit dem Eingang des `Scope`-Blocks. Bei einer Verbindung „um die Ecke", wie etwa bei dem Signal, welches vom Quellsignalblock

[2] Er hat die Aufgabe, mehrere Signale zu einem vektorwertigen Signal zusammenzuführen.

zum Multiplexer geführt wird, muss die Maustaste zwischendrin losgelassen werden. Man beachte auch, dass die Verbindung zu einem Signalpfad (wie hier zu dem zwischen Quelle und Integrator) erst dann korrekt ist, wenn an der Kreuzungsstelle ein kleiner rechteckiger Punkt erscheint.

Das (fast) fertige System ist in Abbildung 2.6 zu sehen.

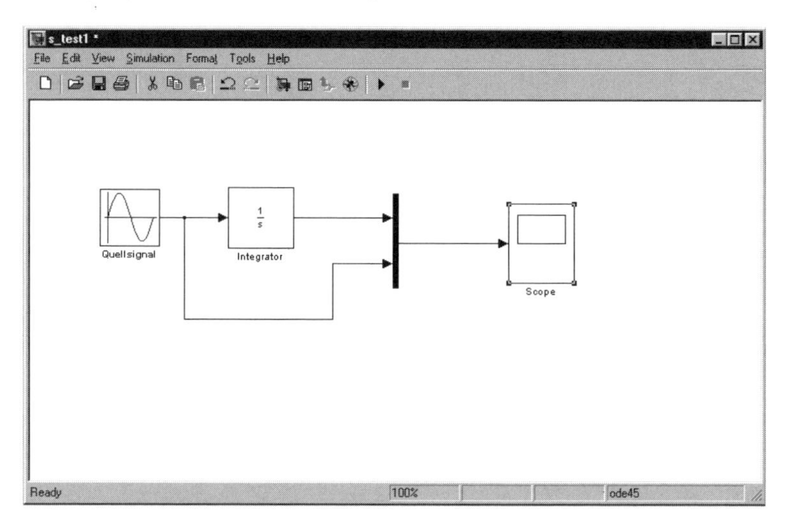

Abbildung 2.6: Das (fast) fertige Simulink-System **s_test1**

Bevor wir mit dem Blockschaltbild jedoch eine Simulation durchführen können, sind noch ein paar Arbeitsschritte zu erledigen. Zum einen müssen etwa die *Parameter der verwendeten Blöcke* richtig eingestellt werden – woher sollte Simulink zum Beispiel wissen, welche Frequenz Ihr Sinussignal haben soll? –, zum anderen müssen solche Dinge wie Simulationsdauer, numerisches Lösungsverfahren etc. festgelegt werden, also allgemeine *Parameter der Simulation*. Nicht zuletzt sollte das gerade erstellte Simulationsmodell auch noch mit einem Minimum an Beschriftung versehen werden, denn auch bei einer grafischen Programmierung ist eine ordentliche Dokumentation nicht verzichtbar.

2.2.2 Parametrierung der Simulink-Blöcke

Wir beginnen mit der Blockparametrierung. Der im System **s_test1** verwendete Block `Mux` beispielsweise hat offenbar standardmäßig zwei Eingänge, was in unserem Beispiel zufällig gerade passend ist. Die Zahl der Eingänge kann jedoch im Allgemeinen eingestellt werden. Wie bei der Veränderung von Blockparametern üblich, öffnen wir die zum Block gehörige Parameterliste durch einen Doppelklick auf das entsprechende Blocksymbol. Ein Doppelklick auf `Mux` liefert das in Abbildung 2.7 dargestellte Fenster.

Wie man sieht, kann die Zahl der Eingänge des Multiplexers dort frei bestimmt werden, indem man den Eintrag `Number of inputs` entsprechend abändert.

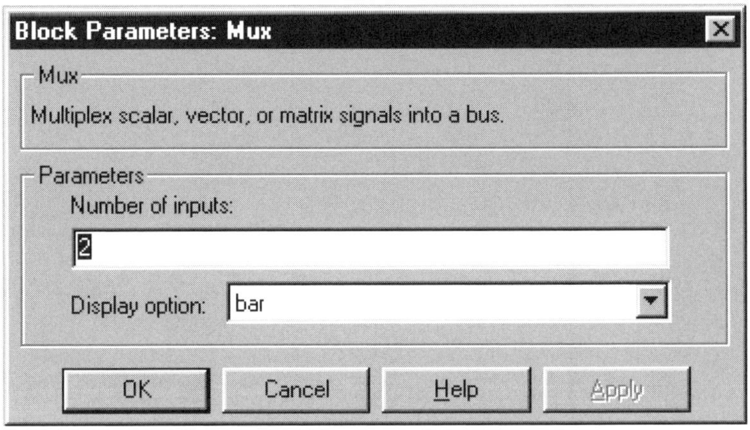

Abbildung 2.7: Parameterfenster zum Simulink-Block Mux

Interessant ist auch der Parameter Display Option. Hier kann die grafische Darstellung des Multiplexers verändert werden. Die voreingestellte Darstellung bar, die den Multiplexer als dicken Strich darstellt, ist vor allem für viele Eingänge geeignet. Hat man, wie in unserem Fall, nur zwei Eingänge, so eignet sich eher die Einstellung signals, denn in diesem Fall sind die Eingangsports des Blocks, nach Vergrößerung des Symbols mit der Maus, mit den Namen der Signale versehen (siehe die Bemerkungen zur Beschriftung der Signalpfeile auf Seite 115), was insbesondere bei großen Simulationssystemen die Übersichtlichkeit wesentlich erhöht.

Das Sinussignal parametrieren wir auf ähnliche Weise. Ein Doppelklick auf den Block öffnet das in Abbildung 2.8 dargestellte Fenster.

Hier können wir die Amplitude, die Frequenz (in rad/s) und die Nullphase einstellen [2, 5, 15]. Den Parameter Sample Time lassen wir auf 0, weil wir eine (quasi-) zeitkontinuierliche Simulation durchführen wollen. Er wird nur verändert, wenn wir eine explizit zeitdiskrete Simulation durchführen. In diesem Fall müssten wir in den Blöcken eine Abtastzeit angeben.

Wir ändern für das vorliegende Beispiel die Parameter auf Amplitude 2 und auf Frequenz 2π rad/s entsprechend 1 Hz. Der zugehörige Eintrag ist damit 2*pi und nicht 6.28, denn Simulink kennt wie MATLAB das Symbol pi und somit seinen „exakten“ Wert, also warum dann hier eine krumme Zahl reinschreiben?

Für die Nullphase wählen wir pi/4.

Der Integratorblock verlangt u.A. den Anfangswert der Integration (Parameter Initial Condition). Dieser ist insbesondere dann von besonderer Bedeutung, wenn wir mit Hilfe von Simulink Differentialgleichungen lösen wollen, da hier die Anfangswerte dieser Gleichungen eingetragen werden müssen. Für das vorliegende Beispiel soll der Anfangswert auf der voreingestellten 0 stehen bleiben. Die übrigen Parameter betreffen spezielle Formen von Integratoren und bleiben für unser Beispiel auf den voreingestellten Werten.

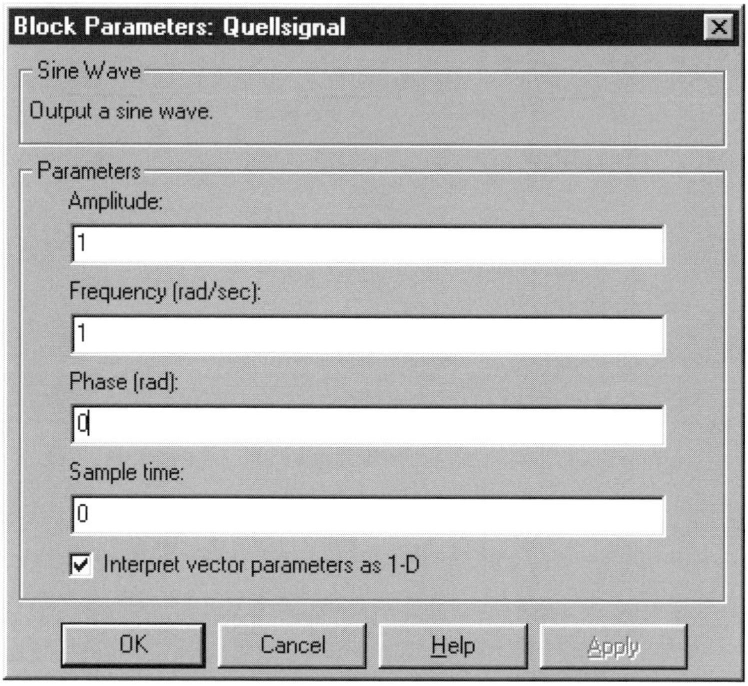

Abbildung 2.8: Parameterfenster zum Simulink-Block `Sine Wave (Quellsignal)`

Der `Scope`-Block sollte auch parametriert werden. Ein Doppelklick auf den Scope-Block und ein Klick auf das `Properties`-Icon (links neben dem Drucker-Icon, siehe Abbildung 2.9) öffnet ein Kartei-Fenster in dem Parameter, wie der Darstellungszeitraum (Parameter `Time Range`) oder die Abtastrate eingestellt werden können. Sehr interessant ist die Möglichkeit, das angezeigte Signal direkt in einer MATLAB-Variablen speichern zu lassen. Abbildung 2.9 zeigt, wie man die Scope-Signale in einer Variablen `S_test1_Signale` im Standard-MATLAB-Format[3] einer Matrix abspeichern lassen kann. Leider ist diese Option (`Array`) nicht voreingestellt. Man achte also darauf, an dieser Stelle auf das Matrix-Format umzustellen, wenn man von dieser Möglichkeit des Datenexports in den MATLAB-Workspace Gebrauch machen will.

Im Übrigen wird die Darstellung der Signale im Scope *nach* der Simulation über die Button-Leiste angepasst. Dies sollte der Leser einfach einmal ausprobieren. Das Scope sollte übrigens gleich geöffnet werden, denn im Gegensatz zu früheren Simulink-Versionen öffnet sich die Grafik nicht automatisch.

Den letzten Schliff gibt dem Ganzen nun noch die schon erwähnte Beschriftung. Durch einen Doppelklick in das Modell-Fenster erscheint ein blinkender Cursor. Hier kann frei Text eingetragen werden, der über den Menüpunkt **Format – Font...** noch

[3] In MATLAB 6 und Simulink 4 sind, wie bereits in Kapitel 1 diskutiert, auch andere, über das Matrix-Format hinausgehende Datenstrukturen möglich. Wir empfehlen weiterhin, das Matrix-Format zu verwenden, falls nicht zwingende Gründe dagegen sprechen.

nach Geschmack im Erscheinungsbild verändert werden kann. So kann etwa das System mit Titel und Erstellungsdatum versehen werden.

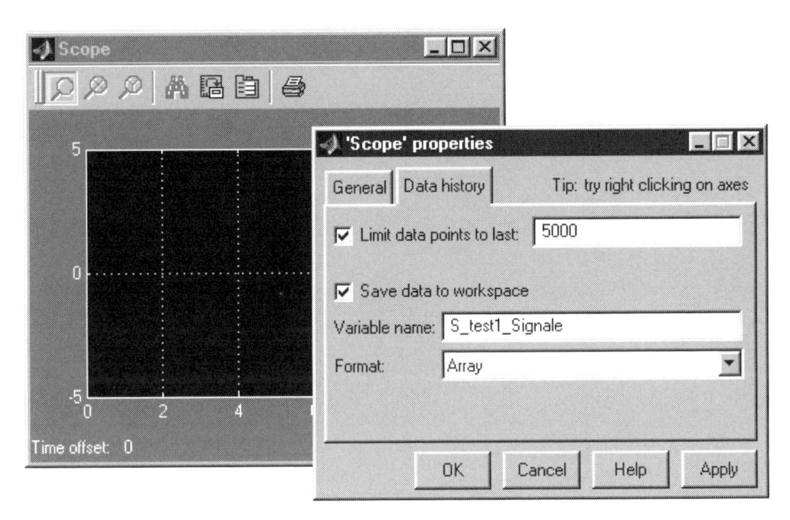

Abbildung 2.9: Parameterfenster zum Simulink-Block `Scope` mit geöffnetem `Properties`-Fenster

Sehr nützlich ist auch die Beschriftung der Signalpfeile. Ein Doppelklick auf einen dieser Pfeile lässt es zu, den Signalen einen Namen zu geben. Diese Namen wandern sogar mit, wenn der Pfeil oder ein zugehöriger Block verschoben wird. Namen von Eingängen von Blöcken, wie etwa der des `Mux`, die mit diesen Signalnamen verknüpft sind, werden automatisch mit verändert. Gegebenenfalls muss dafür der Block aber nochmals vergrößert oder bewegt werden, damit sich diese Änderung auswirkt.

Ebenfalls sehr nützlich ist die Beschriftung des Systems mit Plot-Anweisungen zu späteren Ausgabe der Ergebnisse unter MATLAB. Dies erleichtert die spätere Benutzbarkeit des Systems, da man diese Angaben mit Hilfe des Cut-Paste-Mechanismus einfach nur in den MATLAB-Workspace zu übertragen braucht.

Unter Simulink 1.3 war darüber hinaus vielfach noch die äußere Beschriftung der Blöcke mit den eingestellten Parametern angebracht. Dies erübrigt sich unter Simulink 4, da sich nun ein Fenster mit den Parametern aufklappt, wenn man den Mauszeiger über den interessierenden Block bewegt.

In Abbildung 2.10 ist nun das Ergebnis unserer Bemühungen, das fertige System **s_test1.mdl**, dargestellt.

Die Parametrierung der Blöcke ist damit abgeschlossen und wenn wir jetzt unser System flugs mit **File – Save** abspeichern, müssen wir uns auch nicht ärgern, wenn sich der Schrott von Billy the Gates zwischendrin ohne Vorwarnung verabschiedet.

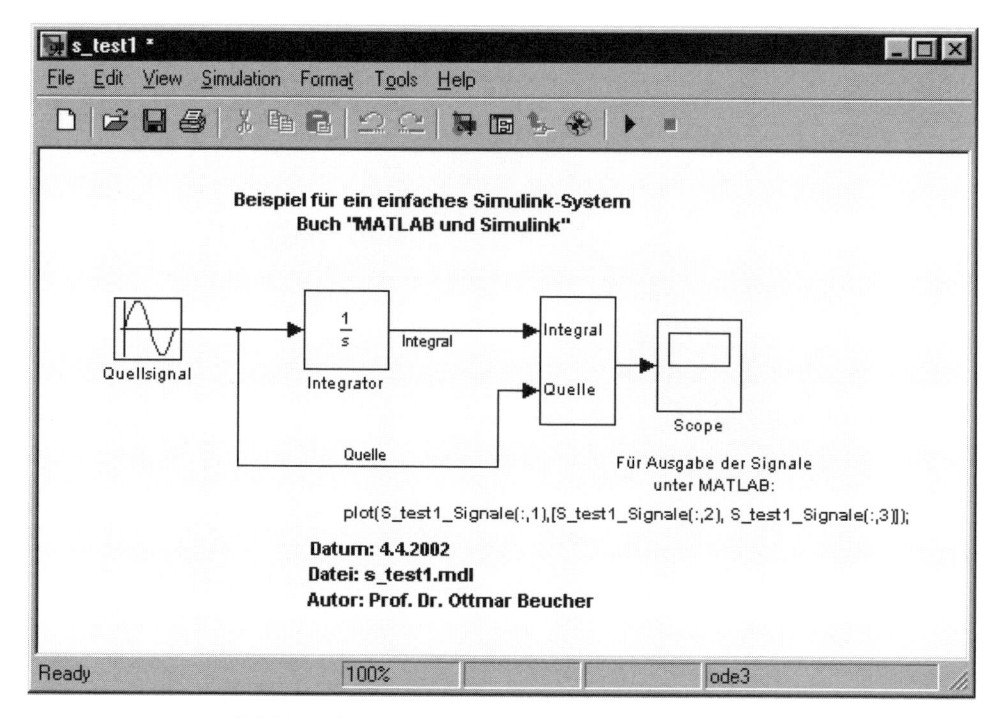

Abbildung 2.10: Das fertige Simulink-System **s_test1**

2.2.3 Simulink-Simulation

Die Simulationsparameter stellen wir über den Aufruf des Menübefehls **Simulation – Simulation Parameters...** ein. Es öffnet sich nach dieser Aktion das in Abbildung 2.11 zu bewundernde Fenster `Simulation Parameters`.

Die Parameter `Start Time` und `Stop Time` sind selbsterklärend.

Interessanter sind hingegen die beiden Parameter unter dem Stichwort `Solver Options`. Unter einem *Solver* versteht man das Verfahren zur *numerischen Lösung von Differentialgleichungen*, welches für die vorliegende Simulation eingesetzt werden soll. Der Leser wird sich vielleicht fragen, was das gerade entworfene Modell mit einer Differentialgleichung zu tun hat. Dies wird hoffentlich nach der Lektüre von Abschnitt 2.3, S. 120ff klarer sein. Vorerst sei an dieser Stelle auf Übung 70 verwiesen.

Die Verfahren können in dem zweiten Pull-Down-Menü ausgewählt werden und werden nach zwei Klassen unterschieden, nämlich solche mit und ohne variable Schrittweitensteuerung (vgl. S. 117). Die Klasse wird im ersten Pull-Down-Menü durch Auswahl der Parameter `Fixed Step` oder `Variable Step` festgelegt.

Es würde an dieser Stelle zu weit führen, im Einzelnen auf die Verfahren einzugehen und dies ist für das Verständnis der folgenden Abschnitte auch nicht nötig. Eine tiefere

Diskussion der Verfahren würde nicht nur den Rahmen dieser MATLAB-Simulink-Einführung bei weitem sprengen, da hier modernste mathematische Verfahren zum Einsatz kommen [17, 12]. Für den Anfang genügen die wenigen, im Wesentlichen direkt auf dem vielleicht geläufigen Runge-Kutta-Verfahren (vgl. [4, 7, 14, 19]) beruhenden Methoden `ode23`, `ode45` und `ode3`, die wir teilweise schon aus Kapitel 1 kennen. Den anderen Verfahren wird man sich dann zuwenden können und müssen, wenn man bereits über genügend Simulationserfahrung verfügt und Probleme hat, die den Einsatz anderer Verfahren notwendig machen.

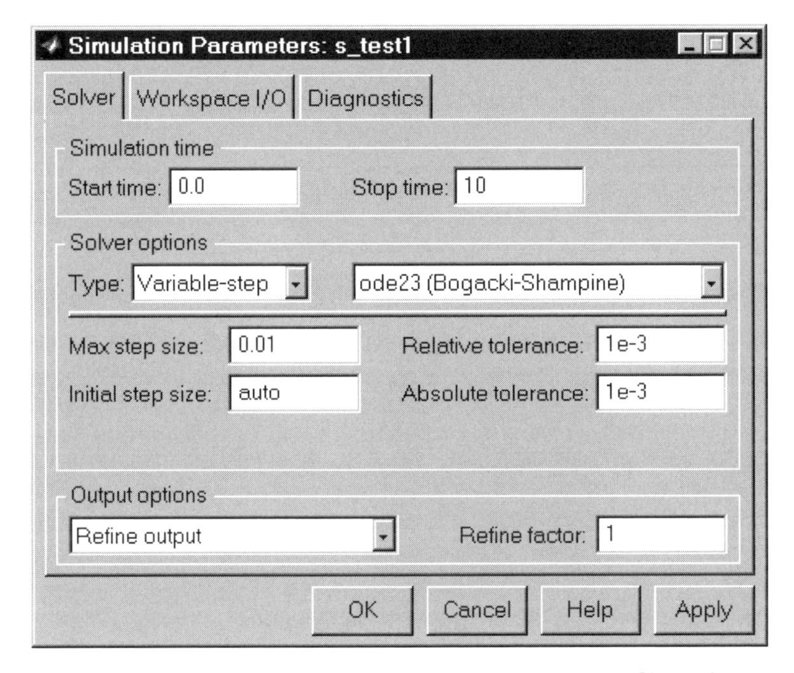

Abbildung 2.11: Das Simulationsparameter-Fenster von Simulink

Die Klasse der `Variable-Step`-Verfahren arbeitet, wie erwähnt, mit einer eingebauten *Schrittweitensteuerung*, das heißt, sie ändern die Schrittweite des numerischen Lösungsverfahrens je nach dem dynamischen Verhalten der Lösung. Ändert sich die Lösung wenig, so wird die Schrittweite automatisch größer eingestellt, variiert die Lösung stark, so wird mit kleinerer Schrittweite iteriert. Wie weit diese Schrittweite sich ändern darf und mit welcher Toleranz, kann durch die die Parameter `Step Size` und `Tolerance` gesteuert werden. Auch hier würde es zu weit führen, näher auf die Details einzugehen. In den meisten Fällen genügen die voreingestellten Werte.

Wählt man die Klasse der `Fixed-Step`-Verfahren aus, so erkennt man, dass sich das Auswahlmenü für die Schrittweite ändert. Hier kann im Wesentlichen nur noch die gewünschte (dann feste) Schrittweite für das Verfahren eingegeben werden.

Die Parameter unter dem Stichwort `Output Options` können nur im Falle der variablen Schrittweitensteuerung ausgewählt werden. Hier kann die Lösung zwischen den vom Verfahren ausgewählten Stellen zusätzlich noch interpoliert werden, um gegebenenfalls eine glattere grafische Lösung zu produzieren. Mit der Einstellung `Produce specified output only` kann genau angegeben werden, an welchen Stellen die Lösung berechnet werden soll. Diese Stellen werden in einem entsprechenden Zeitvektor (z. B. `(0:0.1:10)`) unter dem dann erscheinenden Parameter `Output Times` konkret angegeben. Intern rechnet das Verfahren zwar nach wie vor mit variabler Steuerung, die Lösung wird jedoch vor der Ausgabe an den gewünschten Stellen durch Interpolation ermittelt. Diese Möglichkeit der Beeinflussung der Lösung ist insbesondere dann sehr nützlich, wenn man (vielleicht aus Gründen einer optimalen Simulationszeit) mit variabler Schrittweitensteuerung arbeitet, jedoch verschiedene Lösungen miteinander vergleichen muss. In diesem Fall haben die Lösungen im Allgemeinen unterschiedliche Stützstellen, was den Vergleich unter Umständen sehr erschwert. Mit der Angabe `Produce specified output only` kann man aber *erzwingen*, dass alle Simulationen Werte an identischen Stützstellen liefern.

Im vorliegenden Beispiel machen wir es uns aber zunächst einfach und *zwingen* Simulink von vornherein, eine feste Schrittweite zu verwenden, indem wir das `Fixed-Step`-Verfahren `ode3` auswählen und den `Step-Size`-Parameter auf den Wert `0.01` setzen.

Die eingestellte Schrittweite hat unmittelbaren Einfluss auf die *Simulationsdauer*, welche bei zu kleinen Werten unerträglich lang werden kann. Hier muss, ggf. durch Ausprobieren in mehreren Versuchen, ein Kompromiss zwischen Simulationsdauer und Simulationsgenauigkeit gefunden werden. Alternativ kann (sollte) dann auch ein `Variable-Step`-Verfahren verwendet werden.

Nach Einstellung der Simulationsparameter kann die Simulation nun mit dem Menüaufruf **Simulation – Start** gestartet werden. Alternativ kann auf das Dreieckssymbol in der Icon-Leiste gedrückt werden. Im `Scope`-Block baut sich im vorliegenden Beispiel dann das in Abbildung 2.12 dargestellte Sinussignal und das zugehörige Integral auf.

Da wir das Ergebnis des Scope-Outputs in einer Variablen `S_test1_Signale` unter MATLAB gespeichert haben, können wir uns die Grafik auch unter MATLAB anschauen. Ein Blick auf den Workspace mit

```
» whos
  Name                  Size            Bytes  Class

  S_test1_Signale    1001x3            24024  double array

Grand total is 3003 elements using 24024 bytes
```

zeigt, dass *drei* Vektoren als Spalten abgespeichert wurden. Eine der Spalten, nämlich die erste, ist der Zeitvektor (Vektor der Stützstellen für die Lösungen). Mit

```
» plot(S_test1_Signale(:,1),[S_test1_Signale(:,2),S_test1_Signale(:,3)])
» title('Ergebnis von s_test1 mit ode3')
```

```
» xlabel('Zeit /s')
» ylabel('Funktionswerte')
» grid
```

kann dann das Ergebnis auch mit Beschriftung unter MATLAB reproduziert werden (vgl. Abbildung 2.13).

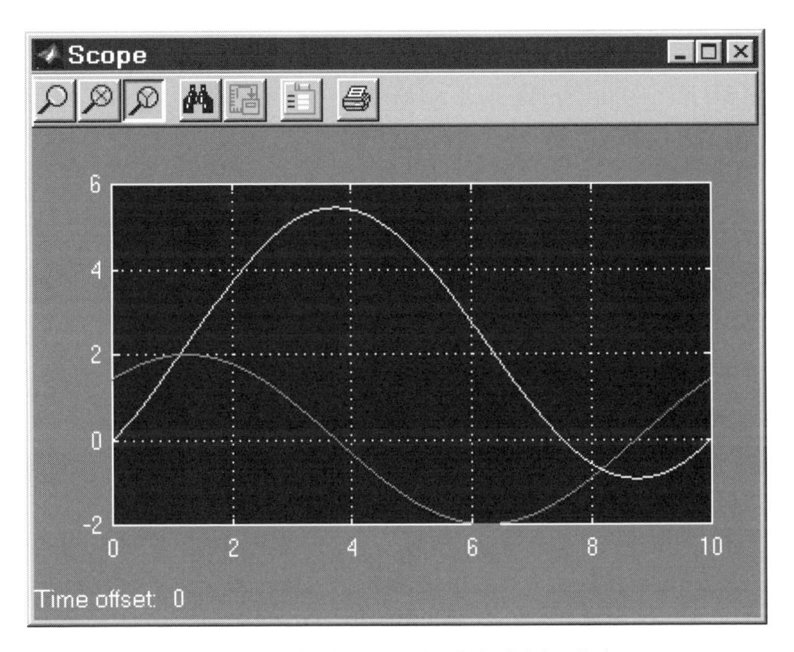

Abbildung 2.12: Ergebnis der Beispielsimulation

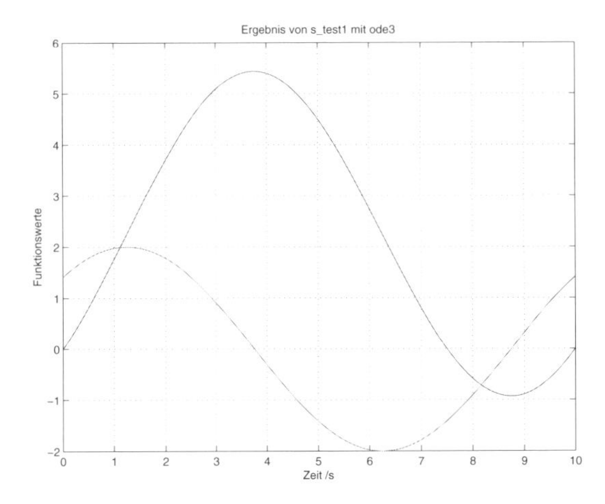

Abbildung 2.13: Ergebnis der Beispielsimulation mit Nachbearbeitung unter MATLAB

Übungen

Bearbeiten Sie die folgenden Aufgaben zur Einübung der Handhabung von Simulink.

Übung 69 (*Lösung Seite 203*)

Probieren Sie das Testsystem **s_test1** für verschiedene Simulationsschrittweiten und unter Verwendung der Schrittweitensteuerung aus.

Vergleichen Sie insbesondere die Rechenzeit für eine Schrittweite von 0.001, wenn Sie einmal direkt `ode3` mit dieser Schrittweite und zum anderen `ode23` mit Anpassung der Ausgabe an die Schrittweite 0.001 verwenden.

Interpretieren Sie die Ergebnisse!

Übung 70 (*Lösung Seite 204*)

Überlegen Sie, warum das Ergebnis der Simulation des Testsystems **s_test1** die *Lösung der Differentialgleichung (des Anfangswertproblems)*

$$\dot{y}(t) = x(t) \qquad y(0) = 0 \tag{120.1}$$

darstellt! Welches der Signale ist $x(t)$, welches $y(t)$?

Übung 71 (*Lösung Seite 204*)

Entwerfen Sie ein Simulink Testsystem **s_LsgDiff** für den Differenziererblock `Derivative`. Ändern Sie dazu am besten das System **s_test1**.

Experimentieren Sie anschließend damit wie in Übung 69.

Übung 72 (*Lösung Seite 204*)

Überlegen Sie sich, wie man mit Hilfe von Simulink und mit Hilfe des `Integrator`-Blocks das Anfangswertproblem

$$\dot{u}(t) = -2 \cdot u(t) \qquad u(0) = 1 \tag{120.2}$$

lösen könnte und realisieren Sie ggf. ein solches Simulink-System.

Vergleichen Sie die gewonnene numerische Lösung mit der exakten Lösung!

2.3 Lösung von Differentialgleichungen mit Simulink

Auf die Möglichkeit der Lösung von Differentialgleichungen mit MATLAB wurde bereits in Kapitel 1, Abschnitt 1.5.5 hingewiesen.

Noch viel einfacher als dort gestaltet sich die Lösung auch komplexerer nichtlinearer Gleichungen mit Simulink. Der Kniff dabei ist, dass die Differentialgleichung in ein dynamisches System umgesetzt wird, welches sich in Simulink in Form eines Blockschaltbildes abbilden lässt. Wir wollen im vorliegenden Abschnitt die Vorgehensweise bei dieser Umsetzung an Hand von Beispielen klar machen.

Ein einfaches Beispiel

Zum Warmwerden beginnen wir mit einem simplen Anfangswertproblem 2. Ordnung. Wir lösen die Differentialgleichung

$$\ddot{y}(t) = -y(t) \qquad y(0) = 1,\ \dot{y}(0) = 0 \tag{121.1}$$

Die Lösung dieser Differentialgleichung ist fast schon so einfach, dass es weh tut, nämlich schlicht

$$y(t) = \cos(t) \tag{121.2}$$

Grundsätzlich sollte man an dieser Stelle Folgendes bemerken. Wenn man sich in ein neues Thema oder einen neuen Begriff einarbeitet, ist es eine sinnvolle Strategie, sich *einfache Beispiele* zu machen. Bei Software ist es noch viel sinnvoller, einfache Beispiele zu konstruieren, bei denen man weiß, was raus kommen muss, bevor man auf Elefantenjagd geht.

Die *Idee* zur Lösung der Gleichung 121.1 mit Simulink ist nun folgende: durch systematisches Aufintegrieren der Ableitungsfunktionen der gesuchten Lösung mit dem Simulink-Integrator erhält man die Lösungsfunktion. Stellt man sich also für den Augenblick einmal auf den Standpunkt, man *kenne* bereits $\ddot{y}(t)$, so müsste sich die Lösung $y(t)$ mit der in Abbildung 2.14 dargestellten Integratorkette berechnen lassen.

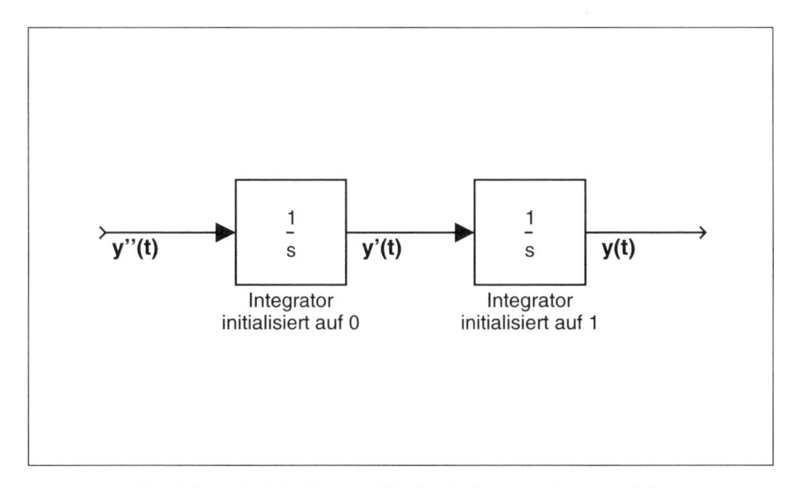

Abbildung 2.14: Ansatz für die Aufintegration zu $y(t)$

Die Integratoren sind dabei natürlich so zu initialisieren, dass dies den Anfangswerten entspricht, also im vorliegenden Fall der erste Integrator auf 0, da der Wert des Ausgangssignals $\dot{y}(t)$ zur Zeit 0 (Simulationsbeginn) ja gemäß den Anfangsbedingungen 0 sein muss. Der zweite Integrator ist auf 1 zu setzen, denn der Wert des Ausgangssignals $y(t)$ zur Zeit 0 soll gemäß den Anfangsbedingungen 1 sein.

So weit — so gut, wenn wir $\ddot{y}(t)$ *hätten*!

Der geschätzte Leser wird sich nun bestürzt fragen, woher nehmen und nicht stehlen? Auskunft hierüber erteilt freundlicherweise die Differentialgleichung, die wir bislang ja nur eines flücht'gen Blickes gewürdigt haben. Sie sagt ja, dass $\ddot{y}(t)$ ganz einfach $-y(t)$ ist!!

Da beißt sich doch die Katz' in den Schwanz, denkt der Hund. Tut sie auch! Wir *verbinden* den Ausgang des zweiten Integrators einfach mit dem Eingang des ersten, ohne jedoch vorher die Negation zu vergessen, und überlassen den Rest getrost Simulinks numerischen Lösungsverfahren für Anfangswertprobleme. Dies führt auf das in Abbildung 2.15 dargestellte Simulink-System (**s_dgl2or**).

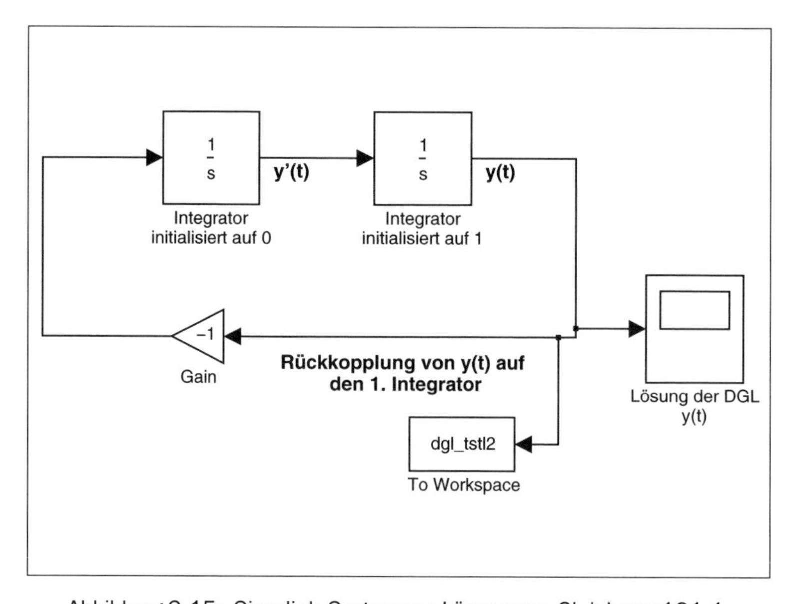

Abbildung 2.15: Simulink-System zur Lösung von Gleichung 121.1

Das System wurde dabei noch um eine grafische Ausgabe und einen Block zur Umlenkung des Ergebnisses in den MATLAB-Workspace ergänzt.

Die Simulation mit dem Parameterblock aus Abbildung 2.16 liefert den in Gleichung 121.2 prognostizierten Cosinus.

Natürlich hängt die Qualität der numerischen Lösung schon von den gewählten Parametern ab. Der Leser möge sich dies klar machen, indem er das System etwa einmal mit verschiedenen Schrittweiten durchsimuliert.

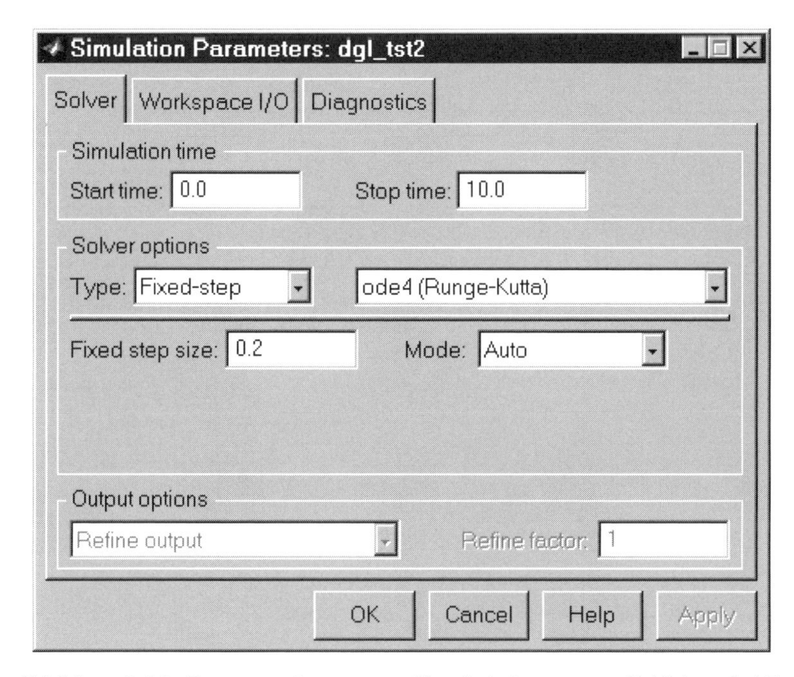

Abbildung 2.16: Parameterfenster zum Simulink-System aus Abbildung 2.15

Beispiel: Logistische Differentialgleichung

Im nächsten Beispiel untersuchen wir eine berühmte Gleichung aus der Theorie der Wachstumsprozesse, die sogenannte *Logistische Differentialgleichung* [4, 7]

$$\dot{P}(t) = \gamma P(t) - \tau P^2(t). \tag{123.1}$$

Dabei bezeichnet $P(t)$ eine Population von Individuen zur Zeit t und γ die Zuwachsrate pro Zeiteinheit sowie τ die Sterberate. Um zu gewährleisten, dass sich die Sterberate auf das Gesamtwachstumsverhalten der Population bei sehr großen Populationen stärker auswirkt — was dann eine sinnvolle Annahme ist wegen Nahrungsmangel etc. —, geht die Population beim Sterbesummanden quadratisch ein.

Zur Lösung dieser Differentialgleichung für einen Anfangswert von $P(0) = 10\,000$ Individuen, einer Zuwachsrate von $\gamma = 0.05$ und einer Sterberate von $\tau = 0.0000025$ unter Simulink, benötigen wir *einen Integratorblock*, dessen Eingang $\dot{P}(t)$ und dessen Ausgang $P(t)$ repräsentiert und der auf den Anfangswert 10 000 initialisiert wird.

Auf Grund der Differentialgleichung 123.1 ist der Eingang des Integrators dann mit $\gamma P(t) - \tau P^2(t)$ zu speisen, welches aus dem Integratorausgang durch Rückkopplung gewonnen werden kann.

Dies liefert das in Abbildung 2.17 dargestellte Simulink-System (Datei **s_logdgl.mdl** der Begleitsofware).

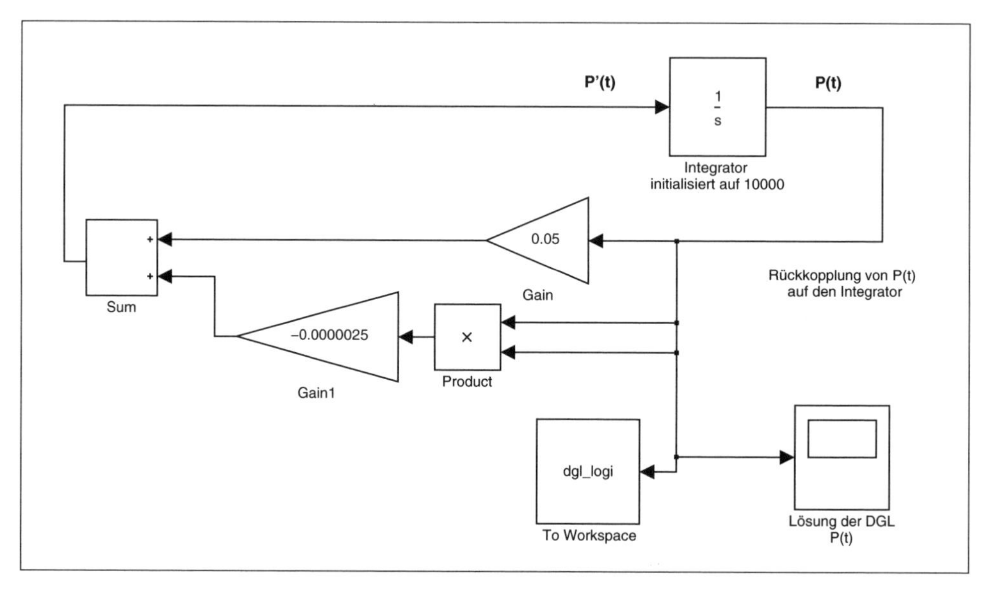

Abbildung 2.17: Simulink-System **s_logdgl** zur Lösung einer Logistischen Differentialgleichung

Für eine feste Schrittweite von 1 (eine Zeiteinheit) ergibt sich die in Abbildung 2.18 dargestellte Lösung.

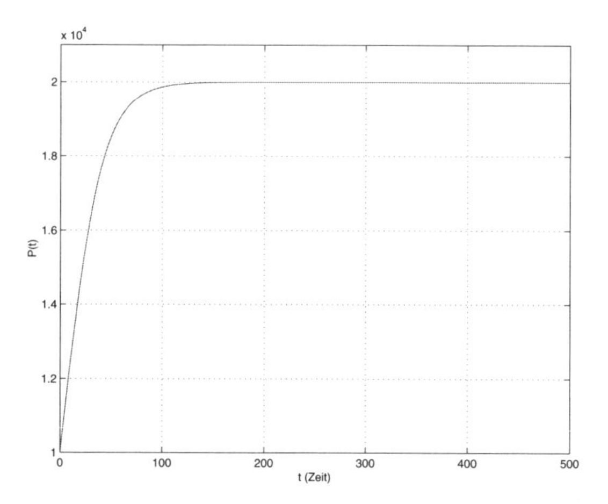

Abbildung 2.18: Simulink-Lösung zur Logistischen Differentialgleichung

Diese stimmt gut mit der theoretischen Lösung

$$P(t) = \frac{\gamma}{\tau + \gamma C e^{-\gamma t}} \qquad C = \frac{1}{P(0)} - \frac{\tau}{\gamma} \tag{124.1}$$

für die gewählten Werte von γ und τ überein. Interessant ist an dieser Stelle zu bemerken, dass die Simulation für eine zugelassene automatische Schrittweitensteuerung wesentlich schneller ist. Allerdings muss für eine richtige Interpretation des Ergebnisses der intern generierte Zeitvektor mitgespeichert werden.

Beispiel: Mechanische Schwingung

Als abschließendes Beispiel betrachten wir ein schwingendes mechanisches System, repräsentiert durch eine Masse m kg, eine Feder mit Federkonstante c N/m und ein die Schwingung dämpfendes Medium, repräsentiert durch einen Reibungskoeffizienten d Ns/m. Die zugehörige Differentialgleichung 2. Ordnung der freien gedämpften Schwingung ist dann gegeben durch

$$m\ddot{x}(t) + d\dot{x}(t) + cx(t) = 0 \tag{125.1}$$

$x(t)$ bezeichnet dabei die Auslenkung gegenüber der Ruhelage zur Zeit t.

In Gasen oder Flüssigkeiten und bei schneller Bewegung der Masse stellt man jedoch fest, dass die durch die Reibung des Körpers entstehende Kraft im Allgemeinen nicht proportional zur Geschwindigkeit $\dot{x}(t)$ ist, wie in Gleichung 125.1, sondern *proportional zum Quadrat* der Geschwindigkeit (Newton-Reibung [18]).

Es ergibt sich somit folgende Differentialgleichung

$$\begin{aligned} m\ddot{x}(t) + b\dot{x}^2(t) + cx(t) = 0 \qquad \text{falls } \dot{x}(t) \geq 0 \\ m\ddot{x}(t) - b\dot{x}^2(t) + cx(t) = 0 \qquad \text{falls } \dot{x}(t) < 0 \end{aligned} \tag{125.2}$$

Die Zweiteilung der Gleichung wird erzwungen durch den Umstand, dass die Umkehrung der Bewegungsrichtung berücksichtigt werden muss, jedoch das entsprechende Vorzeichen von $\dot{x}(t)$ durch das Quadrieren der Geschwindigkeit herausfällt. Dieses muss dann neu eingefügt werden.

Die Gleichungen 125.2 lassen sich jedoch mit Hilfe der sogenannten *Signumfunktion*

$$\operatorname{sgn}(y) := \begin{cases} 1 & \text{für} \quad y \geq 0 \\ -1 & \text{für} \quad y < 0 \end{cases}$$

wie folgt zusammenfassen:

$$m\ddot{x}(t) + b \cdot \operatorname{sgn}(\dot{x})\dot{x}^2(t) + cx(t) = 0 \tag{125.3}$$

Wir versuchen nun mit Hilfe von Simulink diese Gleichung zu lösen und bauen dazu ein entsprechendes System auf.

Wir benötigen hierfür natürlich zunächst numerische Werte für die genannten Größen. Dazu nehmen wir als schwingende Masse eine runde Stahlplatte (vgl. Abbildung 2.19) mit $m = 0.5$ kg. Die Plattenfläche A stehe dabei senkrecht zur Bewegungsrichtung. Für den Reibungskoeffizienten kann dann der Wert

$$b = c_{\mathrm{W}} \frac{1}{2} \rho A \tag{125.4}$$

angenommen werden, wobei ρ die Dichte des Mediums ist [18]. Für einen unlegierten Stahl kann eine Dichte von $7.85\ \mathrm{g/cm^3}$ angenommen werden [3].

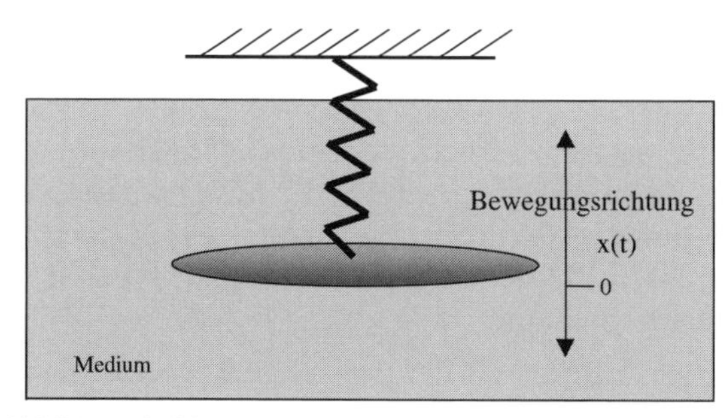

Abbildung 2.19: Mechanischer Schwinger (Stahlplatte)

c_W ist der sogenannte Widerstandsbeiwert. Er hängt von der Form des Körpers ab. Für eine Platte, die, wie in unserem Modell angenommen, senkrecht zur Bewegungsrichtung steht, kann ein c_W-Wert zwischen 1.1 und 1.3 angesetzt werden. Wir nehmen im folgenden Beispiel der Einfachheit halber einen Wert von $c_W = 1$ an, um auf die Mitführung des c_W-Werts verzichten zu können.

Die Masse ergibt sich, falls alle Größen in cm angegeben sind, aus dem Plattenvolumen $h \cdot \pi r^2\ \mathrm{cm}^3$, wobei h die Höhe der Platte und r der Radius ist, mal der Dichte, so dass gilt

$$500 = 7.85 \cdot h \cdot \pi r^2$$

Hieraus berechnet sich für eine Höhe $h = 1$ cm ein Radius von 4.5027 cm und eine Querschnittsfläche von $63.6943\ \mathrm{cm}^2$.

Verwenden wir als Gas *Luft* mit einer Dichte von $\rho = 1.29\ \mathrm{kg/m^3}$, so ergibt sich für b der numerische Wert[4]

$$b = \frac{1}{2} \cdot 63.6943 \cdot 10^{-4} \cdot 1.29\ \mathrm{m}^2 \frac{\mathrm{kg}}{\mathrm{m}^3} = 0.00411\ \frac{\mathrm{kg}}{\mathrm{m}}$$

Für die Federkonstante setzen wir einen Wert von 0.1552 N/mm, entsprechend 155.2 N/m an. Dies liefert folgende Differentialgleichung:

$$0.5 \cdot \ddot{x}(t) + 0.00411 \cdot \mathrm{sgn}(\dot{x}) \cdot \dot{x}^2(t) + 155.2 \cdot x(t) = 0 \qquad (126.1)$$

Wir überprüfen an dieser Stelle noch einmal die physikalischen Einheiten. Die Summanden der Gleichung 126.1 sind *Kräfte*. Alle Einheiten müssen sich daher zu $\mathrm{N} = \frac{\mathrm{kg \cdot m}}{\mathrm{s}^2}$ zusammenkürzen lassen. Im ersten Summand hat 0.5 die Einheit kg, die zweite Ableitung der Auslenkung $x(t)$ nach der Zeit die Einheit $\frac{\mathrm{m}}{\mathrm{s}^2}$, im zweiten Summanden

[4] Es ist geschickt, die physikalischen Einheiten auf eine Form zu bringen, bei der ausschließlich SI-Einheiten verwendet werden. Andernfalls läuft man Gefahr, falsche numerische Werte zu benutzen, etwa wenn einmal in mm und dann wieder in m gerechnet wird.

hat b die Einheit $\frac{\text{kg}}{\text{m}}$ und $\dot{x}^2(t)$ die Einheit $\frac{\text{m}^2}{\text{s}^2}$. $\text{sgn}(\dot{x})$ ist dimensionslos. Im dritten Summanden hat c die Einheit N/m und $x(t)$ die Einheit m. Alle Summanden haben also, wie gewünscht, die Einheit N.

Wir können nun guten Gewissens zur Realisierung der numerischen Lösung unter Simulink kommen.

Da es sich um eine Gleichung zweier Ordnung handelt, benötigen wir *zwei Integratoren*, die aus $\ddot{x}(t)$ unter Berücksichtigung der Anfangsbedingungen, die in der Integratorinitialisierung repräsentiert werden, die Lösung $x(t)$ aufintegrieren. Als Anfangsbedingungen wählen wir eine Auslenkung von $x(0) = 1$ m und eine Anfangsgeschwindigkeit von $\dot{x}(0) = 0$ m/s. Auf den ersten Integrator führen wir die (negative) Summe von $x(t)$ und $\dot{x}^2(t)$, versehen mit den in Gleichung 126.1 stehenden Koeffizienten und der Nichtlinearität $\text{sgn}(\dot{x})$ zurück.

Dies liefert das in Abbildung 2.20 dargestellte Simulink-System **s_dglnon**.

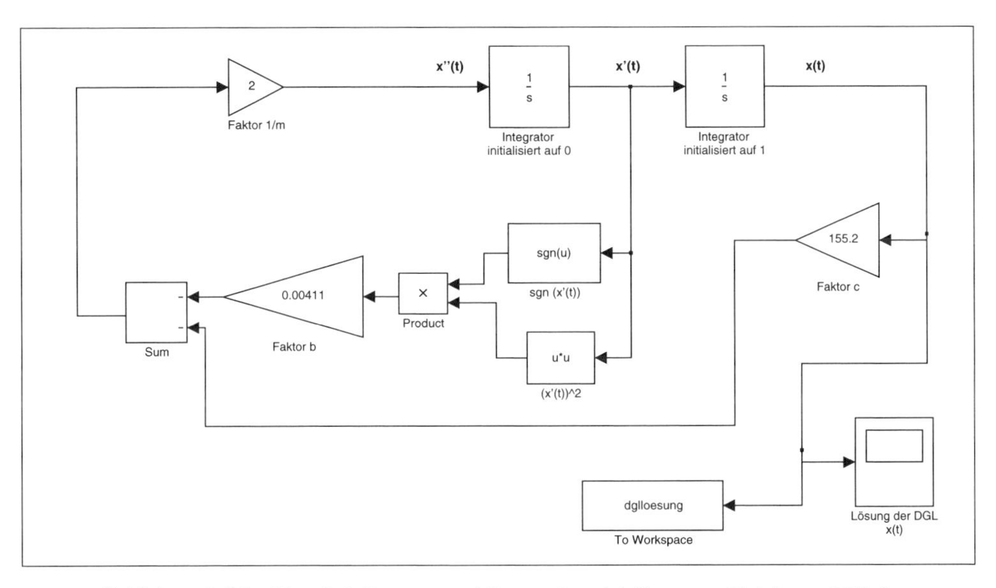

Abbildung 2.20: Simulink-System zur Lösung der nichtlinearen Gleichung 126.1

Um die Lösung bei eingeschalteter Schrittweitensteuerung unter MATLAB darstellen zu können, führen wir die Lösung außer in eine `Scope`-Senke noch in eine MATLAB-Senke, welche diese in einem Vektor `dglloesung` speichert. Um den Zeitbezug zu haben, markieren wir unter `Simulation Parameters` in der Karte `Workspace I/O` den Parameter `time`. Der voreingestellte Name `t` für den Zeitvektor kann dabei nach Wunsch verändert werden. In beiden Fällen sollte man darüber hinaus darauf achten, als Speicherformat jeweils an der dafür vorgesehenen Stelle `Array` einzustellen, damit die Ergebnisse als Matrizen und Vektoren im Workspace vorliegen.

Die Lösung für die eingestellten Parameter und Anfangswerte sind in Abbildung 2.21 dargestellt. Sie wurde mit dem Verfahren `ode45` bei eingeschalteter Schrittweitensteuerung (Parameter: `Initial Step Size = auto`, `Max Step Size = 10`, `tolerances = 1e-3`) im Zeitintervall [0,10] berechnet.

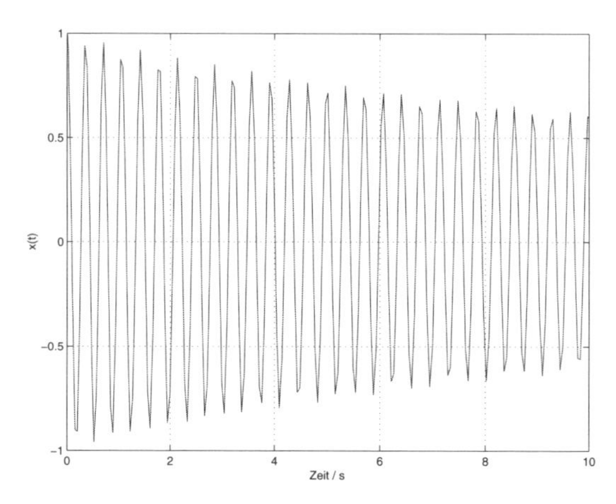

Abbildung 2.21: Simulink-Lösung zur nichtlinearen Gleichung 126.1

Übungen

Bearbeiten Sie die folgenden Aufgaben zur Einübung der Technik der numerischen Lösung von Differentialgleichungen mit Simulink.

Übung 73 (*Lösung Seite 204*)

Modellieren Sie das Problem des mechanischen Schwingers, indem Sie die Stahlplatte durch eine Halbkugel und das Medium Luft durch Wasser ersetzen. Für die Halbkugel ändert sich der c_W-Wert, je nachdem, ob die ebene oder die runde Seite der Halbkugel in Schwingungsrichtung steht. Für die ebene Seite ist der Wert $c_W = 1.2$, für die runde Seite ist der Wert $c_W = 0.4$ anzusetzen. Berücksichtigen Sie dies in einem modifizierten Simulink-System, indem Sie mit Hilfe eines `switch`-Blocks die beiden Fälle unterscheiden.

Übung 74 (*Lösung Seite 206*)

Entwerfen und testen Sie ein Simulink-System zur Lösung der nichtlinearen Differentialgleichung 95.1 des mathematischen Pendels.

Übung 75 (*Lösung Seite 207*)

Entwerfen und testen Sie ein Simulink-System zur Lösung des Anfangswertproblems

$$\ddot{y}(t) + y(t) = 0 \qquad y(0) = 1, \dot{y}(0) = 0 \tag{128.1}$$

Vergleichen Sie das Ergebnis mit der exakten Lösung.

Integrieren Sie anschließend in das Simulink-System eine Möglichkeit, eine Störfunktion (Inhomogenität; rechte Seite $\neq 0$) zu simulieren.

Probieren Sie das System mit der Störfunktion e^{-t} aus.

Übung 76 (*Lösung Seite 207*)

Lösen Sie mit Hilfe eines geeigneten Simulink-Systems das Anfangswertproblem

$$t\ddot{y}(t) + 2\dot{y}(t) + 4y(t) = 4 \qquad y(1) = 1,\ \dot{y}(1) = 1 \tag{129.1}$$

Übung 77 (*Lösung Seite 208*)

Lösen Sie mit Hilfe eines geeigneten Simulink-Systems das Differentialgleichungssystem

$$\begin{aligned} \dot{y}_1(t) &= -3y_1(t) - 2y_2(t) \qquad & y_1(0) &= 1 \\ \dot{y}_2(t) &= 4y_1(t) + 2y_2(t) \qquad & y_2(0) &= 1 \end{aligned} \tag{129.2}$$

Vergleichen Sie die Lösung mit Hilfe der exakten Lösung, welche Sie von Hand oder mit Hilfe der Symbolics Toolbox berechnen können.

2.4 Vereinfachung von Simulink-Systemen

Die letzten Beispiele des vorangegangenen Abschnittes sowie die in den Übungen 73 bis 77 behandelten Beispiele zeigen, dass Simulink-Systeme zu Lösung von Differentialgleichungen (also zur Simulation dynamischer Systeme) auch schon für vergleichsweise kleine Probleme schnell relativ viele Blöcke enthalten können. Erst recht trifft dies für Probleme zu, wie sie im industriellen Anwendungsumfeld vorkommen.

Für die gezeigten einfachen Beispiele ist dieser Effekt natürlich in erster Linie darauf zurückzuführen, dass schon für die Operationen der untersten Ebene, wie etwa Addition oder Skalierung, entsprechende Blöcke verwendet wurden. Dies trägt zwar zur Nachvollziehbarkeit der Gleichungen innerhalb des Blockschaltbildes bei, macht aber dasselbe auch rasch recht unübersichtlich.

Für die Vereinfachung von Simulink-Systemen bietet sich im Allgemeinen die schon auf Seite 110 angesprochene Zusammenfassung von Teilssystemen (Subsystemen) zu eigenen Simulink-Blöcken an. Die damit verbundene Hierarchisierung des Problems entspricht der Modularisierung durch Funktionen bei MATLAB-Programmen. Eine solche Modularisierung ist für die meisten Probleme der Praxis unumgänglich. Die entsprechende Technik soll daher im vorliegenden Abschnitt kurz angesprochen werden.

Der `Fcn`-Block

Zuvor sei allerdings darauf hingewiesen, dass Simulink-Systeme oft erheblich durch die geschickte Verwendung des `Fcn`-Blocks vereinfacht werden können. Mit Hilfe dieses Blockes ist es möglich, *ganze Formeln* zu einer Einheit zusammenzufassen, so dass auf die Elementarblöcke der untersten Ebene (z.B. `Sum` oder `Gain`) verzichtet werden kann (vgl. dazu auch die Lösungen zu den Übungen 73 und 74).

Wir wollen dies am Beispiel des Systems aus Abbildung 2.17 zur Lösung der Logistischen Differentialgleichung erläutern. Hier kann die ganze rechte Seite der Gleichung 123.1 mit Hilfe des `Fcn`-Blocks zusammengefasst werden. Das Ergebnis (Datei **s_LogDgL2.mdl** der Begleitsofware) ist in Abbildung 2.22 dargestellt.

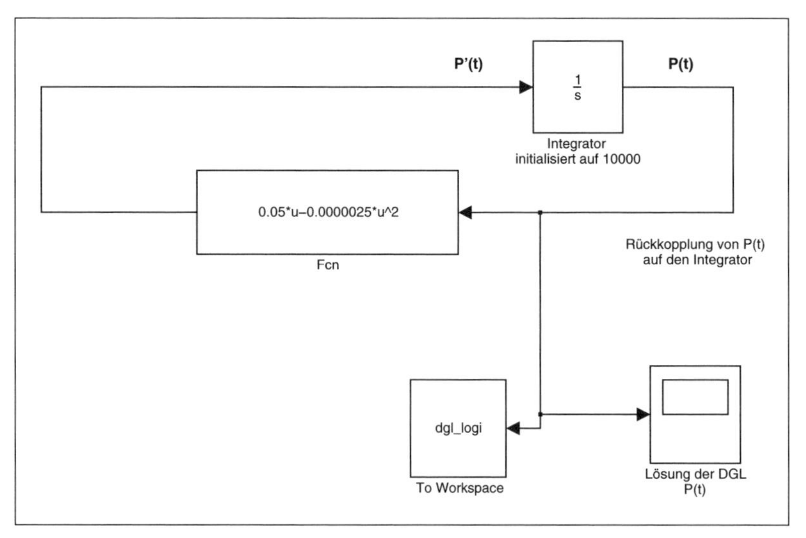

Abbildung 2.22: Simulink-System **s_LogDgl2** mit `Fcn`-Block

Man erkennt, dass der ganze Rückkopplungszweig von Abbildung 2.17, bestehend aus zwei `Gain`-Blöcken, einem Summationsblock und einem Multiplikationsblock, zu einem Block zusammengeschrumpft ist.

Bei der Verwendung des `Fcn`-Blocks ist darauf zu achten, dass das Eingangssignal für den Block stets `u` heißt, egal wie dies sonst im System bezeichnet ist. Das Eingangssignal kann eine skalare oder eine vektorielle Größe sein. Im letzteren Fall können die Komponenten innerhalb des Blockes durch Indizierung (`u(1), u(2), ...`) angesprochen werden. Das Ausgangssignal ist stets eine skalare Größe.

Konstruktion von Subsystemen

Die Möglichkeiten ein Simulink-System mit Hilfe von `Fcn`-Blöcken „aufzuräumen" sind allerdings dann beschränkt, wenn, wie oben bereits erwähnt, die Probleme einen größeren Umfang annehmen.

In diesem Fall ist die Modularisierung des Problems mit Hilfe selbst definierter Simulink-Blöcke das angebrachte Mittel, Ordnung ins Chaos zu bringen. Wir werden dies hier natürlich nur an einem kleinen Beispiel erläutern.

Greifen wir dazu wieder auf das Beispiel der Logistischen Differentialgleichung zurück. Statt das Teilsystem, welches in Abbildung 2.17 die Signale $P(t)$ und $P'(t)$ miteinander verknüpft als Formel zu begreifen und diese in einen Fcn-Block zu packen, wie wir es in Abbildung 2.22 getan haben, könnte man es tatsächlich als *Teilsystem* auffassen, welches selbst durch einen eigenständigen Simulink-Block mit einem Eingang und einem Ausgang repräsentiert[5] wird.

Um dies zu tun, selektiert man zunächst die Blöcke des Systems, die zu einem Subsystem zusammengefasst werden sollen. Dies kann am einfachsten durch Ziehen einer Gummibox mit der Maus geschehen, oder, falls die Blöcke nicht in einem rechteckigen Bereich liegen, durch Anklicken bei gedrückter Shift-Taste.

Abbildung 2.23 zeigt dies für das System **s_LogDgl3**.

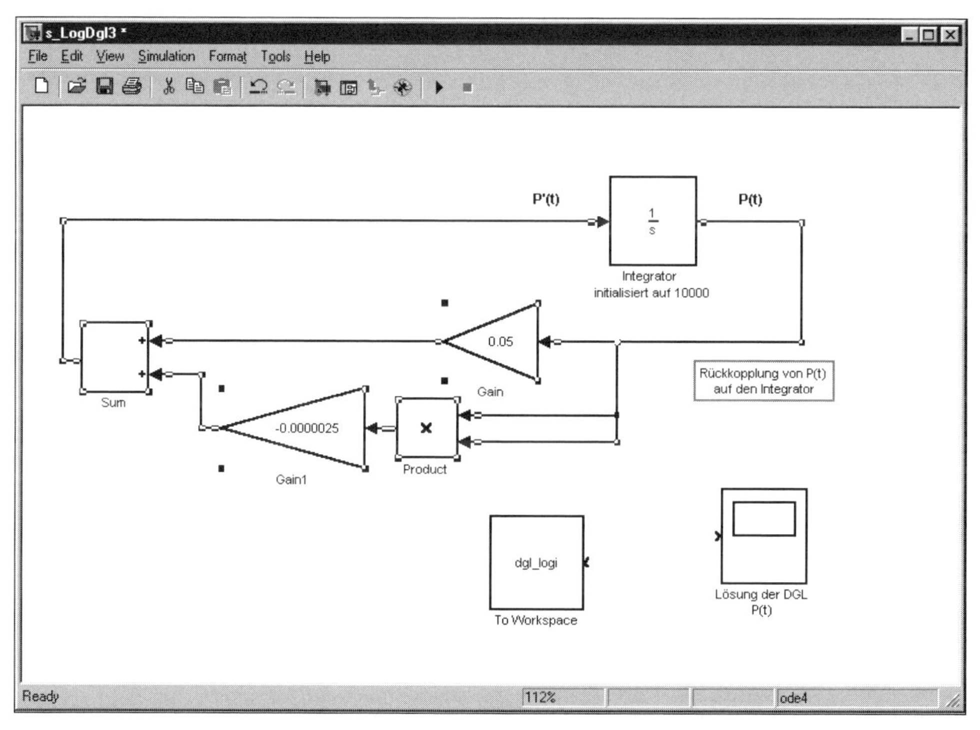

Abbildung 2.23: Selektion von Blöcken, die zu einem Subsystem zusammengefasst werden sollen.

Es ist darauf zu achten, dass neben den Blöcken auch die Signallinien, insbesondere die der Ein- und Ausgangssignale selektiert werden[6].

[5] Selbstverständlich würde man dies bei einem so kleinen Problem tatsächlich nicht tun. Die bislang vorgeschlagenen Lösungen sind durchaus vorzuziehen. Das Beispiel dient hier wirklich nur der Illustration der Vorgehensweise bei der Konstruktion von Subsystemen.

[6] Die Senkenblöcke wurden in **s_LogDgl3** vorher abgekoppelt, da sonst bei der Subsystem-Bildung 3 Linien als Eingangsignale interpretiert werden.

Nach der Selektierung wählt man den Menü-Eintrag `Edit - Create Subsystem` an und erhält das in Abbildung 2.24 dargestellte System.

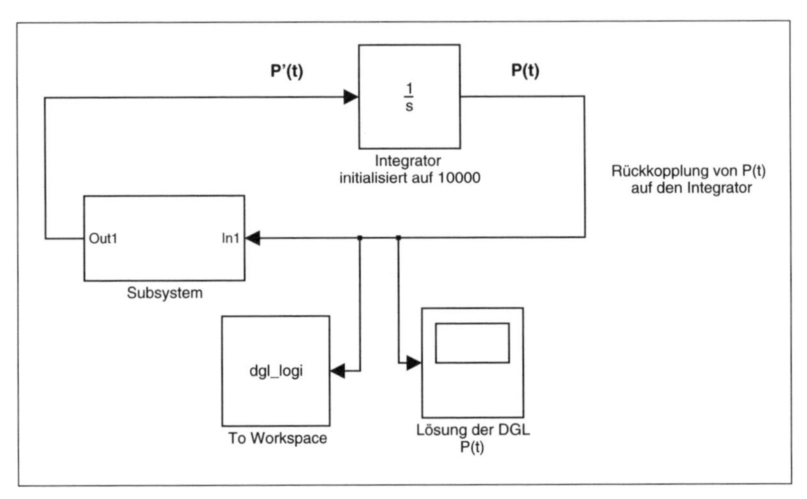

Abbildung 2.24: System **s_LogDgl3** nach der Subsystem-Erzeugung.

Man erkennt, dass die markierten Blöcke durch einen einzigen Block mit einem Eingang und einem Ausgang ersetzt wurden. Durch einen Doppelklick auf den frisch erzeugten Block kann man Einblick in seine „Innereien" nehmen (Abbildung 2.25). Je nach Einstellung von Simulink (vgl. [16]) wird dabei ein eigenes Modellfenster geöffnet oder das Subsystem wird im gleichen Fenster dargestellt.

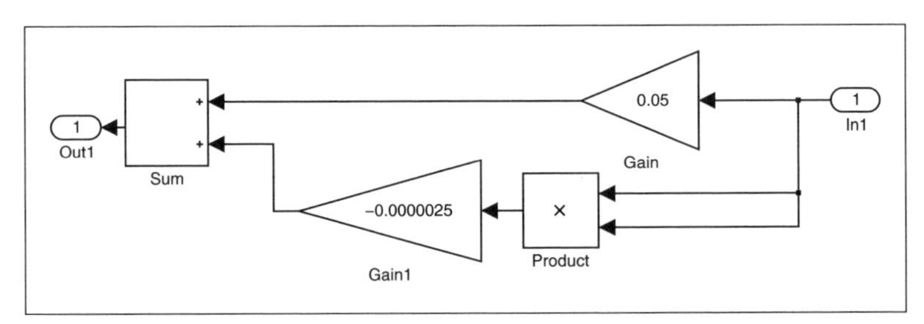

Abbildung 2.25: Aufbau des Subsystems zu **s_LogDgl3**.

Man erkennt, dass zu den zusammengefassten Blöcken zwei neue Blöcke hinzugekommen sind. Dies sind die Blöcke `In1` und `Out1` aus der Blockbibliothek `Signals&Systems`. Mit diesen Blöcken wird in dem erzeugten Simulink-Subsystem der Eingang resp. der Ausgang verbunden.

Das System **s_LogDgl3** ist nun voll funktionsfähig und kann ausgeführt werden. Parameter können im Innern des Subsystems geändert werden, indem die Parameterfenster der Blöcke wie gewohnt geöffnet werden.

Stellt man mit dem Menü-Befehl `View - Model Browser Options - Model Browser` den sogenannten *Model Browser* an, so wird die hierarchische Struktur des Systems wie in Abbildung 2.26 dargestellt angezeigt.

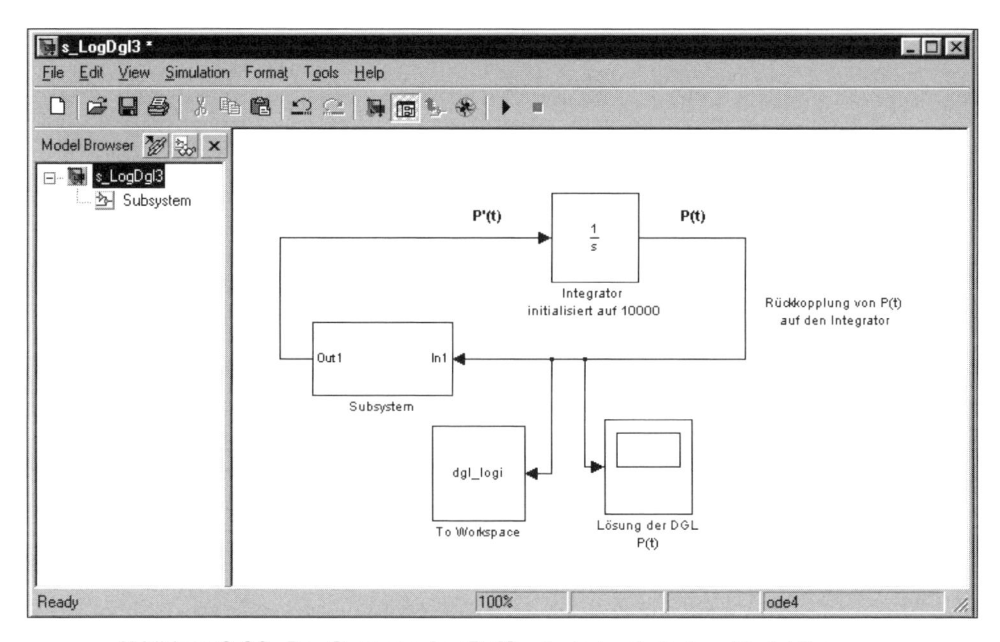

Abbildung 2.26: Das System **s_LogDgl3** mit eingeschaltetem Model Browser.

Auf der linken Seite ist ein Modell-Baum (der hier natürlich sehr klein ist) zu sehen, der die am Gesamtsystem beteiligten Teilsysteme sichtbar macht. Mit diesem Hilfsmittel ist es sehr einfach, sich auch in kompliziert verschachtelten Systemen zurecht zu finden.

Alternativ zu der oben beschriebenen Vorgehensweise kann ein Subsystem auch dadurch konstruiert werden, dass aus der Blockbibliothek `Signals&Systems` der Block `SubSystem` selektiert und in ein Modellfenster eingefügt wird. Nach Doppelklick auf diesen Block öffnet sich ein Modellfenster, in dem dann das Teilsystem erstellt werden kann. Man muss allerdings in diesem Falle selbst Sorge tragen, dass die In- und Outports (ebenfalls in der Blockbibliothek `Signals&Systems` befindlich) in das System eingefügt werden.

Abschließend sei erwähnt, dass die selbst erstellten Blöcke durch die so genannte *Maskierung* mit weiterer Funktionalität ausgestattet werden können. So kann man die Blöcke beispielsweise mit einem eigenen Piktogramm versehen oder, was noch wichtiger ist, den Block mit einem eigenen Parameterfenster ausstatten, welches die Parameter an die darunter liegenden Blöcke weiterleiten kann. Damit ist es nicht mehr nötig, das Subsystem zu öffnen, um Parameter zu ändern.

Darüber hinaus können die selbst erstellten Blöcke zu eigenen *Blockbibliotheken* zusammengefasst werden. Diese Blockbibliotheken können dann wie die originalen Simulink-Blockbibliotheken verwendet werden.

Auf die Darstellung dieser und weiterer Möglichkeiten soll in dieser elementaren Einführung jedoch verzichtet werden. Der interessierte Leser sei hier auf die Handbücher [16] oder die MATLAB-Hilfe verwiesen.

Übung 78 (*Lösung S. 211*)

Vereinfachen Sie das Simulink-System aus Abbildung 2.21 zur Lösung der nichtlinearen Schwingungsgleichung 126.1 unter Verwendung eines `Fcn`-Block.

Übung 79 (*Lösung S. 211*)

Entwerfen Sie ein Simulink-System, welches das lineare Differentialgleichungssystem 129.2 unter Verwendung von `Fcn`-Blöcken löst.

Übung 80 (*Lösung S. 212*)

Entwerfen Sie ein Simulink-System, welches das in Abbildung 2.20 dargestellte System durch Verwendung eines Teilsystems für die in den Rückkopplungszweigen befindlichen Blöcke vereinfacht.

2.5 Interaktion mit MATLAB

Im letzten Beispiel des Abschnittes 2.3 wurde bereits die Möglichkeit vorgestellt, wie man mit Hilfe von *MATLAB-Senken* unter Simulink Ergebnisse an den MATLAB-Workspace übergeben kann.

2.5.1 Variablenübergabe zwischen Simulink und MATLAB

Die Verwendung von MATLAB-Senken ist jedoch beileibe nicht die einzige Möglichkeit der Interaktion mit MATLAB. Beispielsweise wäre es ja in Abschnitt 2.3 interessant gewesen, bei der Lösung der Differentialgleichung 125.3 die Parameter m, b und c variieren zu können, am besten noch in Abhängigkeit von den diese Parameter definierenden Größen, wie den Plattenradius r oder die Dichte der verwendeten Materialien. Auf diese Weise könnte man statt der auf spezielle Parameter ausgerichteten Gleichung 126.1 die allgemeine Gleichung 125.3 lösen.

Dies ist in unter Simulink ohne weiteres möglich, wenn man die entsprechenden Größen vorher im MATLAB-Workspace definiert und dann bei der Parametrierung der Simulink-Blöcke statt der Zahlen die Variablen einträgt.

Auch die *Rückgabe des Zeitvektors* im Beispielsystem aus Abbildung 2.20 lässt sich, wie bereits oben gezeigt, einfach gestalten. Hierzu muss man lediglich im Parameterblock des Systems unter dem Eintrag `Save to workspace` eine entsprechende Variable (z.B. `t` oder `zeit`) eintragen. Unter `Save to workspace` können jedoch nur bestimmte Variablen zurückgegeben werden, von denen die erste der intern generierte Zeitvektor ist. Auf die anderen, ebenfalls intern generierten Variablen, die hier zurückgegeben werden können, wollen wir an dieser Stelle nicht eingehen. Der interessierte Leser sei hier auf das MATLAB-Handbuch [17] verwiesen.

Auf die Möglichkeit, Ergebnisse über den `Scope`-Block an MATLAB zu übergeben, sind wir bereits bei der Diskussion der Parametrierung des Scopes auf Seite 114 eingegangen.

Auch die *Parameter* des Simulationsparameter-Fensters *müssen keine Zahlen sein!* Auch diese Werte kann man innerhalb von MATLAB als variable Größen definieren.

Wir wollen diese Vorgehensweise an Hand der Lösung von Gleichung 125.3 aus Abschnitt 2.3 verdeutlichen.

Als variable Größen für das Experiment wählen wir den Plattenradius r und die Dichte des Materials ρ, in dem die Stahlplatte sich bewegt. Die Feder und damit die Federkonstante bleiben gleich, d.h. wir setzen $c = 155.2$ N/m. Alle anderen Größen wollen wir davon ableiten. Ferner soll die Simulationszeit variierbar sein sowie der Schrittweiten-Parameter `Fixed step size`.

Die *eleganteste Lösung* für dieses Problem ist es, *eine MATLAB-Funktion* zu schreiben, die die variablen Parameter als Funktionsparameter hat und die an Simulink zu liefernden Größen berechnet. Danach brauchen wir nur noch die variablen Größen in das veränderte Simulink-System **s_gdlnon** einzutragen und die Simulation zu starten.

Die MATLAB-Funktion zu Definition der Parameter **dglnonpm** hat folgendes Aussehen:

```
function [m, b, c, tstep, szeit]= dglnonpm(r, rho, tm, sz)
%
% Funktion  dglnonpm
%
% Aufruf:  [m, b, c, tstep, szeit]= dglnonpm(r, rho, tm, sz)
%
% MATLAB-Funktion zu Parametrierung des Simulink-Systems
% s_dglno2.m zur Lösung der nichtlinearen Schwingungs-
% differentialgleichung des Einmassenschwingers
%
% Eingabedaten: r         Plattenradius cm
%               rho       Dichte in g/ccm
%               sz        Simulationsendzeit
%               tm        Stepsize für Simulation mit konstanter
%                         Schrittweite
```

```
%
% Ausgabedaten: Parameter der Differentialgleichung und
%               des Simulink Simulationsparameter-Fensters

% Simulink Parameterblock Parameter durchreichen

tstep = tm;
szeit = sz;

% Federkonstante ist konstant (hier später ggf. Formel einfügen)

c = 155.2;                  % N/m

% Plattenhöhe ist konstant (hier später ggf. Formel einfügen)

h = 1;                      % cm

% Berechnung von m und b

m = (7.85*h*pi*r^2)/1000;   % Masse der Stahlplatte in kg
b = ((1/2)*rho*pi*r^2)/10;  % Dämpfungsparameter in kg/m (cw=1)
```

Ein Aufruf mit den Parametern aus Abschnitt 2.3 beispielsweise ergibt dann:

```
» [m, b, c, tstep, szeit]= dglnonpm(4.5027, 1.29/1000, 0.001, 10)

m =
    0.5000

b =
    0.0041

c =

  155.2000

tstep =

    0.0010

szeit =

    10
```

Das veränderte Simulink-System, welches wir unter dem Namen **s_dglno2** ablegen, ist in Abbildung 2.27 zu sehen.

Das zugehörige Parameterfenster ist in Abbildung 2.28 dargestellt.

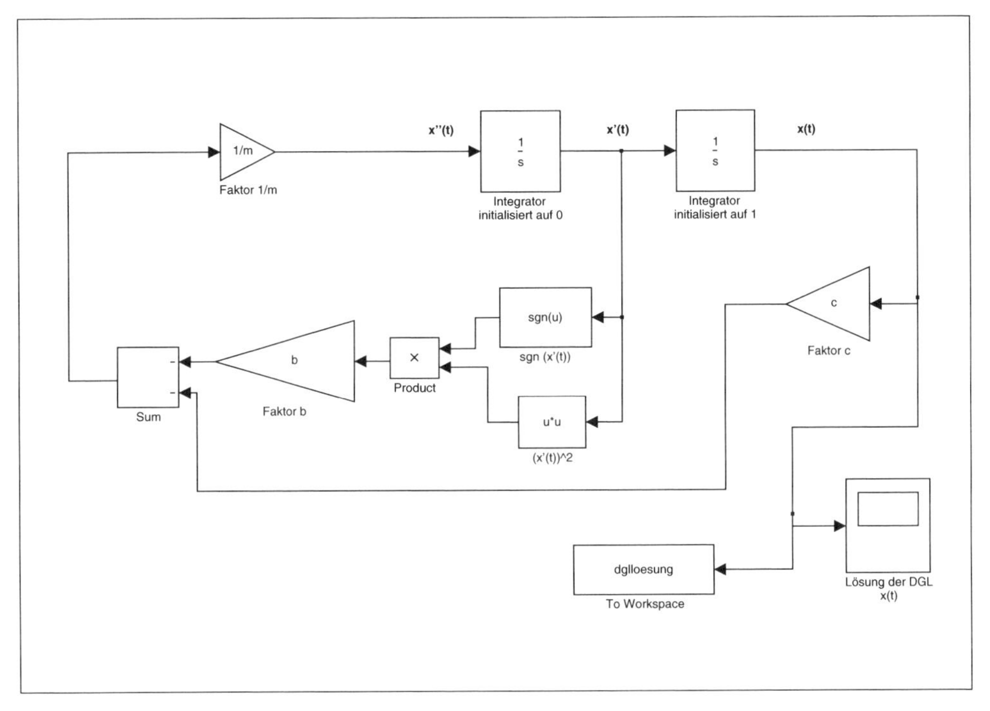

Abbildung 2.27: Simulink-System **s_dglno2** zur Lösung der nichtlinearen Gleichung 126.1 mit allgemeinen Parametern aus dem MATLAB-Workspace

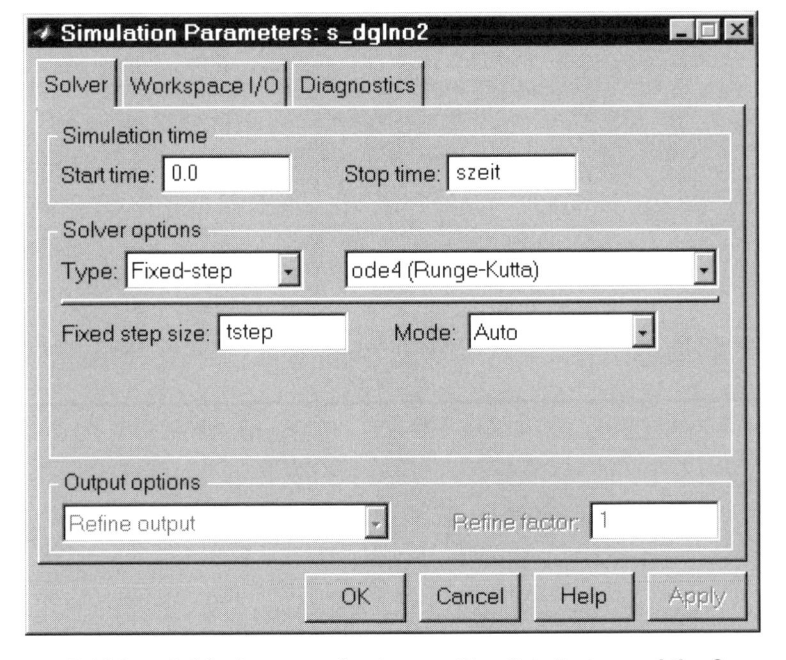

Abbildung 2.28: Parameterfenster zum Simulink-System **s_dglno2**

2.5.2 Iterieren von Simulink-Simulationen unter MATLAB

In vielen Fällen hängt eine Simulink-Simulation von sehr vielen Parametern ab. Die Schwingungssimulation aus dem vorangegangenen Abschnitt 2.5.1 ist hierfür nur eines von zahllosen Beispielen. Aus diesem Grunde ist es oft sehr nützlich, einen oder mehrere Parameter der Simulation zu variieren, um so die Abhängigkeit des simulierten Systems von diesem (diesen) Parameter(n) zu verdeutlichen.

Natürlich wäre es sehr unbequem, hierfür jedes Mal neu das Simulink-System *von Hand* starten zu müssen. MATLAB bietet jedoch eine Möglichkeit, diesen Vorgang *zu automatisieren.*

Aufruf von Simulink-Systemen unter MATLAB

Der Trick besteht darin, das Simulink-System unter MATLAB oder innerhalb einer MATLAB-Funktion (mehrfach) aufzurufen!

Dieser Mechanismus kann im Übrigen auch dazu genutzt werden, eine Simulink-Simulation aus MATLAB heraus aufzurufen, ohne dass Simulink explizit hierfür gestartet werden muss. Der Vorteil eines solchen Aufrufs ist die meist *höhere Ausführungsgeschwindigkeit.*

Der Aufruf eines Simulink-Systems aus MATLAB heraus bzw. aus einem MATLAB-Programm heraus wird durch die MATLAB-Funktion `sim` realisiert.

Genaue Auskunft über die verschiedenen Formen der Verwendung von `sim` liefert die Eingabe von `help sim` oder ein Blick in die MATLAB-Hilfe.

Für unsere (und wohl für die meisten Zwecke) genügt es, die wesentlichen Parameter von `sim` zu kennen und ggf. mit Werten zu belegen. Betrachten wir daher zunächst einen Auszug aus der Antwort von MATLAB auf die Eingabe von `help sim`:

```
» help sim

 SIM Simulate a Simulink model
    ...

    The SIM command also takes the following parameters.
    By default time, state, and output are saved to the
    specified left hand side arguments unless OPTIONS
    overrides this. If there are no left hand side
    arguments, then the simulation parameters dialog
    Workspace I/O settings are used to specify what data to log.

    [T,X,Y]          = SIM('model',TIMESPAN,OPTIONS,UT)
```

```
...

    T             : Returned time vector.
    X             : Returned state in matrix or structure
                    format. The state matrix contains
                    continuous states followed by discrete
                    states.
    Y             : Returned output in matrix or structure
                    format. For block diagram models this
                    contains all root-level outport blocks.
   ...

    'model'       : Name of a block diagram model.
    TIMESPAN      : One of:
                      TFinal,
                      [TStart TFinal], or
                      [TStart OutputTimes TFinal].

                    OutputTimes are time points which will be
                    returned in T, but in general T will include
                    additional time points.
    OPTIONS       : Optional simulation parameters. This is a
                    structure created with SIMSET using name
                    value pairs.
    UT            : Optional extern input.

    ...

Specifying any right hand side argument to SIM as the empty
matrix, [], will cause the default for the argument to be used.

Only the first parameter is required. All defaults will be
taken from the block diagram, including unspecified options.
Any optional arguments specified will override the settings
in the block diagram.

See also SLDEBUG, SIMSET.
```

Im Wesentlichen kann man dem Folgendes entnehmen.

`sim` wird mit dem *Namen des Simulink-Modells* und ggf. mit einem Vektor (`TIMESPAN`) als Parameter aufgerufen, der die Diskretisierungszeitpunkte der Iteration bestimmt. Auf Wunsch kann der Zeitvektor im Parameter `T` als Ausgabevektor zurückgeliefert werden ebenso wie die so genannten Zustandsvariablen `X` der Simulation, auf die wir im Rahmen dieser Einführung nicht eingehen können [5, 15] und die wir hier auch nicht benötigen, und die Ausgangsvariablen `Y`, welche im Allgemeinen die Ergebnisse der Simulation repräsentieren. Diese können allerdings nur unter bestimmten Bedingungen zurückgeliefert werden, nämlich dann, wenn diese Variablen im Simulink-Modell mit einem `Outport`-Block verbunden sind (s.u.).

Alle übrigen, nicht direkt angesprochenen Parameter werden so übernommen, wie sie bei der Definition des Simulink-Systems im Parameterfenster eingestellt wurden.

Im Prinzip empfiehlt sich also ein Mix aus Einstellungen im System selbst und Einstellungen via Parameterliste von `sim`.

MATLAB bietet natürlich die Möglichkeit, alle Parameter des Parameterfensters auch über die Parameterliste von `sim` zu verändern. Dies wird mit der Funktion `simset` bewerkstelligt. Zum Beispiel ist es hiermit möglich, das verwendete numerische Lösungsverfahren (Integrationsverfahren) oder Toleranzen und Schrittweite einzustellen. Da es uns aber im Folgenden vor allem darum geht, ein Simulink-System mit bestehenden Einstellungen, aber veränderten internen Blockparametern, welche über die MATLAB-Ebene gesteuert werden, zu variieren, wollen wir auf die Darstellung dieser Möglichkeiten verzichten.

Aus diesen Überlegungen resultiert für unsere Zwecke die folgende Aufrufsyntax für die Funktion `sim`:

```
[t,x,y] = sim ('system', [startzeit, endzeit]);
```

Alle anderen Parameter sollen über das Simulink-Parameterfenster eingestellt werden.

Der Parameter `'system'` ist, wie gesagt, der Name des auszuführenden Simulink-Systems (dieser ist ein String und muss daher in ' ' eingeschlossen sein). Beispielsweise wäre für die Simulation des Systems aus Abbildung 2.27 hier `'s_dglno2'` einzusetzen.

Der Parametervektor `[startzeit, endzeit]` markiert Start- und Endzeit der Simulation.

Der Rückgabevektor `[t,x,y]`, steht in genau gleicher Reihenfolge im Simulink-Parameterfenster unter dem Eintrag `Workspace I/O - Save to workspace`. Für den Parameter y müssen allerdings, wie bereits erwähnt, so genannte *Ausgangsports* im Simulink-System vorhanden sein. Der Ausgangsport befindet sich unter dem Namen `Out1` in der Blockbibliothek `Signals&Systems`. Das auszugebende Signal muss in diesen Port hereinfließen (vgl. dazu auch Abschnitt 2.4).

Bevor wir auf die in Aussicht gestellte Möglichkeit der Iteration eingehen, illustrieren wir den Aufruf eines Simulink-Systems aus MATLAB heraus an einem Beispiel.

```
» [t,x,y] = sim ('s_dglnon', [0, 10]);
```

Bei diesem Aufruf bleiben alle Parameter bis auf Anfangs- und Endzeitpunkt der Simulation unverändert, so wie sie das letzte Mal im Parameterfenster des Systems

s_dglnon festgelegt wurden, im vorliegenden Fall unter Anwendung des Verfahrens ode45 mit den voreingestellten Toleranzen für die Schrittweitensteuerung.

Auskunft über die zurückgelieferten Vektoren gibt der Aufruf von whos:

```
» whos
  Name            Size            Bytes  Class

  dglloesung      212x1            1696  double array
  t               212x1            1696  double array
  x               212x2            3392  double array
  y                 0x0               0  double array

Grand total is 848 elements using 6784 bytes
```

Es wird der Zeitvektor zurückgeliefert und (via MATLAB-Senke) die Lösung dglloesung. Interessant ist, dass der Vektor y leer ist. Dies liegt daran, dass kein Ausgangsport vorhanden ist.

Simulink-Parameter setzen mit set_param

Für eine iterierte Simulation ist das System **s_dglnon** noch ungeeignet. Erstens stört der Scope-Block, der bei einer iterierten Ausführung mehrmals aufgerufen und die Simulation tragisch verlangsamen würde. Außerdem sind die MATLAB-Senken überflüssig, wenn wir die Ausgabeparameter t und y verwenden.

Ein drittes Problem hängt mit der MATLAB-Funktion set_param zusammen, welche im Folgenden beschrieben wird. Diese setzt Parameter eines Simulink-Systems von MATLAB aus und macht zu diesem Zweck u.A. von den Blocknamen Gebrauch. Leider reagiert die Funktion jedoch auf Blocknamen wie „Integrator initialisiert auf 0“ oder “Faktor c“, wie wir sie im System **s_dglnon** verwendet haben, allergisch. Wahrscheinlich handelt es sich hierbei um einen Fehler in der MATLAB-Software. Jedenfalls funktionierte setparam nur für Blocknamen ohne Leer- und Sonderzeichen. Die Blocknamen dürfen also keine Leerzeichen, Zeilenumbrüche, Unterstriche und auch keine sonstigen Sonderzeichen enthalten.

Um all diesen Aspekten Rechnung zu tragen, verändern wir also im Folgenden das System **s_dglnon** zu einem neuen System **s_dglnon3**, in dem diese Punkte berücksichtigt sind, und schreiben ein MATLAB-Programm, das dieses System mehrfach aufrufen kann.

Abbildung 2.29 zeigt zunächst einmal das System **s_dglnon3**.

Man erkennt, dass MATLAB-Senke und Scope-Block durch einen Ausgabeport (in der Blockbibliothek Signals&Systems zu finden) ersetzt wurden. Dieser korrespondiert mit dem Ausgabevektor[7] y. Außerdem wurden die Blocknamen der Blöcke,

[7] Bei mehreren Ports ist das dann eine Ausgabe*matrix*.

deren Parameter von außen gesetzt werden sollen, durch Namen ersetzt, die keine Sonderzeichen enthalten.

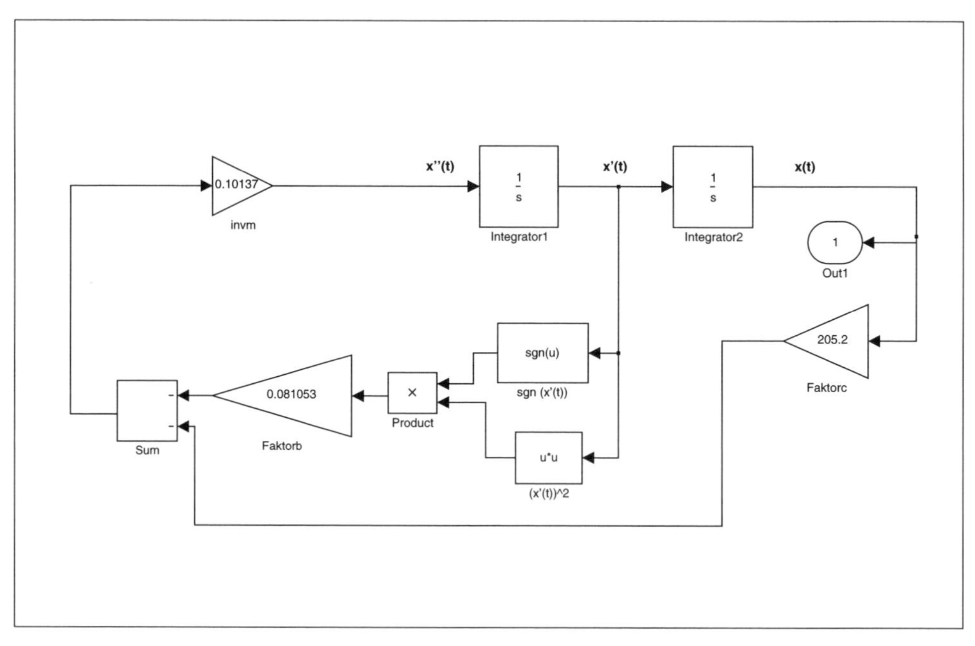

Abbildung 2.29: Das Simulink-System **s_dglnon3**

Wie bereits erwähnt, ist für die Setzung der Parameter aus MATLAB heraus die MATLAB-Funktion `set_param` verantwortlich. Um deren Funktionsweise zu verstehen betrachten wir zunächst folgenden Auszug aus der MATLAB-Hilfe:

```
» help set_param

 SET_PARAM Set Simulink system and block parameters.
    SET_PARAM('OBJ','PARAMETER1',VALUE1,'PARAMETER2',VALUE2,...),
    where 'OBJ' is a system or block path name, sets the specified
    parameters to the specified values.  Case is ignored for
    parameter names.  Value strings are case sensitive.  Any
    parameters that correspond to dialog box entries have
    string values.

    Examples:

        set_param('vdp','Solver','ode15s','StopTime','3000')

    sets the Solver and StopTime parameters of the vdp system.

        set_param('vdp/Mu','Gain','1000')
```

```
sets the Gain of block Mu in the vdp system to 1000 (stiff).

    set_param('vdp/Fcn','Position','[50 100 110 120]')

....
```

Die Funktion `set_param` kann also bestimmte Parameter eines Systems, dessen Name als erster Parameter angegeben wird, von außen neu definieren. Charakteristisch für die Funktion ist die Tatsache, dass *ausschließlich Strings* (Text) als Parameter vorkommen. So muss insbesondere neben dem Namen des Blockparameters (etwa `'Gain'`) auch der neue Wert `'1000'` als String übergeben werden, was eine vorherige Umwandlung des Parameters in einen Text notwendig macht.

Nachdem die Syntax der Funktion `set_param` soweit geklärt wäre, bleibt die Frage zu beantworten, woher man die Parameternamen eines Simulink-Systems bekommt. Die einfachste Möglichkeit die Parameter eines Blockes heraus zu bekommen ist, den Mauszeiger über den Block zu führen. Wie schon erwähnt, klappt dann (mit ein wenig Verzögerung) ein Fenster auf, in dem die wesentlichen Parameter und ihre momentanen Werte beschrieben sind. Mit dieser Methode erhält man aber nur einige Parameter des gesamten Systems. Einen vollständigen Überblick bekommt man, wenn man das System mit einem einfachen Texteditor (Notepad o. Ä.) öffnet. Für das System **s_dglnon3** etwa erhält man Folgendes (Auszug):

```
Model {
  Name                    "s_dglnon3"
  Version                 4.00
  SampleTimeColors        off
  LibraryLinkDisplay      "none"
  WideLines               off
  .....

Block {
      BlockType               Gain
      Name                    "Faktorb"
      Position                [185, 287, 300, 353]
      Orientation             "left"
      Gain                    "0.081053"
      Multiplication          "Element-wise(K.*u)"
      SaturateOnIntegerOverflow on
    }
    Block {
      BlockType               Gain
      Name                    "Faktorc"
      Position                [655, 245, 725, 305]
      Orientation             "left"
      Gain                    "155.2"
      Multiplication          "Element-wise(K.*u)"
```

```
    SaturateOnIntegerOverflow on
  }
  Block {
    BlockType               Integrator
    Name                    "Integrator1"
    Ports                   [1, 1, 0, 0, 0]
    Position                [405, 117, 470, 183]
    ExternalReset           "none"
    InitialConditionSource  "internal"
    InitialCondition        "0"
    LimitOutput             off
    UpperSaturationLimit    "inf"
    LowerSaturationLimit    "-inf"
    ShowSaturationPort      off
    ShowStatePort           off
    AbsoluteTolerance       "auto"
  }
  Block {
    BlockType               Integrator
    Name                    "Integrator2"
    Ports                   [1, 1, 0, 0, 0]
    Position                [565, 117, 630, 183]
    ExternalReset           "none"
    InitialConditionSource  "internal"
    InitialCondition        "1"
    LimitOutput             off
    UpperSaturationLimit    "inf"
    LowerSaturationLimit    "-inf"
    ShowSaturationPort      off
    ShowStatePort           off
    AbsoluteTolerance       "auto"
  }
  Block {
    BlockType               Product

  ....
```

Man kann hier erkennen, welche Parameter für die einzelnen Blöcke und für das gesamte System in welcher Weise gesetzt sind. Beispielsweise ist der Parameter `Gain` des Blockes mit dem Namen `Faktorc` auf den Wert `155.2` gesetzt oder der Parameter `InitialCondition` des Blockes mit dem Namen `Integrator1` auf `0`!

Konsequenterweise können etwa diese beiden Parameter mit `set_param` wie folgt neu definiert werden:

```
» set_param('s_dglnon3/Faktorc','Gain','200');
» set_param('s_dglnon3/Integrator1','InitialCondition','1');
```

Man beachte, dass alle Parameter in Hochkommata zu setzen sind, da sie Strings sein müssen!

Nach diesen Aufrufen sind die Parameter auch optisch im System **s_dglnon3** verändert, wie man sich leicht überzeugen kann.

Das System kann danach mit

```
» [t,x,y] = sim ('s_dglnon3', [0, 10]);
```

wie bereits gezeigt, neu durchsimuliert werden.

Simulink-System mehrfach aufrufen

Zum mehrmaligen Aufruf dieses Systems verwenden wir die folgende MATLAB-Funktion **dglnonit**, die wir durch Modifikation der Funktion **dglnonpm** gewonnen haben.

```
function [t,Y] = dglnonit(r, rho, Fc, sz, step, anfs)
%
% ...
%
% MATLAB-Funktion zu Parametrierung und ITERIERTEN Ausführung
% des Simulink-Systems s_dglnon3.mdl zur Lösung der nichtlinearen
% Schwingungsdifferentialgleichung des Einmassenschwingers.
% Es wird der Radius r der schwingenden Platte variiert!!
%
% Eingabedaten: r          VEKTOR der Plattenradien in cm
%                          für jede Simulation
%               rho        Dichte rho in g/ccm
%                          des Mediums für jede Simulation
%               Fc         Federkonstanten c in N/m
%                          für jede Simulation
%
%               Achtung:   Die Länge des Vektors r bestimmt die
%                          Anzahl (iterations) der Iterationen.
%                          Im Iterationsschritt k wird dann mit dem
%                          radiusabhängigen Massenparameter m=M(k)
%                          durchsimuliert.
%
%               sz         Simulationsendzeit sz
%                          (für alle Simulationen gleich,
%                           Simulation beginnt stets bei 0)
%
%               step       Simulationsparameter für die Schritt-
%                          weiten im Simulink Parameterfenster.
%                          Es wird ohne Schrittweitensteuerung
```

```
%                           gearbeitet, damit alle Ergebnisvektoren
%                           die gleiche Länge haben.
%
%               anfs        VEKTOR der Anfangswerte der Differential-
%                           gleichung
%
% Achtung: in der vorliegenden Version werden KEINE
%          Plausibilitätsprüfungen für die Parameter
%          vorgenommen! Es werden keine Fehleingaben abgefangen!
%          s_dglnon3.mdl muss auf ein FIXED-STEP-Verfahren
%          eingestellt sein.
%
% Ausgabedaten: t           der Zeitvektor
%
%               Y           Matrix der Ergebnisse. Für jede Iteration
%                           entsteht eine NEUE SPALTE !!
%


% Berechnung von m und b aus den Eingangsparametern
% Zunächst werden Vektoren M und B angelegt, die
% die Parameter m und b für die jeweilige Iteration
% als Komponenten enthalten (s. dazu auch Programm
% dlgnonpm

h = 1;                          % cm (feste Höhe)

M = (7.85*h*pi*r.^2)/1000;      % Massen der Stahlplatten in kg
B = ((1/2)*rho.*pi.*r.^2)/10;   % Dämpfungsparameter in kg/m

% Definition der Anfangsbedingungen für die Integratoren
% sowie der Schrittweite und der Simulationszeit
% mit Hilfe der Funktion set_param

a0 = num2str(anfs(1));
set_param('s_dglnon3/Integrator1','InitialCondition',a0);
a1 = num2str(anfs(2));
set_param('s_dglnon3/Integrator2','InitialCondition',a1);
schrittweite = num2str(step);
set_param('s_dglnon3','FixedStep',schrittweite);

% Initialisierung der Ausgabematrix Y als leere Matrix
% und der Iterationsdauer

Y = [ ];
iterations = length(r);
```

```
% Aufruf der Iterationsschleife für die Simulation
% (iterations Durchläufe mit Aufruf von sim und
% der festen Schrittweite step von 0.0 bis sz)
% Es muss in dieser Programmversion sichergestellt
% sein, dass ein Fixed-Step-Verfahren im Parameter-
% fenster eingestellt ist !!

for i=1:iterations
   % Setzen der Blockparameter mit set_param
   % für jede neue Iteration!
   ReziprokeMasse = num2str(1/M(i));
   set_param('s_dglnon3/invm','Gain',ReziprokeMasse);
   b = num2str(B(i));
   set_param('s_dglnon3/Faktorb','Gain',b);
   c = num2str(Fc);
   set_param('s_dglnon3/Faktorc','Gain',c);
   [t,x,y] = sim('s_dglnon3', [0,sz]);
   Y = [Y,y];
end;
```

Die Funktion ist ausreichend kommentiert. Der Eingangskommentar beschreibt bereits alle wesentlichen Eigenschaften, die diese Funktion haben soll. Der Leser sollte sich diese Kommentare sorgfältig durchlesen, da sie viel über die Handhabung des iterierten Aufrufs von Simulink-Systemen verraten.

Im Wesentlichen macht die Funktion Folgendes: sie setzt in jedem Iterationsschritt mit Hilfe einer `for`-Schleife die Parameter des Systems neu und ruft mit `sim` das System auf. Die Ergebnisse werden *spaltenweise* in einer Matrix `Y` abgelegt. Der Zeitvektor `t` bleibt immer gleich, da ein Fixed-Step-Verfahren verwendet wird.

Gegenüber dem Aufruf von `set_param` auf Seite 144 ergibt sich jedoch die Schwierigkeit, dass die Parameter in Form von *Variablen* statt von Zahlen vorliegen. Die Variablen können nun nicht einfach als String in die Parameterliste von `set_param` eingetragen werden, da hier ja der String des *Wertes* stehen soll und nicht der Variablenname. Die Umsetzung des Variablen*wertes* in einen String leistet die Funktion `num2str`! Ihr Aufruf ist selbsterklärend. Wenn nicht, so sollte die MATLAB-Hilfe letzte Zweifel zerstreuen.

Ein kleines Aufrufbeispiel soll nun verdeutlichen, wie man mit dieser Funktion eine Mehrfachsimulation durchführen kann.

Wir wollen das System für die Anfangsbedingungen `[0,1]` (Anfangsgeschwindigkeit 0, Anfangsauslenkung 1, s. Zuordnung zu den Integratoren in **dglnonit**) und die Schrittweite `step = 0.01` im Zeitintervall [0,5] s für 3 verschiedene Plattenradien (3,20,60 cm) durchsimulieren. Alle anderen Parameter sollen gleich bleiben.

So wie die Funktion **dglnonit** definiert ist, müssen wir die Variation der Plattenradien in einem Vektor der Länge 3 speichern und die Funktion damit aufrufen.

Dies kann im MATLAB-Workspace durch folgende Anweisung geschehen:

```
» r=[3.0, 20.0, 60.0];            % Radienvektor
» rho=1.29*1000/1000000;          % rho bleibt jedes mal gleich
» Fc=155.2;                       % c bleibt jedes mal gleich
```

Der gewünschte Aufruf ist nun

```
» [t,Y] = dglnonit(r, rho, Fc, 5, 0.01, [0,1]);
```

Man beachte dabei, dass das zugehörige Simulink-System *geöffnet* sein muss. Ansonsten reagiert MATLAB mit einer Fehlermeldung, welche fehlende Simulink-Objekte moniert.

Das Ergebnis kann mit

```
» plot(t,Y(:,1),'b-', t,Y(:,2),'k--', t,Y(:,3),'r-.')
```

grafisch visualisiert werden. Abbildung 2.30 zeigt das Ergebnis dieses Plotbefehls.

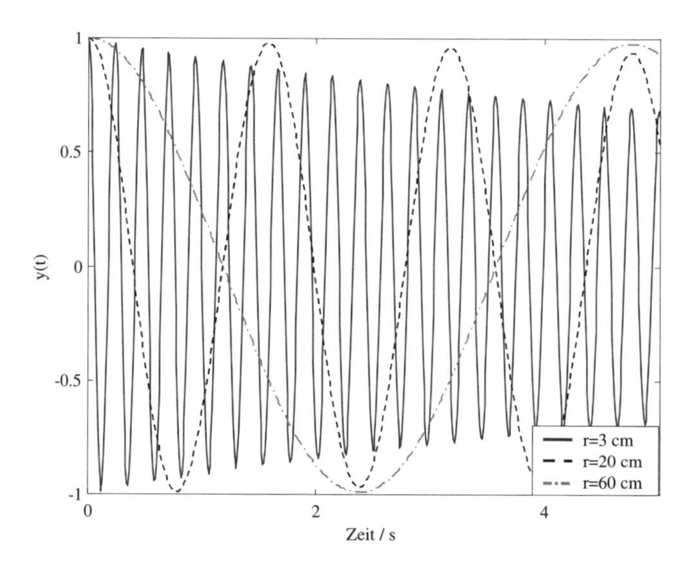

Abbildung 2.30: Ergebnis der iterierten Ausführung des Simulink-Systems **s_dglno3** mit Hilfe von **dglnonit** für drei verschiedene Plattenradien

2.5.3 Variablenübergabe durch globale Variable

Auf eine letzte Möglichkeit der Kommunikation zwischen MATLAB-Funktionen und Simulink soll hier der Vollständigkeit halber hingewiesen werden.

Möglich wäre es, durch Aufruf von

```
global x y z p1 a2 ...
```

Parameter als *global bekannt zu deklarieren*. Tut man dies gleichlautend auch in einer MATLAB-Funktion, so können diese Variablen auch zur Übergabe der Parameter an Simulink verwendet werden, wenn diese im Simulink-System benutzt werden.

Diese Möglichkeit ist zwar sehr bequem, birgt jedoch eine Reihe von Gefahren. Grundsätzlich sollten, um unangenehme Nebeneffekte zu vermeiden, in allen höheren Programmiersprachen, so auch in MATLAB, globale Variablen nur in zwingend notwendigen Fällen verwendet werden. Es muss unter normalen Umständen von der Verwendung dringend abgeraten werden und das Thema soll aus diesem Grunde an dieser Stelle auch nicht weiter vertieft werden.

Übungen

Bearbeiten Sie die folgenden Aufgaben zur Einübung der Techniken zur Interaktion von Simulink mit MATLAB.

Übung 81 (*Lösung S. 213*)

Rufen Sie das Simulink-System **s_Pendel** der Begleitsoftware, welches das mathematische Pendel simuliert, aus MATLAB heraus mit der Pendellänge 5 m und anschließend mit 8 m auf.

Übung 82 (*Lösung S. 213*)

Schreiben Sie eine MATLAB-Funktion, welche das Simulink-System **s_Pendel** für einen Vektor vorgegebener Pendellängen durchsimulieren kann.

Übung 83 (*Lösung S. 214*)

Ändern Sie die Funktion **dglnonit** so ab, dass Sie neben den Radien auch verschiedene Federkonstanten durchsimulieren[8] können.

Übung 84 (*Lösung S. 215*)

Definieren Sie ein Simulink-System, welches Sinusfunktionen mit Hilfe des Sinus-Generatorblocks `Sine Wave` erzeugt.

Schreiben Sie anschließend eine MATLAB-Funktion, mit deren Hilfe Sie dieses System mehrfach aufrufen können, wobei Sie die Frequenz variieren können sollten.

[8] Hinweis: zwei geschachtelte `for`-Schleifen verwenden.

Übung 85 (*Lösung S. 216*)

Entwerfen Sie ein Simulink-System, welches die Differentialgleichung

$$\ddot{y}(t) + \dot{y}(t) + y(t) = f(t) \qquad y(0) = 0,\ \dot{y}(0) = 0 \tag{150.1}$$

löst. Dabei soll $f(t)$ eine Sprungfunktion (Block `Step`) der Höhe h sein.

Schreiben Sie anschließend eine MATLAB-Funktion, mit deren Hilfe Sie dieses System mehrfach aufrufen können, wobei Sie den Parameter h variieren können sollten.

2.6 Umgang mit Kennlinien

In vielen Anwendungen kann der funktionale Zusammenhang zwischen Parametern nicht geschlossen, also durch Angabe einer Formel oder Funktionsvorschrift, beschrieben werden, sondern nur durch gemessene Werte, die an diskreten Stellen aufgenommen werden.

Der Zusammenhang lässt sich dann in Form einer indizierten Tabelle abspeichern. Eine solche Tabelle nennt man eine *Kennlinie* oder ein *Kennfeld*. Bekannte Beispiele sind etwa die Kennlinie oder das Kennlinienfeld eines Transistors, wo z.B. der Zusammenhang zwischen Kollektor-Emitter-Spannung U_{CE} und dem Kollektorstrom I_{C} in Abhängigkeit vom Basisstrom I_{B} in Form eines Kennlinienfeldes angegeben wird [6, 11], oder das Verbrauchskennfeld eines Motors, bei dem etwa der Benzinverbrauch in Abhängigkeit von Motordrehzahl und Mitteldruck aufgetragen wird [15].

Unter Simulink können solche Kennfelder mit den Blöcken `Look-Up Table` und `2-D Look-Up-Table` (s. Abbildung 2.31) aus der Blockbibliothek `Functions&Tables` dargestellt werden.

Wie zu sehen ist, müssen zur Definition einer *Kennlinie* zwei *gleich lange* Vektoren angegeben werden, nämlich der Vektor der Eingangswerte und der davon abhängige Vektor der Ausgangswerte. Der Block liefert dann für einen Wert an seinem Eingang den zugehörigen Ausgang. Ist der Wert am Eingang nicht im Vektor der Eingangswerte vorhanden, so wird *linear interpoliert* oder *extrapoliert*.

Wir wollen die Anwendung der Look-Up Tables zur Behandlung von Kennlinien an Hand eines einfachen Beispiels demonstrieren [11].

Eine Solarzelle besitzt eine stark nichtlineare Spannungs-Strom-Kennlinie, von der uns folgende Stützstellen bekannt seien:

U/V	0	2	4	6	8	9	10	11	12	12.3
$-I$/mA	562.5	537.5	512.5	487.5	462.5	450	437.5	400	275	0

Zur besseren grafischen Darstellung basteln wir uns mit Hilfe des MATLAB-Kommandos `interp1` aus diesen Daten eine (interpolierte) Kennlinie mit einer Stützstellenweite von 0.1 V.

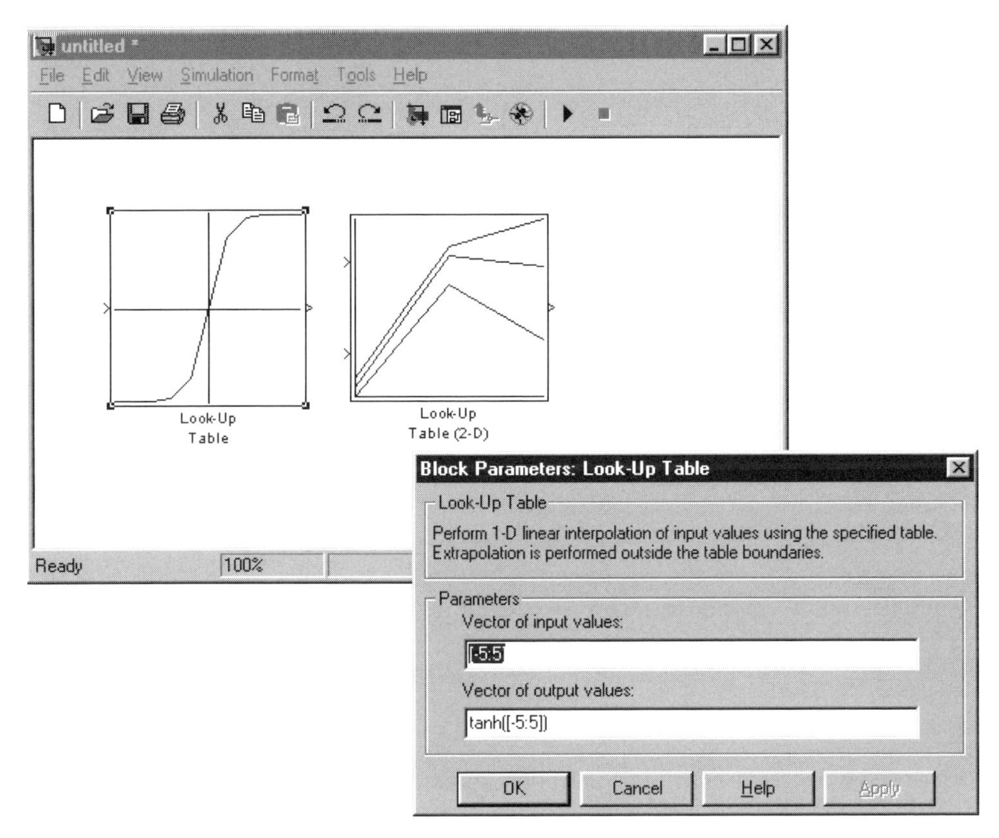

Abbildung 2.31: Die `Look-Up Table`-Blöcke aus dem Blockset `Functions&Tables` mit dem Parameterfenster von `Look-Up Table`

```
» volt1= [  0      2      4     6      8     9    10     11   12   12.3 ];
» mstrom1=[562.5  537.5 512.5 487.5 462.5 450  437.5 400 275    0 ];
» v1=(0:0.1:12.3);
» kenny1=interp1(volt1,mstrom1, v1,'linear');
» plot(v1,kenny1)
» grid
» ylabel('-I / mA')
» xlabel('U / V')
```

Für die Verwendung des `Look-Up Table`-Blocks ist dieser Zwischenschritt allerdings nicht notwendig, da die Interpolation von diesem Block automatisch vorgenommen wird!

Die berechnete Kennlinie ist in Abbildung 2.32 dargestellt.

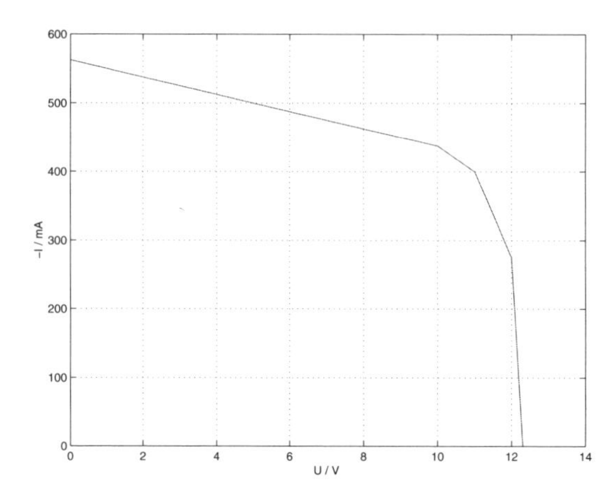

Abbildung 2.32: Spannungs-Strom-Kennlinie einer Solarzelle

Belastet man nun die Solarzelle am Ausgang mit einem Widerstand R Ω, so stellt sich ein Strom $-I_R$ mA und eine Spannung U_R V ein, der sich aus dem Schnittpunkt der Kennlinie und der Spannungs-Strom-Geraden

$$I = \frac{1}{R}U \qquad (152.1)$$

ergibt.

Diesen Arbeitspunkt können wir uns von Simulink berechnen lassen. Wir betrachten dazu das in Abbildung 2.33 dargestellte Simulink-System.

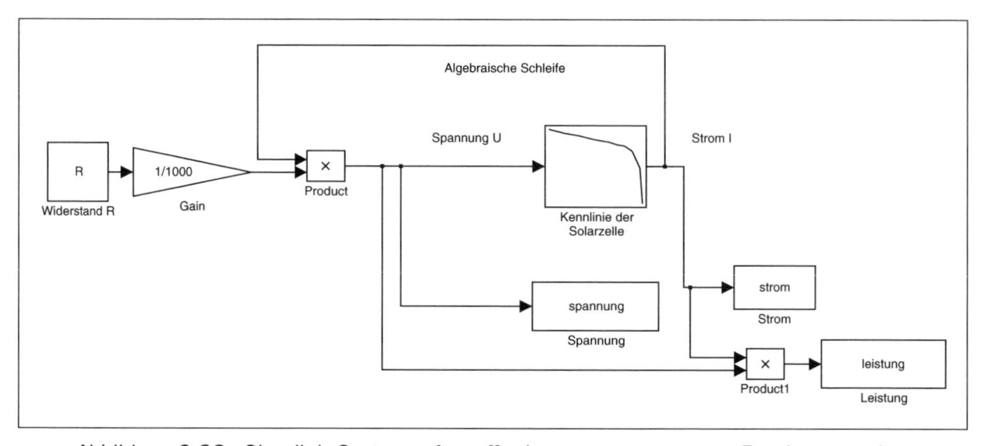

Abbildung 2.33: Simulink-System **s_kennli** mit `Look-Up Table` zur Bestimmung des Arbeitspunktes einer Solarzelle

Die Besonderheit dieses Systems besteht darin, dass es eine sogenannte *algebraische Schleife* beinhaltet.

Wie in Abbildung 2.33 zu erkennen, liegt am Eingang des Kennlinienfeldes das Produkt $\frac{R}{1000} \cdot I$ an. Der Faktor 1/1000 wurde dabei deshalb eingeführt, weil der Strom I am Kennlinienausgang in mA angegeben ist!

Dieser Eingang hängt aber wiederum wegen der Rückkopplung *unmittelbar* vom Ausgang I des Kennlinienfeldes ab. Eine solche, nicht zeitverzögerte Rückkopplung nennt man eine algebraische Schleife. Simulink versucht nun *in jedem Iterationsschritt* diese algebraische Schleife „ins Gleichgewicht zu bringen". Dies bedeutet in unserem konkreten Beispielfall, dass Simulink in einer internen Iteration denjenigen Wert I sucht, für den gilt

$$\begin{aligned} U &= \frac{R}{1000} \cdot I \qquad I \text{ mA} \\ I &= f(U) \qquad f \text{ die Kennlinie} \end{aligned} \tag{153.1}$$

Dies ist aber genau für den bereits erwähnten Schnittpunkt der Kennlinie und der Spannungs-Strom-Geraden der Fall, den wir ja suchen.

Für eine Simulation brauchen wir dem System nun lediglich den Widerstandswert R Ω zu übergeben, etwa im vorliegenden Beispiel $R = 18$ Ω. Dies tun wir durch Aufruf von

```
R=18;
```

im MATLAB-Kommandofenster.

Anschließend können wir eine Simulation des Systems **s_kennli** starten.

Für eine Simulation stellen wir im Simulink-Parameterfenster die Schrittweiten auf 1 und Anfangs- und Endzeit auf 0. Dies mag zunächst etwas absonderlich erscheinen, wird doch mit dieser Einstellung *genau ein* Simulationschritt ausgeführt. Da jedoch in diesem einen Schritt die uns interessierende algebraische Schleife aufgelöst wird, benötigen wir nur diesen einen Schritt. Eine Simulation liefert dann im MATLAB-Kommandofenster zunächst die Antwort

```
» Warning: Block diagram 's_kennli' contains 1 algebraic loop(s).
Found algebraic loop containing block(s):
  's_kennli/Kennlinie der Solarzelle'
  's_kennli/Product' (algebraic variable)
```

Dies ist ein Hinweis, dass sich im System eine algebraische Schleife befindet. Der anschließende Aufruf von

```
» [spannung, strom]
```

liefert dann die Antwort

```
ans =

    8.2653  459.1837
```

Es fließt also bei Belastung mit 18 Ω ein Strom von 459.2 mA und es stellt sich eine Spannung von 8.26 V ein.

Die Leistung[9] ist 3795.3 mW, wie der folgende Aufruf zeigt:

```
» leistung

leistung =

  3.7953e+003
```

Natürlich könnte man nun auf die Idee kommen, mit Hilfe des Systems denjenigen Widerstandswert suchen zu lassen, für den *Leistungsanpassung* besteht, d.h. für den *die maximale Leistung* abgegriffen werden kann!

Wir wollen als abschließendes — abschreckendes?! — Beispiel dieses Kapitels zeigen, wie dieses bewerkstelligt werden kann. Die Idee ist, die Konstante `R` im System **s_kennli** durch eine Funktion zu ersetzen, die „alle“ R von 0 Ω bis zu einer gewissen Grenze, sagen wir 100 Ω, durchläuft. In jedem Iterationsschritt wird ja dann der Schnittpunkt der Kennlinie und der Spannungs-Strom-Geraden für diesen Widerstand sowie die zugehörige Leistung berechnet. Wir brauchen dann anschließend nur noch das Maximum des Vektors `leistung` und den zugehörigen Widerstandswert zu finden. Auch das machen wir natürlich wieder mit MATLAB!

Zunächst modifizieren wir das System **s_kennli** zu dem in Abbildung 2.34 dargestellten System **s_kennl2**.

Wie in Abbildung 2.34 zu sehen ist, ist lediglich der Konstantblock durch eine Workspace-Quelle (Blockbibliothek `Sources`) ersetzt worden. Diese kann Daten im Matrix-Format `[Zeitpunkte, Datenpunkte]` aus dem MATLAB-Workspace einlesen. Bei einer Simulation wird dann in jedem Simulationschritt eines dieser Datenpaare verarbeitet.

Im vorliegenden Fall sollen nun die Widerstandswerte R_i für eine gewisse Indexmenge i eingelesen werden. Der Indexvektor repräsentiert also im Beispiel den „Zeit“ punkte-Vektor, die Widerstandswerte den Datenpunkte-Vektor. Wir definieren daher im Parameterfenster des Blockes `From Workspace` unter `Parameters - Data` das (Spalten-) Vektorpaar `[i,Ri]` und definieren vor der Simulation im MATLAB Workspace die *Spalten*vektoren `i` und `Ri` wie folgt:

```
» i=(1:1:200)';        % Spaltenvektor der Indizes
» Ri=i*0.5;            % Widerstände im Abstand 0.5
                       % Ohm bis 100 Ohm
```

Anschließend starten wir die Simulation von **s_kennl2**. Es müssen natürlich vorher die Vektoren `volt1` und `mstrom1`, welche den Kennlinienblock festlegen, definiert sein. Als Schrittweite wählen wir 1 und als Stop Time am besten `length(i)-1`!

---

[9] Beachten Sie: U in V, I in mA!!

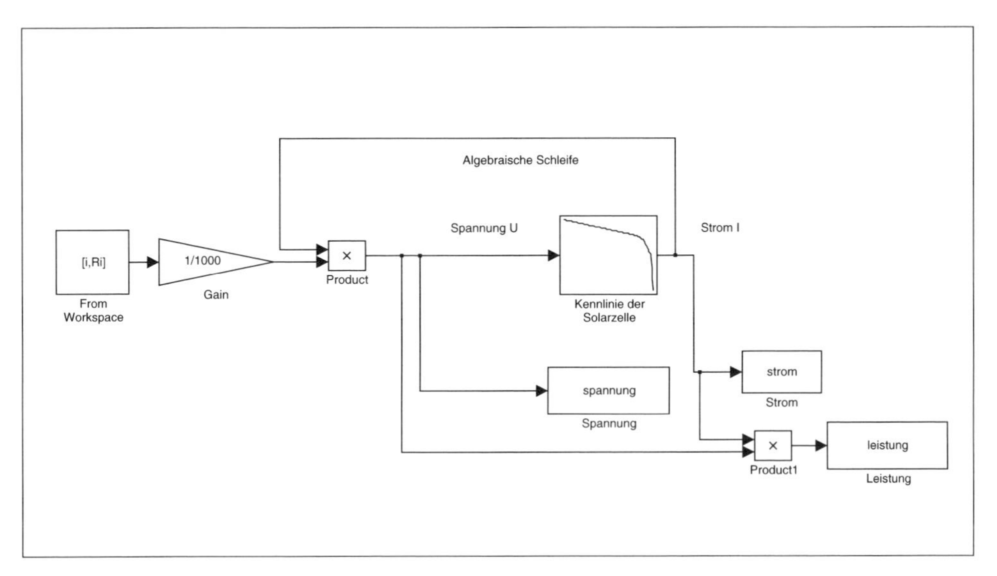

Abbildung 2.34: Simulink-System **s_kennl2** mit `Look-Up Table` zur Bestimmung des optimalen Arbeitspunktes einer Solarzelle (Anpassung)

Die Leistungen über die Widerstände können darauf hin durch folgenden Aufruf grafisch dargestellt werden:

```
» plot(Ri,leistung)
» grid
» xlabel('Lastwiderstand / Ohm')
» ylabel('Leistung / mW')
```

Die Abbildung 2.35 zeigt das Ergebnis dieser MATLAB-Kommandos.

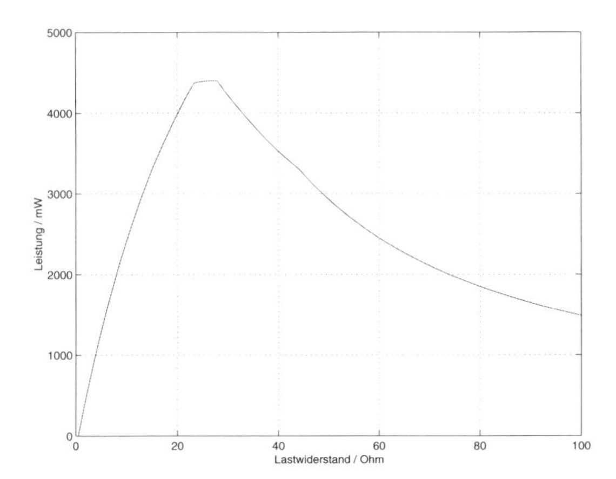

Abbildung 2.35: Widerstands-Leistungs-Kennlinie der Solarzelle

Der Grafik kann ein Leistungsmaximum bei einer Belastung mit ca. 25 Ω entnommen werden. Das bekommt man aber mit MATLAB noch etwas genauer, denn

```
» [lmax, i] = max(leistung)

lmax =

  4.4010e+003

i =

    54

» Ri(i)

ans =

    27
```

zeigt, dass das Maximum[10] bei 27 Ω liegt und in diesem Fall eine (maximale) Leistung von 4.4 W entnommen werden kann.

Übungen

Bearbeiten Sie die folgenden Aufgaben zum Umgang mit Kennlinien und Kennfeldern unter Simulink.

Übung 86 (*Lösung Seite 217*)

Betrachten Sie folgende Kennlinie

$$k(x) = \begin{cases} 0 & \text{für} \quad x < 0 \\ \sqrt{x} & \text{für} \quad x \in [0,4] \\ 2 & \text{für} \quad x > 4 \end{cases} \tag{156.1}$$

Entwerfen Sie ein Simulink-System, welches diese Kennlinie mit einem Sinussignal beaufschlagt und analysieren Sie das Ausgangssignal. Experimentieren Sie mit verschiedenen Amplituden des Sinus-Eingangs.

Übung 87 (*Lösung Seite 219*)

Betrachten Sie folgendes „Kennfeld"

$$k(x, y) = x^2 + y^2 \quad \text{für } x, y \in [-1,1] \tag{156.2}$$

[10] Die Genauigkeit ist dabei natürlich 0.5 Ω, denn das ist unsere Schrittweite.

Entwerfen Sie mit Hilfe des Blocks `Look Up Table (2D)` ein Simulink System, welches aus dem Kennlinienfeld die Werte an den Stellen (x, x) mit $x \in [-1,1]$ ausliest. Steuern Sie dabei das Kennlinienfeld mit einem entsprechend eingestellten `From Workspace`-Block an.

Für die Einstellung des Kennfeld-Blocks `Look-Up Table (2D)` vergleichen Sie bitte die Überlegungen zu dreidimensionalen Plots auf Seite 47!

KAPITEL 3

Lösungen zu den Übungen

In diesem Kapitel sind die Lösungen zu den im Buch formulierten Übungen dargelegt, welche vom Leser begleitend zur Lektüre am Rechner bearbeitet werden sollten. Sämtliche Lösungen befinden sich auch in Form von MATLAB-m-Files oder Simulink-Systemen in der Begleitsoftware zu diesem Buch. Der Name des jeweiligen m-Files bzw. mdl-Files ist bei jeder Lösung angegeben. Ein Hinweis darauf, mit welchem Aufruf die Lösungen unter MATLAB verwendet werden können, kann durch Eingabe von `help <Filemame_ohne_Endung>` angezeigt werden. Simulink-Systeme enthalten entsprechende Kommentare im Systemfenster.

Man sollte jedoch darauf achten, dass der eingestellte MATLAB-Suchpfad (siehe dazu auch Seite 56) den Ordner mit den Dateien der Begleitsoftware enthält.

3.1 Lösungen zu den MATLAB-Übungen

Lösung zu Übung 1, Seite 21 *(Datei: LsgDefMat.m)*

```
% Matrix M unter MATLAB definieren

M = [ 1   0   0;...
      0   j   1;...
      j  j+1 -3]


% Zahl k unter MATLAB definieren

k = 2.75


% Spaltenvektor v unter MATLAB definieren

v = [1; 3; -7; -0.5]


% Zeilenvektor w unter MATLAB definieren

w = [1, -5.5, -1.7, -1.5, 3, -10.7]


% Zeilenvektor y unter MATLAB definieren
```

```
y = (1:0.5:100.5);
```

Lösung zu Übung 2, Seite 21 ***(Datei: LsgMatErw.m)***

```
% Matrix M unter MATLAB definieren

M = [ 1   0    0;...
      0   j    1;...
      j   j+1 -3];

% Matrix V mit Hilfe von M definieren

V = [M M; M M]
```

Offensichtlich wäre es sehr mühsam, auf diese Weise durch Vervielfältigung größere Matrizen zu definieren. Daher gibt es für diese Aufgabe das MATLAB-Kommando `repmat`.

Mit diesem Kommando kann die obige Matrix wie folgt definiert werden:

```
V = repmat(M,2,2);
```

Die Lösungen zu den Aufgabenteilen (2) bis (4) ergeben sich auf folgende Weise:

```
% Löschung der 2. Zeile und 3. Spalte aus V
% und speichern in V23

V23 = V;                % V retten, sonst würde die Matrix
V23(2,:) = [];          % durch diese Operationen überschrieben
V23(:,3) = [];

% Vektor z4 mit der Zeilengröße von V definieren (hier 6)

z4 = [1 2 3 4 5 6];

% Zeilenvektor z4 der 4. Zeile von V zuordnen

V(4,:) = z4;

% Den Eintrag 4,2 von Matrix V ändern

V(4,2) = j+5


V =

  Columns 1 through 4
```

```
  1.0000                    0                 0    1.0000
       0                    0 + 1.0000i  1.0000         0
       0 + 1.0000i     1.0000 + 1.0000i -3.0000         0 + 1.0000i
  1.0000                    5.0000 + 1.0000i  3.0000    4.0000
       0                    0 + 1.0000i  1.0000         0
       0 + 1.0000i     1.0000 + 1.0000i -3.0000         0 + 1.0000i

 Columns 5 through 6

       0                    0
       0 + 1.0000i     1.0000
  1.0000 + 1.0000i    -3.0000
  5.0000                6.0000
       0 + 1.0000i     1.0000
  1.0000 + 1.0000i    -3.0000
```

Lösung zu Übung 3, Seite 21 *(Datei: keine!)*

Die Matrix N wird konstruiert, indem der Spaltenvektor entsprechend $\vec{r}$ sechs mal hintereinander in eine Matrixklammer geschrieben wird.

```
» rs = [j; j+1; j-7; j+1; -3];
» N = [rs, rs, rs, rs, rs, rs];
```

Lösung zu Übung 4, Seite 22 *(Datei: keine!)*

Der Zeilenvektor kann nicht angefügt werden, weil er nur 5 Komponenten, die Matrix N aber 6 Spalten hat.

Lösung zu Übung 5, Seite 22 *(Datei: keine!)*

Löschen Sie zunächst alle definierten Variablen mit

```
clear                    % alternativ:  clear all
```

Durch mehrmalige Betätigung der Tasten ↑ und ↓ kann beispielsweise das Kommando

```
z4 = [1 2 3 4 5 6];
```

rekonstruiert werden.

Ist der Anfang des zu rekonstruierenden Kommandos bekannt, so kann die Suche dadurch verkürzt werden, dass man vor Betätigung der Tasten ↑ und ↓ einen (möglichst eindeutigen) Anfang des Kommandos eingibt. Für den obigen Vektor *z4* wäre dies beispielsweise

```
z4 =
```

Hat man das Command History-Fenster geöffnet, so genügt zur Rekonstruktion ein Doppelklick auf die Zeile

```
z4 = [1 2 3 4 5 6];
```

und das Kommando wird im Kommando-Fenster nochmals ausgeführt.

Lösung zu Übung 6, Seite 22 *(Datei: keine!)*

Öffnen Sie den Workspace-Browser mit dem Menübefehl `View – Workspace` und doppelklicken Sie auf das Symbol für V. Sie erhalten dann nach den oben durchgeführten Kommandos das in Abbildung 3.1 dargestellte Fenster des Array Editors.

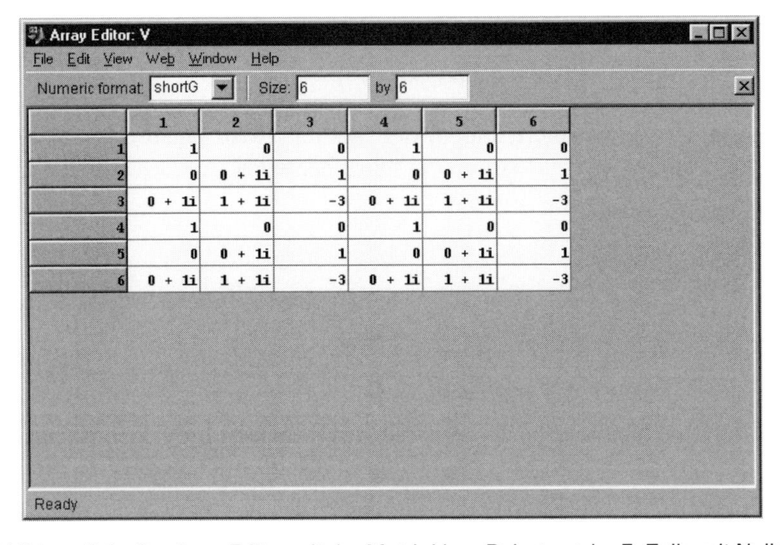

Abbildung 3.1: Der Array Editor mit der Matrix V vor Belegung der 5. Zeile mit Nullen

Selektieren Sie die zur 5. Zeile gehörenden Felder nacheinander und tippen Sie 0 ein.

Ein anschließender Aufruf von *V* unter MATLAB liefert:

```
» V

V =

  Columns 1 through 4

   1.0000                  0                       0   1.0000
        0                  0 + 1.0000i        1.0000        0
        0 + 1.0000i   1.0000 + 1.0000i       -3.0000        0 + 1.0000i
```

```
  1.0000               5.0000 + 1.0000i    3.0000        4.0000
       0                    0                   0        0
       0 + 1.0000i     1.0000 + 1.0000i   -3.0000        0 + 1.0000i

 Columns 5 through 6

       0                    0
       0 + 1.0000i     1.0000
  1.0000 + 1.0000i    -3.0000
  5.0000               6.0000
       0               1.0000
  1.0000 + 1.0000i    -3.0000
```

Dies zeigt, dass die Setzung der Nullzeile übernommen wurde.

Lösung zu Übung 7, Seite 28 *(Datei: aritdemo.m)*

Geben Sie den Befehl **aritdemo** im MATLAB-Kommandofenster ein und folgen Sie den Kommandos auf dem Bildschirm.

Lösung zu Übung 8, Seite 28 *(Datei: LsgMatOps.m)*

Nach Definition ist das Standardskalarprodukt zweier Vektoren $\vec{x}$ und $\vec{y}$ des $\mathbb{R}^n$:

$$\langle \vec{x}, \vec{y} \rangle = \sum_{k=1}^{n} x_k \cdot y_k$$

Dies lässt sich unter MATLAB wie folgt umsetzen:

```
% Vektor x definieren

x = [1 2 1/2 -3 -1];

% Vektor y als SPALTENvektor definieren

y = [2; 0; -3; 1/3; 2];

% Berechnung des Skalarproduktes <x,y> mit einer
% Matrixoperation

skp1 =  x*y

% Berechnung des Skalarproduktes <x,y> mit einer
% Feldoperation
                    % Vektor y als ZEILENvektor definieren
```

```
y = [2, 0, -3, 1/3, 2];

fop =  x.*y          % Enthält den Vektor der Produkte
                     % der Komponenten
skp2 =  sum(fop);    % Summiert diese Komponenten mit der
                     % MATLAB-Funktion sum
```

Die Lösungen zu den Übungsteilen (2) und (3) ergeben sich wie folgt:

```
% Das Produkt der Matrizen A und B

A = [-1 3.5 2;  0 1 -1.3;  1.1 2 1.9];
B = [1 0 -1;  -1.5 1.5 -3;  1 1 1];

A*B

% Diagonalmatrix C mit Feldoperationen erzeugen

E3 = [1 0 0;  0 1 0;  0 0 1];  % eine 3x3-Einheitsmatrix

C = A.*E3                      % Feldoperation
```

Eine Einheitsmatrix kann auch mit Hilfe des eingebauten MATLAB-Kommandos `eye` definiert werden. Als Parameter muss lediglich die Größe der Matrix angegeben werden, im obigen Fall wäre dies also

```
E3 = eye(3);
```

Lösung zu Übung 9, Seite 28 *(Datei: LsgLiDiv.m)*

```
% Matrix A definieren

A = [ 2 2;...
      1 1];

% Vektor b definieren

b= [2; 1];


% Linke Division ausführen

x = A\b

Warning: Matrix is singular to working precision.
> In C:\...\LsgUebung7.m at line 35
```

```
x =

   Inf
   Inf
```

Wie in Abschnitt 1.2.2 dargelegt muss $A\backslash\vec{b}$ als $A^{-1}\vec{b}$ interpretiert werden. Eine inverse Matrix zu A gibt es aber nicht. Man sagt, die Matrix ist *singulär*. Dies erklärt die Warnmeldung. Dem Ergebnisvektor werden die Komponenten ∞ zugeordnet (ähnlich wie beim Teilen durch 0).

Lösung zu Übung 10, Seite 29 *(Datei: LsgReDiv.m)*

```
% Matrix A definieren

A = [ 2 2;...
      1 1];

% Vektor b definieren

b= [2 1];

% Rechte Division ausführen

x = b/A

Warning: Matrix is singular to working precision.
> In C:\...\LsgUebung8.m at line 35

x =

   Inf   Inf
```

$\vec{b}/A$ muss als $\vec{b}A^{-1}$ interpretiert werden. Die Reaktion von MATLAB erklärt sich wie bei der vorangegangenen Lösung.

Lösung zu Übung 11, Seite 29 *(Datei: keine!)*

Die Matrix M kann mit Hilfe einer *linken* Division durch die *Einheitsmatrix* invertiert werden:

```
» M = [1 1 1 ; 1 0 1; -1 0 0];
» Minv = M\eye(3)

Minv =
```

```
      0     0    -1
      1    -1     0
      0     1     1
```

Die letzte Anweisung entspricht dabei der Realisierung der Gleichung $Minv = M^{-1}E_3$. Da $M^{-1}E_3 = M^{-1}$ ist, enthält `Minv` somit die gesucht inverse Matrix.

Lösung zu Übung 12, Seite 31 *(Datei: LsgLogOps.m)*

```
% die Matrizen A und B definieren

A = [1 -3 ;0  0];
B = [0  5 ;0  1];

% Logisches Oder bestimmen

ErgOder = A|B;
```

Dies liefert als Ergebnis

```
» ErgOder

ErgOder =

     1     1
     0     1
```

Nur der Eintrag mit den Koordinaten (2,1) ist bei beiden Matrizen A und B gleich 0 (logisch falsch). Für alle anderen Koordinaten ist mindestens eine Zahl dabei, die als wahr interpretiert wird. Somit ist das Ergebnis der Verknüpfung mit „oder" für diese Koordinaten stets 1 (wahr).

```
% Logische Negation von A bestimmen

NegA = ~A;


% Logische Negation von B bestimmen

NegB = ~B;
```

Dies liefert als Ergebnis

```
» NegA

NegA =
```

```
     0     0
     1     1

» NegB

NegB =

     1     0
     1     0
```

Ein Eintrag $\neq 0$ (wahr) wird in 0 (falsch) umgewandelt, ein Eintrag 0 (falsch) wird 1 (wahr) umgewandelt.

```
% xor von A und B bestimmen

ErgXor = xor(A,B);
```

Ergebnis:

```
» ErgXor

ErgXor =

     1     0
     0     1
```

Das Ergebnis ist 1, wenn die an dieser Position in A und B stehenden Zahlen *als Wahrheitswerte* interpretiert *unterschiedlich* sind, sonst 0.

Lösung zu Übung 13, Seite 32 *(Datei: LsgRelOps.m)*

Die MATLAB-Anweisungen

```
% die Vektoren x und y definieren

x = [1  -3   3  14  -10   12];
y = [12  6   0  -1  -10    2];

% Operator kleiner und kleiner gleich

El  = x<y;
Ele = x<=y;

% Operator größer gleich

Ege = x>=y;
```

```
% Operatoren gleich und ungleich

Eeq = x==y;
Ene = x~=y;
```

liefern folgende Ergebnisse:

```
» El

El =

     1     1     0     0     0     0

» Ele

Ele =

     1     1     0     0     1     0

» Ege

Ege =

     0     0     1     1     1     1

» Eeq

Eeq =

     0     0     0     0     1     0

» Ene

Ene =

     1     1     1     1     0     1
```

Lösung zu Übung 14, Seite 32 ***(Datei: LsgLimVals.m)***

```
% die Matrix C definieren

C = [  1  2   3   4  10; ...    % mit ... kann eine Kommando-
     -22  1  11 -12   4; ...    % zeile umgebrochen werden!
       8  1   6 -11   5; ...
      18  1  11   6   4 ]
```

```
% Vergleichsmatrizen definieren

U = -10*ones(4,5);
O =  10*ones(4,5);

% Verleiche durchführen

X = C>=U;                    % 1, wenn C-Eintrag > =-10
Y = C<=O;                    % 1, wenn C-Eintrag < = 10

% Positionen der Zahlen, die zwischen -10 und 10 liegen

P = X&Y;
```

Zunächst werden zwei Matrizen gleicher Dimension wie C definiert, deren Einträge nur aus -10 und 10 bestehen. Dann wird C mit diesen Matrizen verglichen. Die Matrix P enthält an den Positionen, an denen die Einträge von C innerhalb der Grenzen sind eine 1 und sonst eine 0.

```
% Zahlen, die außerhalb des Bereiches [-10,10] liegen 0 setzen

Erg = C.*P
```

Die *komponentenweise* Multiplikation von P mit C liefert das gewünschte Ergebnis. Hierbei werden die Werte von P wieder als Zahlen interpretiert und nicht als Wahrheitswerte.

Die Ausführung dieser Anweisungsfolge durch Eingabe des Befehls **LsgLimVals** liefert:

```
» LsgLimVals

C =

     1     2     3     4    10
   -22     1    11   -12     4
     8     1     6   -11     5
    18     1    11     6     4


Erg =

     1     2     3     4    10
     0     1     0     0     4
     8     1     6     0     5
     0     1     0     6     4
```

Lösung zu Übung 15, Seite 37 *(Datei: LsgFunkDef1.m)*

```
% Zeitvektor definieren

t=(0:0.1:10);

% Signalwerte definieren

s = sin(2*pi*5*t).*cos(2*pi*3*t) + exp(-0.1*t)
```

Zu dieser Lösung seien noch ein paar Anmerkungen gemacht. Ein häufiger Fehler ist die Definition

```
% Signalwerte definieren

s(t) = sin(2*pi*5*t).*cos(2*pi*3*t) + exp(-0.1*t)
```

Hierauf reagiert MATLAB mit der Warnung

```
Warning: Subscript indices must be integer values.
??? Index into matrix is negative or zero.  See release
notes on changes to logical indices.
```

Im Gegensatz zu der in der Mathematik üblichen Schreibweise können die Funktionswerte *nicht* in der Form $s(t)$ unter MATLAB definiert werden. MATLAB versteht unter `s(t)`, dass aus dem Vektor `s` die Einträge mit einem Index aus `t` ausgewählt werden sollen und beschwert sich somit im obigen Beispiel, dass die Indexmenge nicht ganzzahlig ist. Der Rest der Definition wird völlig ignoriert.

Die korrekte Definition des Wertevektors ordnet automatisch jedem Wert von `t` den entsprechenden Funktionswert zu.

Weiterhin ist bei der Definition der Funktionswerte darauf zu achten, dass es sich bei der Multiplikation

```
sin(2*pi*5*t).*cos(2*pi*3*t)
```

um eine *Feldoperation* handelt! Die Anweisung

```
sin(2*pi*5*t)*cos(2*pi*3*t)
```

würde bedeuten, dass hier der Wertevektor `sin(2*pi*5*t)` mit dem Wertevektor `cos(2*pi*3*t)` nach Art der Matrizenmultiplikation verknüpft werden soll. Dies ist auf Grund der Dimension der Vektoren (beides $n \times 1$-Vektoren) nicht definiert, weshalb MATLAB mit

```
» sin(2*pi*5*t)*cos(2*pi*3*t)
??? Error using ==> *
Inner matrix dimensions must agree.
```

antwortet.

Lösung zu Übung 16, Seite 37 *(Datei: LsgFunkDef2.m)*

```
% Zeitvektor definieren

t=(0:0.1:10);

% Signalwerte definieren

s = sin(2*pi*5.3*t).*sin(2*pi*5.3*t)

% Alternativ dazu kann definiert werden

s2 = sin(2*pi*5.3*t).^2
```

Beachten Sie auch hier wieder, dass Multiplikation und Potenzoperation (Quadrierung) *komponentenweise* gemeint sind und infolgedessen mit Feldoperationen beschrieben werden müssen.

Lösung zu Übung 17, Seite 37 *(Datei: LsgRound1.m)*

```
% Zeitvektor definieren

t=(0:0.1:10);

% Signalwerte definieren

s = 20*sin(2*pi*5.3*t);

% Runden von s gegen unendlich mit der Funktion ceil

s2infty = ceil(s);

% Runden von s gegen 0 mit der Funktion fix

s2zero = fix(s);
```

Mit den Rundungsfunktionen `ceil`, `fix`, `round` und `floor` können Zahlen auf unterschiedliche Weise auf ganze Zahlen gerundet werden. Die Funktionen unterscheiden sich lediglich in der Rundungs*richtung*. Beispielsweise wird 1.25 in Richtung 0 auf 1 und in Richtung ∞ auf 2 gerundet, -1.25 in Richtung 0 jedoch auf -1 und in Richtung ∞ ebenfalls auf -1.

Man schaue sich dazu auch die Ergebnisse der obigen Berechnungen an, für die man sich auf folgende Art von MATLAB einmal jeweils die ersten 6 Werte ausgeben lassen kann:

```
» s(1:6)

ans =

        0   -3.7476    7.3625  -10.7165   13.6909  -16.1803

» s2infty(1:6)

ans =

     0    -3     8   -10    14   -16

» s2zero(1:6)

ans =

     0    -3     7   -10    13   -16
```

Lösung zu Übung 18, Seite 37 *(Datei: LsgRound2.m)*

```
% Zeitvektor definieren

t=(0:0.1:10);

% Signalwerte definieren

s = 20*sin(2*pi*5*t);

% Runden von s gegen die nächste ganze Zahl mit der Funktion round

s2round = round(s);

% Ausgabe der ersten 6 Werte von s und s2round in einer
% zweizeiligen Matrix

[s(1:6);s2round(1:6)]


ans =

  1.0e-013 *

        0    0.0245   -0.0490   -0.2818   -0.0980    0.1225
        0         0         0         0         0         0
```

Offenbar werden alle Werte von $s(t)$ gegen 0 gerundet. Bei genauerem Blick auf die erste Zeile erkennt man, dass die Werte von s alle in der Größenordnung 10^{-13} liegen, also selbst schon nahezu 0 sind. Analysiert man die theoretisch zu erwartenden Werte genauer, so ergibt sich für die Sinuswerte an den Vielfachen von $0.1 = \frac{1}{10}$

$$s(k\frac{1}{10}) = 20\sin(2\pi 5k/10) = 20\sin(k\pi) = 0 \quad \forall k \in \mathbb{N}$$

Die theoretischen Werte sind also alle 0! Die Werte, die wir in MATLABs Antwort sehen, bewegen sich im Bereich der Rechen(un)genauigkeit.

Wir werden auf dieses Phänomen noch einmal bei der Diskussion der MATLAB-Grafikmöglichkeiten zurückkommen. Eine grafische Darstellung kann in diesem Fall zu merkwürdigen Ergebnissen und groben Fehlinterpretationen führen.

Lösung zu Übung 19, Seite 38 *(Datei: LsgLogarit.m)*

```
% Vektor definieren

b = [1024 1000 100 2 1];

% Zehnerlogarithmen berechnen

Lg10vonb = log10(b)

% Zweierlogarithmen berechnen

Lg2vonb = log2(b)


Lg10vonb =

    3.0103    3.0000    2.0000    0.3010         0


Lg2vonb =

   10.0000    9.9658    6.6439    1.0000         0
```

Lösung zu Übung 20, Seite 38 *(Datei: keine!)*

Die Eingabe des Befehls `help cart2pol` auf der Kommandooberfläche liefert:

```
» help cart2pol

 CART2POL Transform Cartesian to polar coordinates.
```

```
[TH,R] = CART2POL(X,Y) transforms corresponding elements of data
stored in Cartesian coordinates X,Y to polar coordinates (angle TH
and radius R).  The arrays X and Y must be the same size (or
either can be scalar). TH is returned in radians.

...
```

Die Aufgabe wird somit durch folgende MATLAB-Kommandos gelöst:

```
» [th, r] = cart2pol(pkte(:,1),pkte(:,2))

th =

    1.1071
    0.6435
    0.7854
         0
    0.1107

r =

    2.2361
    5.0000
    1.4142
    4.0000
    9.0554

» polark2 = [r,th]

polark2 =

    2.2361    1.1071
    5.0000    0.6435
    1.4142    0.7854
    4.0000         0
    9.0554    0.1107
```

Lösung zu Übung 21, Seite 51 *(Datei: LsgFsequenz.m)*

Der Aufruf der Befehlssequenz (Aufruf von **LsgFsequenz** unter MATLAB) liefert:

```
» LsgFSequenz
??? Error using ==> plot
Vectors must be the same lengths.

Error in ==> C:\...\LsgFSequenz.m
```

```
On line 30  ==> plot(t,[sinfkt, cosfkt, expfkt])
```

Der Fehler liegt somit im Plotbefehl und ist auf die unterschiedliche Länge von `t` und `[sinfkt, cosfkt, expfkt]` zurückzuführen. Zwar haben die Vektoren `sinfkt`, `cosfkt` und `expfkt` alle die gleiche Länge wie `t`, wovon man sich durch Eingabe von `whos` leicht überzeugen kann, der Vektor `[sinfkt, cosfkt, expfkt]` ist aber *dreimal so lang*, denn er entsteht durch die Hintereinanderschreibung der Vektoren mit den Funktionswerten (Trennung mit Komma!).

Korrekt wäre die *Unter*einanderschreibung der Vektoren (Trennung mit Semikolon!) in der Form `[sinfkt; cosfkt; expfkt]`, wodurch im Plotbefehl `t` jedem Zeilenvektor dieser $n \times 3$-Matrix zugeordnet und korrekt geplottet werden kann.

Lösung zu Übung 22, Seite 51 *(Datei: LsgWasPlot.m)*

Die Abbildung 3.2 zeigt die durch die Befehlssequenz erzeugte MATLAB-Grafik.

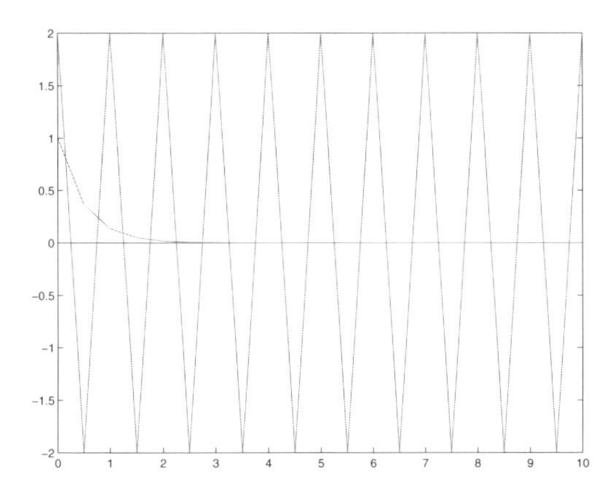

Abbildung 3.2: Grafisches Ergebnis von **LsgWasPlot**

Gut zu erkennen ist lediglich die Exponentialfunktion. Die Cosinusfunktion erscheint als *Dreiecksschwingung*, die Sinusfunktion wird zu einer *Nullinie*!

Dieses Ergebnis ist auf ein Phänomen zurückzuführen, auf welches schon in der Lösung zur Übung 18 auf Seite 172 hingewiesen wurde. Die Sinusfunktion wird durch die Wahl der Auswertezeitpunkte im Vektor `t` (hier Vielfache von 0.5) und der Frequenz des Sinus (5 Hz) an den *Nullstellen* des Sinus ausgewertet! Die Cosinusfunktion wird an den Stellen

$$2\pi \cdot 3 \cdot 0.5k = 3k\pi,\ k \in \{0,1,\cdots,20\}$$

ausgewertet. Dort wechselt der Cosinus zwischen $+1$ und -1. Zwischen diesen Werten verbindet `plot` die Werte durch eine Gerade, so dass der Eindruck einer Dreiecksfunktion bzw. beim Sinus der einer Nullfunktion entsteht. Systemtheoretisch hängt dieses Phänomen mit dem sogenannten *Abtasttheorem* [2] zusammen, welches etwas darüber aussagt, wie Signale abgetastet werden müssen, ohne dass Information verloren geht. In den obigen Beispielen sind die Voraussetzungen dieses Theorems verletzt und infolgedessen ist Information verloren gegangen. Wir wollen auf diese theoretischen Aspekte allerdings hier nicht eingehen. Der interessierte Leser sei auf die entsprechende Fachliteratur verwiesen.

Das Beispiel zeigt, dass man bei der Interpretation von Grafiken Vorsicht walten lassen muss. Am besten ist es, das grafische Ergebnis immer anhand zusätzlicher Informationen nochmals zu überprüfen und dem Ergebnis nicht blind Glauben zu schenken.

Lösung zu Übung 23, Seite 52 *(Datei: LsgPlotStem.m)*

Studieren Sie den Quelltext des Script-Files **LsgPlotStem** und experimentieren Sie mit ihm, indem Sie entsprechende Änderungen vornehmen.

Die vorgefertigte Lösung in **LsgPlotStem** zeigt insbesondere, dass der Befehl `stem` für kleine Schrittweiten extrem ungeeignet ist und eher für geringe Datenmengen vorteilhaft ist. Mit dem Befehl `plot` verhält es sich umgekehrt.

Lösung zu Übung 24, Seite 52 *(Datei: LsgLogPlot1.m, LsgLogPlot2.m)*

Aus Platzgründen geben wir hier nur den Quelltext von **LsgLogPlot1** wieder:

```
% Definition des Frequenzvektors omega

omega = (0.01:0.01:5);

% Definition der Werte der Übertragungsfunktion H(j*omega)
% Man beachte die Feldoperation!

H1 = 1./(j*omega);

% Grafische Darstellung DES BETRAGES von H1
% in halblogarithmischer und doppeltlogarithmischer
% Darstellung übereinander

subplot(311)              % erster Plot von 3 übereinander
semilogx(omega, abs(H1));
grid
title('Übertragungsfunktion H1 in unterschiedlicher
                                     logarithmischer Darstellung');
xlabel('Frequenz / rad/s');
ylabel('Amplitude');

subplot(312)              % zweiter Plot von 3 übereinander
semilogy(omega, abs(H1));
```

```
grid
xlabel('Frequenz / rad/s');
ylabel('Amplitude');

subplot(313)              % dritter Plot von 3 übereinander
loglog(omega, abs(H1));
grid
xlabel('Frequenz / rad/s');
ylabel('Amplitude');
```

Die geeignetste Darstellung ist für diese Beispiele die doppeltlogarithmische. In diesem Fall können die Übertragungsfunktionen durch Geradenstücke angenähert werden, was die Interpretation der Darstellung vereinfacht.

Wundern Sie sich nicht, wenn die Beschriftung teilweise mit den Grafiken überlappt. Das ist leider so, wenn mehrere Grafiken mit dem `subplot`-Kommando übereinander geplottet werden. Oft hilft hier jedoch eine Vergrößerung der Grafik auf Bildschirmgröße.

Zum Abschluss dieser Übung sei noch auf ein paar sehr lehrreiche Fehler hingewiesen. Sehr verführerisch bei der Definition von `H1` sind die Anweisungen:

```
H1 = 1/(j*omega);           % führt zu MATLAB-Fehler

H1 = 1/j*omega;             % syntaktisch korrekt, führt
                            % jedoch zu inhaltlichem Fehler
```

Im ersten Fall erhalten wir von MATLAB eine Fehlermeldung, da hier die Matrix `1` durch die Matrix `j*omega` geteilt werden soll! Was wir jedoch berechnen wollen, ist der Wert von $\frac{1}{j\omega}$ für jede Frequenz, also bezüglich `omega` *komponentenweise*! Dies ist wieder eine Feldoperation.

Der zweite Fehler ist etwas subtiler, da MATLAB keine Fehlermeldung erzeugt. Durch diese Anweisung wird `1/j` mit dem Vektor `omega` multipliziert. Das ist zwar syntaktisch korrekt, aber nicht das, was berechnet werden soll.

Der dritte häufig gemachte Fehler bezieht sich auf den Plot selbst. Die Anweisung

```
plot(omega,H1);
```

erzeugt lediglich eine MATLAB-Warnung, keinen Fehler. `H1` ist ein Vektor aus *komplexen Zahlen* und kann infolgedessen nicht geplottet werden. MATLAB plottet einfach die Realteile und gibt eine entsprechende Warnung aus, die in diesem Fall natürlich ernst zu nehmen ist.

Lösung zu Übung 25, Seite 52 *(Datei: keine!)*

Zur Beschriftung siehe die vorstehende Lösung zu Übung 24. Die restlichen Aufgabenteile sind Ihrer Experimentierfreudigkeit überlassen.

Lösung zu Übung 26, Seite 52 *(Datei: LsgSurf.m)*

Die folgenden Anweisungen repräsentieren die wesentlichen Befehle aus dem Script-File **LsgSurf.m**:

```
% Anlegen der Vektoren für die Achseneinteilung

x=(-1:1:1);            % Gitterraster in x-Richtung
y=(-2:2:2)';           % Gitterraster in y-Richtung

% Konstruktion der Gittermatrizen

v=ones(length(x),1);    % Hilfsvektor
X=v*x;                  % Gittermatrix der x-Werte
Y=y*v';                 % Gittermatrix der y-Werte

% Berechnung der Funktionswerte auf dem Gitter

f=sin(X.^2+Y.^2).*exp(-0.2*(X.^2+Y.^2));
```

Zum Verständnis ist es interessant, sich einmal die Matrizen X und Y näher anzusehen:

```
» X

X =

    -1     0     1
    -1     0     1
    -1     0     1

» Y

Y =

    -2    -2    -2
     0     0     0
     2     2     2
```

Die Berechnung von $f(x, y)$ mit der Anweisung

```
f=sin(X.^2+Y.^2).*exp(-0.2*(X.^2+Y.^2));
```

beruht nun darauf, dass für jede Berechnung *paarweise* die Einträge von X und Y zusammengefasst werden. Beispielsweise wird für den Eintrag (1,1) der Funktionswertematrix f die Berechnung mit $x = X_{11} = -1$ und $y = Y_{11} = -2$ durchgeführt. Die Matrix f enthält somit dort den Funktionswert an der Stelle $(-1, -2)$. Durch die Konstruktion der Matrizen X und Y werden alle Kombinationen für das Gitter im Rechteck $[-1,1] \times [-2,2]$ mit Gitterabstand 1 bzw. 2 durchgespielt.

Lösung zu Übung 27, Seite 53 *(Datei: LsgSurf2.m)*

Die entsprechenden Befehle heißen `plot3`, `surf`, `mesh` und `fill3`. Fügen Sie die Befehle jeweils anstelle von `surf` im Script-File **LsgSurf2.m** ein[1] und führen Sie das Script-File durch Eingabe des Befehls **LsgSurf2** im MATLAB-Kommandofenster aus.

Lösung zu Übung 28, Seite 53 *(Datei: LsgUebFkt.m)*

Wir beschränken uns auf die Wiedergabe der Plotanweisungen aus **LsgUebFkt.m**:

```
subplot(211)
loglog(omega, abs(H2));
grid
xlabel('Frequenz / rad/s');
ylabel('Amplitude');

subplot(212)
semilogx(omega, angle(H2));
grid
xlabel('Frequenz / rad/s');
ylabel('Phase');
```

Lösung zu Übung 29, Seite 53 *(Datei: LsgExpFktPlot.m)*

Der Plot *übereinander* in eine Grafik wird durch die Kommandos

```
t = (0:0.01:2);
f1 = exp(-t/2);
f2 = exp(-2*t/5);
plot(t,f1,'b',t,f2,'r');
....                          % Beschriftung
```

erreicht.

Nebeneinander und untereinander werden die Grafiken mit Hilfe des `subplot`-Kommandos gesetzt, etwa mit

```
subplot(121);      % 1. Funktion plotten
plot(t,f1,'b');
subplot(122);      % 2. Funktion DANEBEN plotten
plot(t,f2,'r');
```

Die Plots können mit Hilfe des Menübefehls `Edit - Copy Figure` in die Zwischenablage kopiert werden. Danach können sie mit dem Paste-Mechanismus in eine andere Windows-Anwendung übertragen werden.

[1] Es empfiehlt sich vorher die MATLAB-Hilfe zu konsultieren, um die Befehle syntaktisch richtig anzuwenden.

Lösung zu Übung 30, Seite 53 *(Datei: Lsg2Dplot.m)*

Die Aufgabe kann mit der eingebauten MATLAB-Funktion `meshgrid` folgendermaßen gelöst werden:

```
% Anlegen der Vektoren für die Achseneinteilung

x=(-2:0.2:2);                % Gitterraster in x-Richtung
y=(-1:0.1:1);                % Gitterraster in y-Richtung

% Konstruktion der Gittermatrizen mit meshgrid

[X,Y] = meshgrid(x,y);

% Berechnung der Funktionswerte auf dem Gitter

f=X.^2+Y.^2;

% Plot mit der Funktion surf

...
```

Lösung zu Übung 31, Seite 56 *(Datei: keine!)*

Sie können für die Lösung die vorgefertigte Datei **TestMat.txt** mit einer im ASCII-Format abgespeicherten 3×3-Matrix verwenden. Stellen Sie sicher, dass diese Datei in einem Suchpfad von MATLAB[2] gespeichert ist.

Geben Sie anschließend folgende Befehlsfolge im MATLAB-Kommandofenster ein:

```
» clear
» load TestMat.txt
» whos
» TestMat
```

Wenn alles korrekt ablief, sollten Sie die Antworten

```
» whos
  Name          Size          Bytes  Class

  TestMat       3x3              72  double array

Grand total is 9 elements using 72 bytes

» TestMat
```

2 Geben Sie im Zweifel einmal den Befehl `path` ein.

```
TestMat =

     3    -4     5
    -1     4     6
     0     6    -3
```

bekommen. Die Matrix der Textdatei kann somit in MATLAB weiterverarbeitet werden.

Mit dieser Technik können bequem etwa im ASCII-Format gespeicherte Messdaten in MATLAB zur Weiterverarbeitung geladen werden.

Lösung zu Übung 32, Seite 56 *(Datei: keine!)*

Sie werden feststellen, dass das leider *nicht* funktioniert. Komplexe Größen müssen notgedrungen in Form von unabhängig voneinander eingelesenen Real- und Imaginärteilen verarbeitet werden. Diese können dann in der Form

```
komplexervektor = realteilvektor + j*imaginärteilvektor;
```

zu einem komplexen Vektor zusammengefasst werden.

Lösung zu Übung 33, Seite 57 *(Datei: LsgAudio.m)*

Mit Hilfe der MATLAB-Hilfe, etwa durch Eingabe von `help iofun`, ermittelt man, dass `wavread` und `wavwrite` die geeigneten MATLAB-Befehle zur Verarbeitung von Audio-Dateien im *.wav-Format sind.

Die folgenden Befehle aus **LsgAudio.m** laden das File **Tada.wav**, stellen es grafisch dar, verstärken es um den Faktor 10 und speichern das Ergebnis wieder als *.wav-Datei.

```
% Wav-File Tada laden

[Signal,Abtastrate,Bitzahl] = wavread('C:\windows\media\tada.wav');

% Signal plotten

dt = 1/Abtastrate;           % Abtastintervall berechnen
N = length(Signal);          % Zahl der Punkte berechnen
zeit = (0:dt:(N-1)*dt);      % Alle Zeitpunkte von 0 bis
                             % Endzeitpunkt der Aufnahme (das ist
                             % (N-1)*dt)

plot(zeit, Signal);          % Stereo, Signal enthält zwei Spalten
```

```
% Das Audio-Signal um 10 verstärken

Signal = 10*Signal;

% Das neue Audio-Signal wieder als *.wav-Datei speichern
% Man beachte: das Signal wird bei Über(Unter)lauf von +1 und -1
% abgeschnitten. MATLAB liefert entsprechende Warnmeldungen.

wavwrite(Signal,Abtastrate,Bitzahl,'C:\windows\media\tada10.wav');
```

Vergleichen Sie beide Audio-Signale, indem Sie diese mit einem einschlägigen Programm (z.B. mit dem in Windows eingebauten Media-Player) abspielen.

Lösung zu Übung 34, Seite 57 *(Datei: keine!)*

;-)

Lösung zu Übung 35, Seite 57 *(Datei: keine!)*

Zunächst wird in der Toolbar-Leiste der MATLAB-Kommandooberfläche (vgl. Abbildung 1.1) der Pfad `C:\mymatlab` eingestellt. Dies geschieht durch Drücken des ...-Buttons und anschließender Auswahl im Dateiauswahlfenster.

Danach wird mit dem Befehl

```
» path(path, 'C:\mymatlab');
```

der MATLAB-Suchpfad (für Kommandos und Befehle) um das Verzeichnis `C:\mymatlab` verlängert.

Soll der Suchpfad für spätere MATLAB-Sitzungen dauerhaft gesichert werden, so muss dies über den Menübefehl `File - Set Path ...` erfolgen. Alternativ zu der oben beschriebenen Methode kann hier im Übrigen auch der neue Suchpfad gesetzt werden. Darüber hinaus kann man dem Suchpfad ein Verzeichnis mit allen Unterverzeichnissen hinzufügen.

Lösung zu Übung 36, Seite 61 *(Datei: keine!)*

Die komplexen Einträge des (Zeilen-)Vektors $\vec{r}$ werden mit Hilfe des Symbols `j` definiert. Für die Definition eines entsprechenden Spaltenvektors bedient man sich am besten des Transponierungsoperators `'`.

```
» rz = [j j+1 j-7 j+1 -3];
» rs = rz.';
```

Man beachte, dass in der zweiten Zeile eine Feldoperation verwendet werden muss.

Lösung zu Übung 37, Seite 61 *(Datei: keine!)*

```
» V = repmat(M,2,2);
```

(vgl. Seite 160)

Lösung zu Übung 38, Seite 61 *(Datei: LsgLogspace.m)*

Ein Blick in die MATLAB-Hilfe (etwa mit `help elmat`) zeigt, dass die hierfür geeignete Funktion `logspace` heißt. Die Befehlsfolge lautet dann:

```
% Logarithmisch äquidistanten Vektor mit logspace erzeugen

v = logspace(0,1,10);

loglog(v,v);
```

Der erzeugte Graph ist eine Gerade!

Lösung zu Übung 39, Seite 61 *(Datei: LsgMeshgrid.m)*

```
% Anlegen der Vektoren für die Achseneinteilung

x=(-3:0.1:3);            % Gitterraster in x-Richtung
y=(-3:0.1:3)';           % Gitterraster in y-Richtung

% Konstruktion der Gittermatrizen mit meshgrid

[X,Y] = meshgrid(x,y);

% Berechnung der Funktionswerte auf dem Gitter

f=sin(X.^2+Y.^2).*exp(-0.2*(X.^2+Y.^2));
```

Lösung zu Übung 40, Seite 61 *(Datei: keine!)*

Natürlich kann der Vektor unter MATLAB auf die in Abschnitt 1.2.1 vorgestellte Weise mit

```
» y = (1:0.1:10);
```

definiert werden.

Alternativ dazu kann aber auch das Kommando `linspace` verwendet werden.

```
» y = linspace(1,10,91);
```

Dieses Kommando eignet sich allerdings mehr zur Berechnung einer bestimmten *Anzahl* von *äquidistanten* Stützstellen in einem vorgegebenen Intervall. So muss man sich etwa im obigen Beispiel überlegen, dass 91 Stützstellen nötig sind, um im Intervall [1,10] genau die Teilintervallänge 0.1 zu bekommen, was natürlich unbequem ist. In diesem Fall, also bei vorgegebenem Stützstellenabstand, würde man die erste Methode vorziehen.

Sucht man allerdings eine äquidistante Einteilung mit vorgegebener Stützstellenzahl, so empfiehlt es sich auf `linspace` zurückzugreifen.

Lösung zu Übung 41, Seite 61 *(Datei: keine!)*

Ein Aufruf von `help elmat` zeigt, dass hierfür `fliplr` eine geeignete Funktion ist.

```
» y = (1:0.1:10);
» yflip = fliplr(y)
yflip =

  Columns 1 through 11

   10.0000    9.9000    9.8000    9.7000    9.6000   ...

   ...

  Columns 89 through 91

    1.2000    1.1000    1.0000
```

Lösung zu Übung 42, Seite 65 *(Datei: keine!)*

```
» Grafik.yVals = [-2 0]

Grafik =

     Titel: 'Beispiel'
    xlabel: 'Zeit / s'
    ylabel: 'Spannung / V'
       anz: 2
      grid: 1
     xVals: [0 25]
     yVals: [-2 0]
      Stil: [1x1 struct]
```

Alternative Möglichkeiten wären:

```
» Grafik.yVals(1) = -2;
» Grafik.yVals(2) = 0;
```

oder

```
» setfield(Grafik, 'yVals', [-2 0])
```

Lösung zu Übung 43, Seite 65 *(Datei: keine!)*

```
» farb = Grafik.Stil.farbe(2)

farb =

b
```

Lösung zu Übung 44, Seite 72 *(Datei: LsgSymInt.m)*

```
% x als symbolische Größe definieren

syms x

% Funktion g(x) definieren

g = sin(5*x-2);

% Funktion g(x) einmal symbolisch aufintegrieren

G = int(g,x);

% Funktion G(x) symbolisch aufintegrieren

G2 = int(G,x);
```

Es ist zunächst einmal interessant, sich den Workspace nach diesen Anweisungen anzusehen. Man erhält:

```
» whos
  Name      Size            Bytes  Class

  G         1x1               154  sym object
  G2        1x1               156  sym object
  g         1x1               144  sym object
  x         1x1               126  sym object

Grand total is 46 elements using 580 bytes
```

Man erkennt an dem Eintrag `sym object`, dass sämtliche Größen symbolische Größen sind.

Die berechneten Funktionen sind:

```
» G

G =

-1/5*cos(5*x-2)

» G2

G2 =

-1/25*sin(5*x-2)
```

Beachten Sie, dass die *Integrationskonstanten nicht berücksichtigt* werden!

Lösung zu Übung 45, Seite 72 *(Datei: LsgSymTaylor.m)*

```
% x als symbolische Größe definieren

syms x

% Funktion g(x) definieren

g = sin(5*x-2);

% Taylorentwicklung der Funktion g(x) berechnen

T3 = taylor(g,x,4);
pretty(T3)
```

liefert

```
                                  2                         3
  -sin(2) + 5 cos(2) x + 25/2 sin(2) x  - 125/6 cos(2) x
```

Beachten Sie, dass der dritte Parameter um eins höher eingegeben werden muss, als der Grad des Taylorpolynoms ist, das Sie bestimmen wollen.

Lösung zu Übung 46, Seite 72 *(Datei: LsgSymDGL.m)*

```
% x als symbolische Größe definieren

syms x

% Differentialgleichung definieren (ein STRING!)
```

```
dieDGL = 'Dy = x*y^2';

% Die Lösung mit dsolve berechnen

Lsg = dsolve(dieDGL, 'x')
```

Dies liefert die Lösung:

```
Lsg =

-2/(x^2-2*C1)
```

Lösung zu Übung 47, Seite 72 *(Datei: LsgSymDiff.m)*

```
% x und g(x) als symbolisch definieren

syms x
g = sin(5*x-2);

% Funktion g(x) zweimal symbolisch ableiten

g1 = diff(g,x);
g2 = diff(g,x,2);

% Zeitvektor für den Plot festlegen

t=(0:0.01:10);

% Aus den symbolischen Funktionen numerische
% Vektoren machen, indem die symbolische Variable
% x durch den Vektor t ersetzt wird
% (beachte: Variablen anders nennen, um Überschreiben
% zu vermeiden)

G  = subs(g,x,t);
G1 = subs(g1,x,t);
G2 = subs(g2,x,t);

% Ergebnis plotten (G in rot, G1 in blau, G2 in grün)

plot(t,G,'r-',t,G1,'b',t,G2,'g');
```

Lösung zu Übung 48, Seite 73 *(Datei: LsgSymMaple.m)*

```
% x und g(x) als symbolisch definieren
% unter Berücksichtigung der MAPLE-Syntax
```

```
syms x
maple('g := sin(5*x-2);');

% Funktion g(x) zweimal symbolisch aufintegrieren

maple('G:= int(g,x);');
G2 = maple('int(G,x);')
```

Lösung zu Übung 49, Seite 78 *(Datei: LsgFunkbsp3.m)*

Der Vektor der quadrierten Komponenten muss in die Liste der Rückgabevektoren mit aufgenommen werden, wenn hierauf im MATLAB-Workspace zugegriffen werden soll. Der Funktionscode lautet damit:

```
function [sum, aquad]= LsgFunkbsp3(a, b)
%
% ....

sum = a+b;      % Das solls tun!

aquad = a.^2;   % Quadrierung der Komponenten von a
```

Es wäre auch möglich gewesen, den Vektor $\vec{a}$ ebenfalls in den Vektor der Rückgabewerte aufzunehmen. Es ist aber ein besserer Programmierstil, wenn man $\vec{a}$ nicht mit der Funktion überschreibt, da in den weiteren MATLAB-Befehlen nach Ausführung dieser Funktion gegebenenfalls auf diesen Vektor zurückgegriffen werden könnte.

Lösung zu Übung 50, Seite 79 *(Datei: LsgFunkbsp2.m)*

Der Kürze halber geben wir hier nur die wesentlichen Veränderungen gegenüber **funkbsp2.m** wieder:

```
function [t, sinfkt, cosfkt, expfkt] = ...
                         LsgFunkbsp2(f1, Fa1, f2, Fa2, damp, Fa3)
%
% ...
%
%
% Eingabeparameter:    ...
%
%                      Fa1, Fa2, Fa3
%                      Farben für Sinus, Cosinus und Exp-Funktion
%                      entsprechend der plot-Syntax
% ...
%
```

```
...
plot(t,sinfkt,Fa1, t,cosfkt,Fa2, t,expfkt,Fa3)
...
```

Man beachte, dass man für einen korrekten Aufruf der Funktion, die Farbcodes von `plot` übergeben muss, etwa so:

```
» [t, sinfkt, cosfkt, expfkt] = ...
                          LsgFunkbsp2(3, 'r', 2, 'b', 1.5, 'g');
```

Lösung zu Übung 51, S. 79 *(Datei: LsgStrctParam.m)*

Wir geben wieder nur die wesentlichen Veränderungen gegenüber **funkbsp2.m** wieder:

```
function [t, sinfkt, cosfkt, expfkt]= LsgStrctParam(fktparams)
%
% Funktion LsgStrctParam
%
% Aufruf:  [t, sinfkt, cosfkt, expfkt]= LsgStrctParam(fktparams)
%
% ...


t=(0:0.01:2);
sinfkt=sin(2*pi*fktparams.f1*t);
cosfkt=2*cos(2*pi*fktparams.f2*t);
expfkt=exp(-fktparams.damp*t);
...
```

Der Aufruf der Funktion erfolgt nun so, dass zuerst eine entsprechende Parameterstruktur mit den Feldern `f1`, `f2` und `damp` definiert und mit den gewünschten Werten initialisiert werden muss. Diese Struktur wird dann als (einziger) Parameter an die Funktion `LsgStrctParam` übergeben:

```
» dieParams.f1 = 4;
» dieParams.f2 = 2;
» dieParams.damp = -0.2;
» [t, sinfkt, cosfkt, expfkt]= LsgStrctParam(dieParams);
```

Lösung zu Übung 52, Seite 79 *(Datei: LsgPlotKreis.m)*

```
function [umfang, flaeche]= LsgPlotKreis(radius, farbe)
%
% ...
```

```
umfang = 2*pi*radius;
flaeche = pi*radius^2;

% Randpunkte des Kreises (mit Mittelpunkt 0) definieren

alpha=(0:0.01:2*pi);           % Einteilung der Winkel in
                               % Schritten zu 0.01 rad
x = radius*cos(alpha);
y = radius*sin(alpha);         % Kreispunkte in (x,y)-Koordinaten

% Polygonzug mit fill in der übergebenen Farbe plotten
% und Achsen anpassen (siehe Hinweis)

fill(x,y,farbe);
axis equal
```

Die Funktion kann dann beispielsweise mit

```
» [u, fl]= LsgPlotKreis(3, 'r')
```

aufgerufen werden.

Lösung zu Übung 53, Seite 89 *(Datei: LsgSelPositiv.m)*

```
function [outvekt]= LsgSelPositiv(vektor)
%
% ...

% Länge N des Eingangsvektors feststellen
% (für Schleifenendekriterium)

N = length(vektor);

% Ausgabevektor auf leeren Vektor vorinitialisieren

outvekt = [];

% positive Elemente mit Schleife selektieren

for k = 1:N                 % Vektorindex 1 bis N durchlaufen
   if vektor(k) > 0         % dann Element an outvekt anhängen
      outvekt = [outvekt,vektor(k)];
   end;
end;
```

Lösung zu Übung 54, Seite 89 *(Datei: LsgSkalProd.m)*

```
function [skprod]= LsgSkalProd(vektor1, vektor2)
%
% ...

% Länge N der Eingangsvektoren feststellen
% (gleiche Länge wird nicht geprüft)

N = length(vektor1);

% Wert des Skalarproduktes auf 0 VORINITIALISIEREN!

skprod = 0;

% Skalarprodukt mit Schleife berechnen

for k = 1:N            % Vektorindex 1 bis N durchlaufen,
                       % Produkt bilden und schrittweise
                       % auf skprod aufaddieren
       skprod = skprod + vektor1(k)*vektor2(k);
end;
```

Ein erfahrener MATLAB-Programmierer würde allerdings die Schleife durch die Anweisung

```
vektor1*vektor2';
```

ersetzen und damit die eingebaute Matrixalgebra verwenden. Voraussetzung für die angegebene Anweisung ist allerdings, dass es sich bei den Vektoren um (gleich lange) *Zeilenvektoren* handelt.

Lösung zu Übung 55, Seite 89 *(Datei: LsgFInput.m)*

Im Wesentlichen ergibt sich die Lösung aus der Funktion **FInput** mit einer anderen Vorinitialisierung des Ausgabevektors und einer kleinen Umstellung innerhalb der `while`-Schleife.

```
function [InVector]= LsgFInput()
%
% ...

% Vorinitialisierung des Ausgabevektors
% InVector auf einen LEEREN Vektor

InVector= [];
```

```
% Einlesen des ersten Datums

dat = input('Geben Sie eine Zahl ein! (Ende, falls negativ):');

% Prüfung und weitere Eingabeaufforderung bis
% Endekriterium erfüllt

while dat >= 0        % solange Datum positiv:
                      % an InVektor anhängen
   InVector= [InVector; dat];
                      % lese nächste Zahl ein
   dat = input('Geben Sie eine Zahl ein! (Ende, falls negativ):');
 end;
```

Lösung zu Übung 56, Seite 90 *(Datei: LsgFarbSin.m)*

```
function [ ] = LsgFarbSin(farbe)
%
% ...

switch farbe
    case 'rot'
       fcode = 'r';  % fcode ist eine Variable für den
    case 'blau'      % plot-Farbcode
       fcode = 'b';
    case 'grün'
       fcode = 'g';
    case 'magenta'
       fcode = 'm';
    otherwise
      error('Der eingegebene Parameter war nicht zulässig!
                             Bitte help LsgFarbSin eingeben!');
 end

% Funktion plotten

t=(0:0.01:2*pi);
plot(t,sin(t),fcode);
```

Lösung zu Übung 57, Seite 90 *(Datei: LsgWurzel2.m)*

Betrachten wir zunächst den Quellcode des gesuchten Programms:

```
function [naeherung]= LsgWurzel2(startwert)
%
```

```
% ...
%

epsilon = 1e-3;           % 3 Nachkommastellen sollen genau sein
xn = startwert;           % x_n auf den Startwert vorinitialisieren
xn1 = (startwert^2+2)/(2*startwert);
                          % Näherung (x_n+1) mit erster Iteration
                          % vorinitialisieren

                          % Abfrage, ob Genauigkeit erreicht
while abs(xn1-xn)>epsilon
   hilf = xn1;            % für nächste Iteration altes x_n+1 retten
                          % Iterationsformel, neues x_n+1 berechnen
   xn1 = (xn1^2+2)/(2*xn1);
   xn = hilf;             % altes x_n+1 auf neues x_n umspeichern
end;

naeherung = xn1;
```

Die gewünschte Genauigkeit wird durch den auf 10^{-3} voreingestellten Parameter `epsilon` gesteuert.

In jedem Iterationsschritt wird die Differenz des neuen Näherungswerts von $\sqrt{2}$, nämlich `xn1`, mit dem alten Näherungswert `xn` innerhalb der Schleifenbedingung der `while`-Schleife verglichen. Solange die Abweichung größer ist, als 10^{-3} wird weiter iteriert.

Innerhalb des Schleifenrumpfs wird der Wert der letzten Näherung zunächst gerettet und anschließend die nächste Näherung berechnet.

Zu beachten ist noch, dass vor Eintritt in die `while`-Schleife zunächst eine Näherung berechnet werden muss, damit die Schleifenbedingung geprüft werden kann.

Lösung zu Übung 58, Seite 90 *(Datei: LsgWhile2.m)*

```
function [erg, rest] = LsgWhile2(a,b)
%
% Funktion LsgWhile2
%
% Aufruf:   [erg, rest] = LsgWhile2(a,b)
%
% Aufrufbeispiel: [erg, rest] = LsgWhile2(10,3)
%
% ...

erg = 0;
```

```
rest = a;

% Berechnungsschleife

while rest >= b
   rest = rest - b;
   erg = erg + 1;
end;
```

Lösung zu Übung 59, Seite 90 *(Datei: LsgStructIn.m)*

```
function [] = LsgStructIn(f1,f2,grStruct)
%
% Funktion LsgStructIn
%
% Aufruf:    [] = LsgStructIn(f1,f2,grStruct)
%
% Aufrufbeispiel: LsgStructIn(1,0.5,grStruct)
%
% ...

% Plotbereich diskretisieren

t = linspace(grStruct.xVals(1), grStruct.xVals(2));

% Grafik plotten

plot(t, sin(2*pi*f1*t), grStruct.farbe(1), ...
         t, sin(2*pi*f2*t), grStruct.farbe(2));

% Grafik beschriften

title(grStruct.Titel);
xlabel(grStruct.xlabel);
ylabel(grStruct.ylabel);

% Grid setzen, falls grid-Parameter 1

if grStruct.grid
    grid
end;

% Achsenbereiche setzen

axis([grStruct.xVals(1), grStruct.xVals(2), ...
       grStruct.yVals(1), grStruct.yVals(2)]);
```

Lösung zu Übung 60, Seite 94 *(Datei: LsgTrapez.m)*

```
function [integral] = LsgTrapez(a, b, F, N)
%
% ...

h=(b-a)/(N);                        % TeilintervallÎlänge
intval=(a:h:a+N*h);                 % Stützstellen

                                    % F an den Intervallgrenzen
integral = (h/2)*(feval(F,a)+feval(F,b));

                                    % F an den Stützstellen
                                    % auswerten
for i=2:1:N
 integral = integral+h*feval(F,intval(i));
end;
```

Lösung zu Übung 61, Seite 94 *(Datei: LsgEval.m)*

Die Schwierigkeit bei dieser Aufgabe besteht darin, dass der Parameter n variabel ist. Somit können weder die Variablennamen, noch die Dateinamen *vorab* im Programmrumpf vergeben werden. Diese müssen mit Hilfe der laufenden Nummern zunächst *als String dynamisch erzeugt* werden. Dabei wird die Funktion `num2str` zur Konvertierung der Zahl in einen String verwendet.

Die Zuweisung kann dann innerhalb des Programms mit der Funktion `eval` erzwungen werden:

```
function [] = LsgEval(n)
%
% Funktion LsgEval
%
% ...


for k = 1:n
    fname = ['Sig', num2str(k)];    % Signalnamen erzeugen
                                    % Befehlsstring für die
                                    % Zuweisung erzeugen
    zuweisen = [fname, ' = ', 'rand(10,1);'];
    eval(zuweisen);                 % Befehl ausführen

    fdatei = [fname, '.txt'];       % Dateiname erzeugen
                                    % Speicherbefehl zusammen-
                                    % stellen
```

```
    speichern = ['save ', fdatei, ' ', fname, ' -ASCII'];
    eval(speichern);                 % Speicherung durchführen
end;
```

Nach Ausführung von

```
» LsgEval(5);
```

sollten im Arbeitsverzeichnis die Dateien `Sig1.txt` bis `Sig5.txt` zu finden sein, die Zufallsvektoren der Länge 10 enthalten.

Besonders zu beachten ist im obigen Quelltext die Zeile

```
speichern = ['save ', fdatei, ' ', fname, ' -ASCII'];
```

`fdatei` und `fname` sind selbst schon Strings und dürfen somit nicht in Hochkommata stehen. Auch müssen Leerzeichen eingefügt werden, damit die einzelnen Elemente des Befehlsstrings nicht aneinander hängen und für den MATLAB-Interpreter somit unbekannte Befehle darstellen.

Lösung zu Übung 62, Seite 101 *(Datei: LsgLinPendgl.m)*

Die Differentialgleichung muss zunächst wieder in zwei Differentialgleichungen 1. Ordnung umgesetzt werden. Mit Hilfe des Ansatzes aus Gleichung 97.1 ergibt sich analog zu Gleichung 97.2:

$$\begin{aligned} \dot{\alpha}_1(t) &= \alpha_2(t) \\ \dot{\alpha}_2(t) &= -\frac{g}{l} \cdot \alpha_1(t) \end{aligned} \tag{196.1}$$

mit den Anfangsbedingungen

$$\vec{\alpha}(0) = \begin{pmatrix} \alpha(0) \\ \dot{\alpha}(0) \end{pmatrix} = \begin{pmatrix} \alpha_1(0) \\ \alpha_2(0) \end{pmatrix} \tag{196.2}$$

Dieses Differentialgleichungssystem muss nun folgendermaßen in MATLAB umgesetzt werden:

```
function [alphadot]= LsgLinPendgl(t,alpha)
%
% ...

...

                                 % erste Gleichung 1. Ordnung
alphadot(1) = alpha(2);

                                 % zweite Gleichung 1. Ordnung
alphadot(2) = -(g/l)*alpha(1);
```

Der Aufruf erfolgt für die Anfangswerte $\frac{19\pi}{20}$ (große Auslenkung nahe 180° gegenüber der Ruhelage) und 0 (Anfangsgeschwindigkeit) durch

```
» [t,loesungLinear] = ode23(@LsgLinPendgl, [0, 20], [19*pi/20,0]);
```

Mit Hilfe der Funktion **pendgl** berechnen wir zum Vergleich die Lösung der nichtlinearen Gleichung mit denselben Anfangsbedingungen:

```
» [t2,loesung] = ode23(@pendgl, [0, 20], [19*pi/20,0]);
```

Man beachte: auf Grund der eingebauten Schrittweitensteuerung von `ode23` muss ein anderer Zeitvektorname verwendet werden. Die Längen von `t` und `t2` stimmen im Allgemeinen nicht überein!

Die Abbildung 3.3, welche durch die Kommandos

```
» plot(t,loesungLinear(:,1),'r-',t2,loesung(:,1),'b-')
» xlabel('Zeit / s')
» ylabel('Auslenkung / rad')
```

erzeugt wird, zeigt einen deutlichen Unterschied in den beiden Lösungen und somit den Fehler, der durch die Linearisierung der Differentialgleichung für große Auslenkungen gemacht wird. Prüfen Sie zum Vergleich mit Hilfe entsprechender MATLAB-Aufrufe die gute Übereinstimmung für kleine Auslenkungen, etwa $\frac{\pi}{8}$.

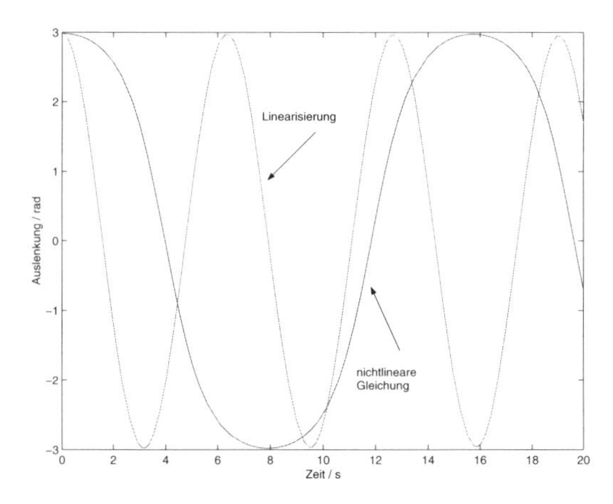

Abbildung 3.3: Vergleich der Lösungen der linearisierten und der nichtlinearen Differentialgleichung des mathematischen Pendels für eine große Anfangsauslenkung

Lösung zu Übung 63, Seite 102 *(Datei: LsgRCTP.m)*

Die Anregung mit einer Sinusschwingung erfolgt direkt durch eine Änderung der Datei **rckomb.m** selbst, da hier eine eingebaute MATLAB-Funktion verwendet werden kann:

```
function [udot]= LsgRCTP(t,u)
%
% ...
%

R = 10000;                    % Widerstand R
C = 4.7*10e-6;                % Kapazität des Kondensators C
f = 3;                        % Frequenz der Anregungsschwingung
                              % in Hz
                              % Vorinitialisierung
udot = 0;
                              % die Gleichung 1. Ordnung
                              % u1(t) muss als Funktion
                              % unter MATLAB definiert sein

udot = -(1/(R*C))*u + (1/(R*C))*sin(2*pi*f*t);
```

Abbildung 3.4 zeigt das Ergebnis der Berechnungen für $f = 1$ Hz und $f = 3$ Hz, welches mit den MATLAB-Anweisungen

```
» [t,loesung] = ode23(@LsgRCTP, [0, 5], 0);
% Frequenz im File LsgRCTP von 1 auf 3 Hz ändern!!!
» [t2,loesung2] = ode23(@LsgRCTP, [0, 5], 0);
» plot(t,loesung(:,1),'r-',t2,loesung2(:,1),'b-')
» xlabel('Zeit / s')
» ylabel('Amplitude / V')
```

erzeugt werden kann.

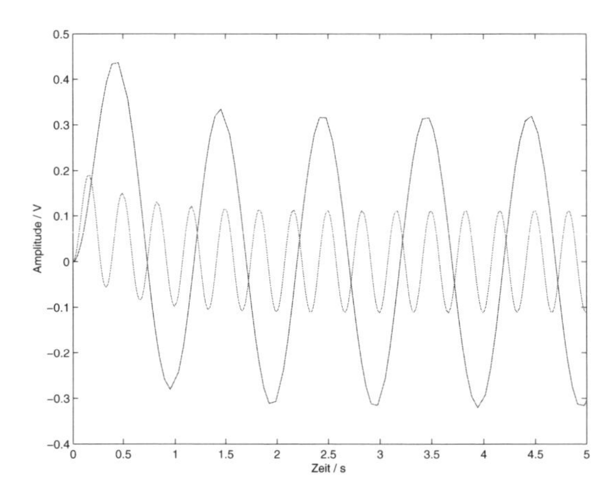

Abbildung 3.4: Antwort auf die Anregung des Beispiel-RC-Tiefpasses mit zwei verschiedenen Schwingungen

Deutlich ist der Einschwingvorgang und die unterschiedliche Amplitudendämpfung und Phasenverschiebung zu sehen.

Der Leser ist gehalten, mit Hilfe der Funktion **rechteckfkt** der Begleitsoftware auch einmal die Antwort des Tiefpasses auf ein periodisches Rechteckpulssignal zu berechnen.

Lösung zu Übung 64, Seite 102 *(Datei: keine!)*

Im Beispiel des mathematischen Pendels mit großer Anfangsauslenkung liefert die Anweisungsfolge

```
» [t1,loesung1] = ode23(@pendgl, [0, 20], [19*pi/20,0]);
» [t2,loesung2] = ode45(@pendgl, [0, 20], [19*pi/20,0]);
» plot(t1,loesung1(:,1),'r-',t2,loesung2(:,1),'b-')
```

einen Unterschied in der Lösung für die Werte im Intervall [8,20].

Lösung zu Übung 65, Seite 102 *(Datei: LsgBvWachstum.m)*

Die Differentialgleichung wird durch die folgende Funktion definiert:

```
function [Pdot]= LsgBvWachstum(t,P)
%
% ...

alpha = 2.2;                % Parameter alpha
beta = 1.0015;              % Parameter beta

Pdot = [0];                 % Vorinitialisierung

Pdot = alpha*(P^beta);      % Gleichung 1. Ordnung
```

Für die numerische Lösung mit Hilfe von MATLAB muss noch eine geeignete Anfangsbedingung definiert werden, etwa $P(0) = 1000$. Die entsprechende Lösung kann dann durch

```
» [t,P] = ode23(@LsgBvWachstum, [0, 30], 100);
```

berechnet werden.

Lösung zu Übung 66, Seite 102 *(Datei: LsgPT1.m)*

Bei genauem Hinsehen handelt es sich, bis auf den Verstärkungsfaktor K, bei Gleichung 102.2 um die Gleichung des RC-Tiefpasses 100.1 für $T = RC$. Wählt man also $T = RC = 0.47$ und $K = 1$ und modelliert die Differentialgleichung in der Datei **LsgPT1.m** durch

```
vdot = (K/T)*u1(t)-(1/T)*v;
```

so erhält man die in Abbildung 1.23 dargestellte Sprungantwort (Antwort auf die Erregung mit einem Einheitssprung, s. Datei **u1.m**).

Lösung zu Übung 67, Seite 103 *(Datei: LsgParamODE.m)*

Die MATLAB-Hilfe liefert in der Beschreibung der Lösungsverfahren (solver) folgenden Hinweis auf die Übergabe zusätzlicher Parameter:

```
...

[T,Y] = solver(odefun,tspan,y0,options,p1,p2...) solves as
above, passing the additional parameters p1,p2... to the function
odefun, whenever it is called. Use options = [] as a place holder if
no options are set.

...
```

Wir führen also in die Parameterliste der Definitionsfunktion (**LsgParamODE**) zunächst einen Parameter für die Länge ein und passen den Code entsprechend an:

```
function [alphadot]= LsgParamODE(t,alpha,laenge)
%
% Funktion LsgLinPendgl
%
% ...

g=9.81;                         % Erdbeschleunigung

                                % Vorinitialisierung
alphadot = [0;0];


                                % erste Gleichung 1. Ordnung
alphadot(1) = alpha(2);

                                % zweite Gleichung 1. Ordnung
alphadot(2) = -(g/laenge)*alpha(1);
```

Anschließend kann die Differentialgleichung mit `ode23` wie folgt gelöst werden:

```
» [t,loesung] = ode23(@LsgParamODE, [0, 5], [pi/4,0], [], 20);
» [t2,loesung2] = ode23(@LsgParamODE, [0, 5], [pi/4,0], [], 5);
» plot(t,loesung(:,1),'r-',t2,loesung2(:,1),'b-')
```

Offenbar wurde die Gleichung hier zweimal mit den Pendellängen 20 und 5 gelöst. Die leere Klammer (`[]`) ist ein Platzhalter für eine Struktur von Optionen (vgl. `help odeset`), die an dieser Stelle angegeben werden muss. Im vorliegenden Fall werden durch diese Angabe die voreingestellten Optionen verwendet, die in den allermeisten Fällen ausreichen.

Die Abbildung 3.5 gibt das Ergebnis der Berechnungen wieder.

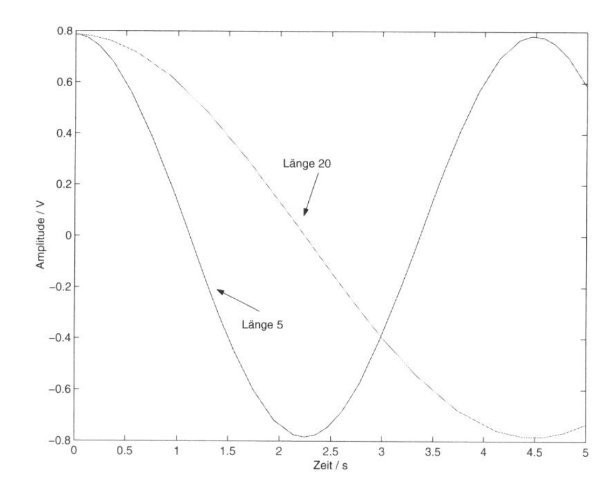

Abbildung 3.5: Lösung der Differentialgleichung des mathematischen Pendels für die Pendellängen 5 und 20.

Man erkennt deutlich die um den Faktor 2 vergrößerte Periodendauer für die Länge 20 gegenüber der Länge 5 (Periodendauer $= \frac{2\pi}{\sqrt{g/l}}$).

Lösung zu Übung 68, Seite 103 *(Datei: LsgDGLSys.m)*

Die Definitionsfunktion für das Differentialgleichungssystem hat folgende Gestalt:

```
function [ydot]= LsgDGLSys(t,y)
%
% Funktion LsgDGLSys
%
% ...
                                % Vorinitialisierung
ydot = [0;0];

                                % 1. Gleichung
ydot(1) = -2*y(1) - y(2);

                                % 2. Gleichung
ydot(2) = 4*y(1) - y(2);
```

Die Berechnung der Lösung, beispielsweise im Intervall [0,5], erfolgt nun mit

```
» [t,loesung] = ode23(@LsgDGLSys, [0, 5], [1,1]);
» plot(t,loesung(:,1),'r-',t,loesung(:,2),'b-')
```

Mit Hilfe der Symbolics Toolbox und der Funktion `dsolve` kann diese numerische Lösung mit der exakten Lösung verglichen werden:

```
» lsg = dsolve('Dy1 = -2*y1 - y2', 'Dy2 = 4*y1 - y2', ...
                                  'y1(0) = 1', 'y2(0) = 1', 'x')

lsg =

    y1: [1x1 sym]
    y2: [1x1 sym]

» pretty(lsg.y1)

                                                1/2
     1/15 exp(- 3/2 x) (15 cos(1/2 x 15    ) -
                                                  1/2                1/2
                                              3 15     sin(1/2 x 15    ))
» pretty(lsg.y2)

                                   1/2                1/2
     1/15 exp(- 3/2 x) (9 15      sin(1/2 x 15    ) +
                                                                     1/2
                                                   15 cos(1/2 x 15    ))
» syms x
» y1 = subs(lsg.y1, x, t);
» y2 = subs(lsg.y2, x, t);
» subplot(211)
» plot(t,loesung(:,1),'r-',t,loesung(:,2),'b-')
» xlabel('Zeit / s');
» subplot(212)
» plot(t,y1,'r-',t,y2,'b-')
» xlabel('Zeit / s');
```

Man beachte, dass die unabhängige Variable in der symbolischen Lösung `x` genannt wurde, um die Voreinstellung `t` zu überschreiben. Dies wurde deshalb vorgenommen, damit anschließend die symbolische Variable `x` durch die in der numerischen Lösung verwendete Zeitvektorvariable `t` ersetzt werden konnte. Die symbolische Variable muss, obwohl sie in der ausgegebenen symbolischen Lösung vorkommt, vor der Substitution mit `subs` nochmals explizit definiert werden, da sie im Workspace noch nicht bekannt ist. Die Abbildung 3.6 zeigt, dass die numerische Lösung offenbar identisch ist mit der „exakten“ Lösung.

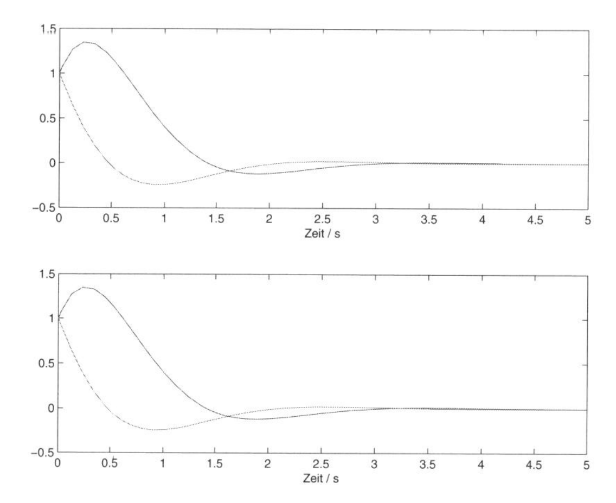

Abbildung 3.6: Lösung des Differentialgleichungssystems aus Aufgabe 68. Oben: numerische Lösung mit `ode23`, unten: symbolische Lösung mit `dsolve`.

3.2 Lösungen zu den Simulink-Übungen

Lösung zu Übung 69, Seite 120 *(Datei: s_test1.mdl)*

Bei den Vergleichsrechnungen ist zunächst auf die korrekte Einstellung aller Parameter zu achten. Insbesondere müssen Simulationsdauer, Schrittweite und die Anzahl der im `Scope`-Block unter der Variablen `S_test1_Signale` an den MATLAB-Workspace zurückgelieferten Ergebnisse zusammenpassen.

So muss beispielsweise für eine feste Schrittweite von 0.001 und einer Simulationsdauer von 0 bis 10 darauf geachtet werden, dass die insgesamt (3 mal) 10001 Werte von `S_test1_Signale` auch an MATLAB übergeben werden. Dies ist garantiert, wenn der Parameter `Limit rows to last` im Karteifenster `Scope Properties - Data history` des `Scope`-Blocks auf mindestens 10001 Werte eingestellt ist. Eine ähnliche Ausgabebeschränkung haben übrigens auch die MATLAB-Senken von Simulink.

Für die Einstellung der Anpassung der Schrittweite auf 0.001 im Falle, dass ein Verfahren mit Schrittweitensteuerung gewählt wird (etwa `ode23`), muss im Karteifenster `Simulation Parameters` der Eintrag `Output options` auf `Produce specified output only` umgestellt werden. Unter dem Eintrag `Output times` müssen dann die gewünschten Zeitpunkte konkret angegeben werden, also im vorliegenden Fall `[0:0.001:10]`.

Insgesamt liefern alle drei Verfahren also feste Einstellung der Schrittweite auf 0.001 und Verwendung von `ode3`, Verfahren mit Schrittweitensteuerung `ode23` und Ausgabe mit Schrittweite 0.001 sowie Verfahren mit Schrittweitensteuerung `ode23` alleine, im vorliegenden Beispiel grafisch identische Ergebnisse. Die Simulationsdauer ist im dritten Fall aber deutlich geringer als in den ersten beiden Fällen.

Lösung zu Übung 70, Seite 120 *(Datei: keine!)*

Nennen wir den Ausgang des Integratorblocks $y(t)$, so hat man zwischen Eingangssignal $x(t)$ und Ausgangssignal die Beziehung

$$y(t) = \int_0^t x(\tau)\, d\tau + y(0)$$

Durch Differentiation dieser Gleichung erhält man 120.1. Das System löst also diese (etwas ausgeartete) Differentialgleichung.

Lösung zu Übung 71, Seite 120 *(Datei: s_LsgDiff.mdl)*

Der Differenziererblock befindet sich wie der Integratorblock in der Funktionsbibliothek `Continuous`. Im Grunde erhält man **s_LsgDiff** durch simples Ersetzen des Integriererblocks durch den Block `Derivative` in **s_test1**.

Lösung zu Übung 72, Seite 120 *(Datei: s_LsgAWP.mdl)*

Diese Aufgabe ist natürlich an dieser Stelle ein Vorgriff auf Abschnitt 2.3, S. 120ff.

Im Lichte der Übung 70 könnte man so argumentieren, dass man im Grunde nur das Eingangssignal $x(t)$ durch $-2u(t)$ zu ersetzen braucht. Man würde also $u(t)$ erhalten, indem man $-2u(t)$ aufintegriert. Was im Allgemeinen für die theoretische Lösung ein Problem ist — da man $u(t)$ ja nicht kennt — wird hier tatsächlich zum Lösungsprinzip. Man koppelt einfach den Ausgang, versehen mit dem Faktor -2 auf den Eingang des Integrators zurück und überlässt den Rest Simulink, bzw. dem numerischen Lösungsverfahren, das Simulink benutzt.

Man erhält so das in Abbildung 3.7 dargestellte System.

Der Anfangswert ist durch Einstellung des Parameters `Initial condition` im Integratorblock-Parameterfenster zu setzen.

Der Leser vergleiche die (etwa im Intervall $[0,3]$) simulierte Lösung mit der exakten Lösung $u(t) = e^{-2t}$ mit Hilfe von MATLAB.

Lösung zu Übung 73, Seite 128 *(Datei: s_LsgSchwinger.mdl)*

Das geänderte Medium und der Widerstandsbeiwert sind nach Gleichung 125.4 für den Reibungskoeffizienten b zuständig.

Der Dichtewert für Wasser ist bekanntlich[3] 1000 $\mathrm{kg/m^3}$.

---

[3] Ein Liter Wasser wiegt 1 kg, ein $\mathrm{m^3}$ hat 1000 Liter.

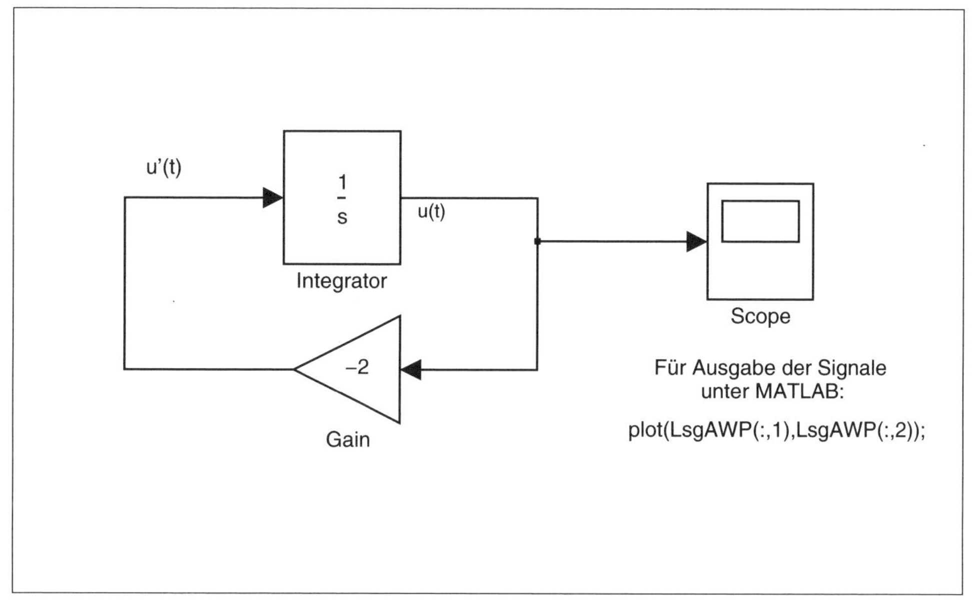

Abbildung 3.7: Simulink-System zur Lösung von $\dot{u}(t) = -2 \cdot u(t)$

Somit ergibt sich im Falle der ebenen Seite in Schwingungsrichtung

$$b_1 = 1.2 \cdot \frac{1}{2} \cdot 63.6943 \cdot 10^{-4} \cdot 1000 \text{ m}^2 \frac{\text{kg}}{\text{m}^3} = 3.8217 \ \frac{\text{kg}}{\text{m}}$$

und im Falle der runden Seite in Schwingungsrichtung

$$b_2 = 0.4 \cdot \frac{1}{2} \cdot 63.6943 \cdot 10^{-4} \cdot 1000 \text{ m}^2 \frac{\text{kg}}{\text{m}^3} = 1.2739 \ \frac{\text{kg}}{\text{m}}$$

Nimmt man an, dass die runde Seite in Richtung positiver Bewegungsrichtung steht[4] und die ebene in Richtung negativer Bewegungsrichtung, so muss der Faktor b_1 gewählt werden, falls $\text{sgn}(x(t)) \geq 0$ ist, und b_2 muss gewählt werden, falls $\text{sgn}(x(t)) < 0$.

Dies lässt sich mit Hilfe des `switch`-Blocks erreichen.

Abbildung 3.8 zeigt den betreffenden Ausschnitt aus dem System **s_LsgSchwinger**.

Der `switch`-Block wird hier durch den Ausgang des auf die Funktion sgn eingestellten `Fcn`-Blocks aus der Funktionsbibliothek `Functions&Tables` gesteuert. Der Parameter `Threshold` steuert dabei die Schwelle, bei welcher zwischen oberem und unterem Eingang umgeschaltet wird.

Zum Abschluss sei bemerkt, dass die Umsetzung entsprechend Abbildung 3.8 einfacher gestaltet werden kann, wenn man den `Fcn`-Block dazu verwendet, die ganze

[4] Das ist Definitionssache! Die Bewegungsrichtung legen *Sie* bei der Modellierung fest.

Formel $b \cdot \mathrm{sgn}(x(t)) \cdot x^2(t)$ zu berechnen (vgl. Lösung der Übung 74). Zu beachten ist dabei lediglich, dass das Eingangssignal für diesen Block *immer* u heißt!

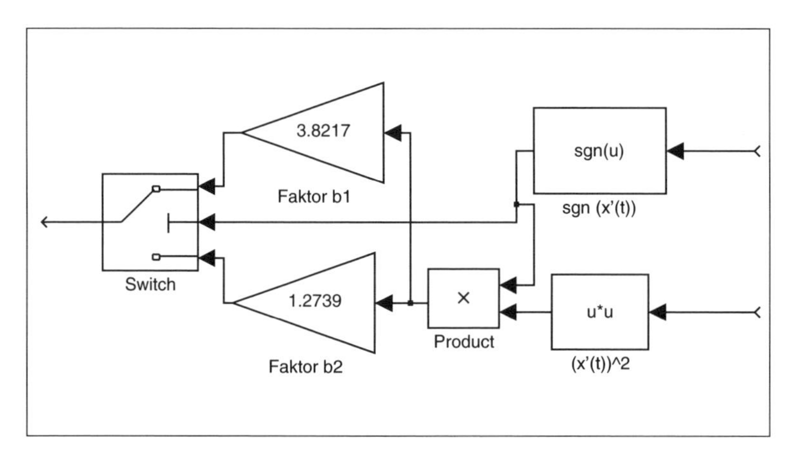

Abbildung 3.8: Ausschnitt aus Simulink-System **s_LsgSchwinger**

Lösung zu Übung 74, Seite 128 *(Datei: s_LsgPendel.mdl)*

Die Abbildung 3.9 zeigt die im System **s_LsgPendel** implementierte Lösung der Differentialgleichung des mathematischen Pendels.

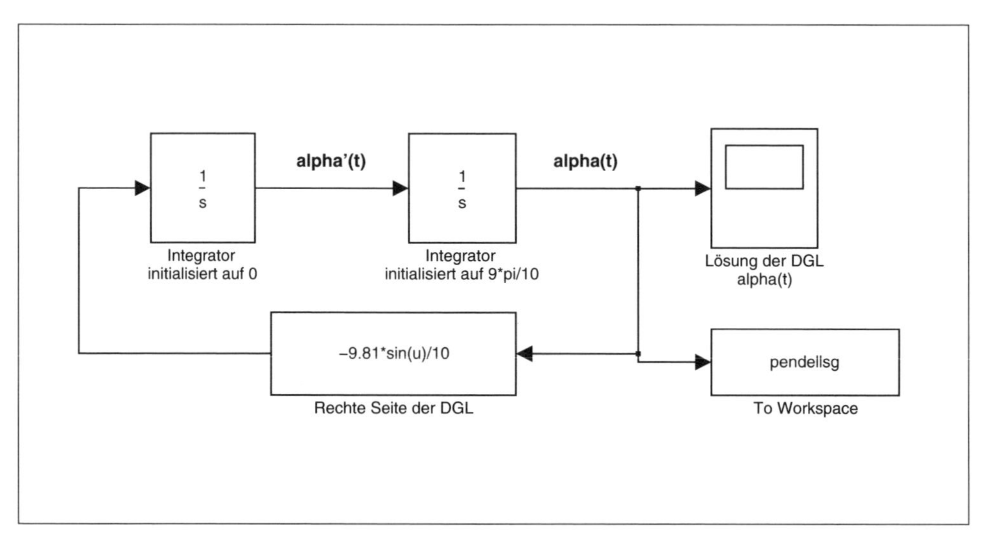

Abbildung 3.9: Simulink-System **s_LsgPendel** zur Lösung der (nicht linearisierten) Differentialgleichung des mathematischen Pendels

Lösung zu Übung 75, Seite 128 *(Datei: s_LsgDgl2ord.mdl)*

Die Abbildung 3.10 zeigt das Simulink-System, welches das Anfangswertproblem aus Gleichung 128.1 mit der Störfunktion e^{-t} löst.

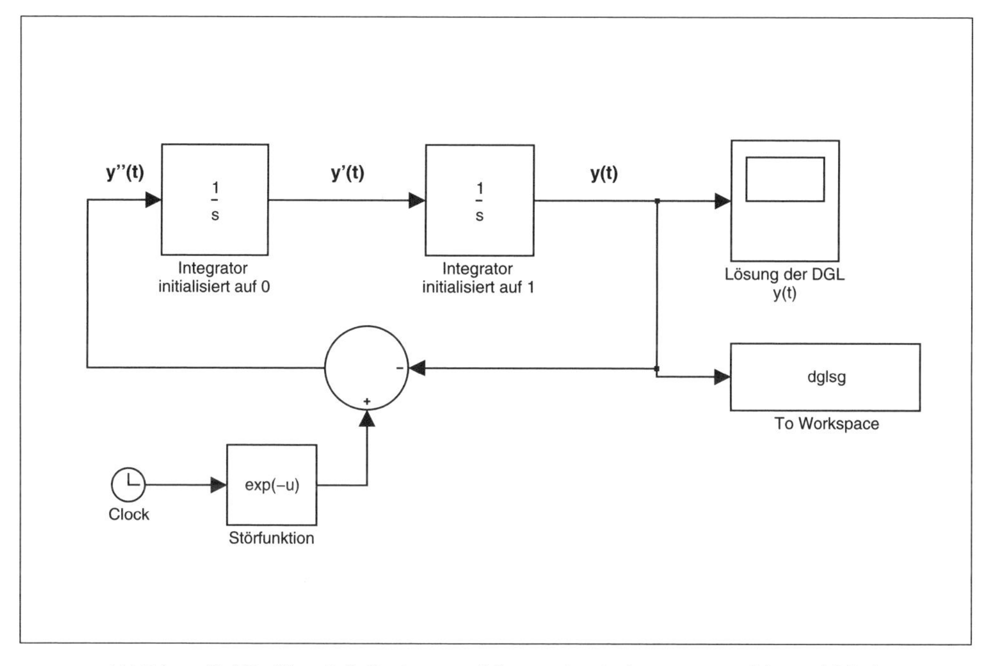

Abbildung 3.10: Simulink-System zur Lösung des Anfangswertproblems 128.1

Interessant ist hier die Implementierung der Störfunktion. Durch einem `Clock`-Block, der im Wesentlichen das Zeitargument `t` liefert, wird ein `Fcn`-Block getrieben, der auf `exp(-u)` eingestellt ist. Dadurch wird der additive Störterm e^{-t} in der Differentialgleichung (rechte Seite) erzeugt.

Lösung zu Übung 76, Seite 129 *(Datei: s_LsgVT1.mdl)*

Zunächst sollte die Gleichung 129.1 auf die Form

$$\ddot{y}(t) = \frac{1}{t}(4 - 2\dot{y}(t) - 4y(t)) \qquad y(1) = 1,\ \dot{y}(1) = 1 \tag{207.1}$$

gebracht werden.

Die Abbildung 3.11 zeigt das Simulink-System, welches das Anfangswertproblem löst. Es spiegelt in grafischer Form die Gleichung 207.1 wider.

Man beachte, dass der Simulationsstartzeitpunkt auf 1 gesetzt werden muss (s. Anfangswerte)!

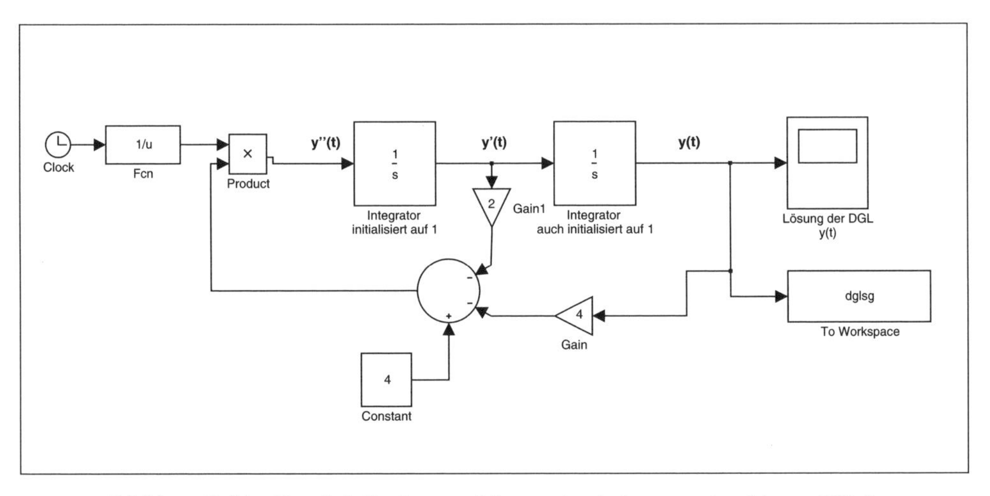

Abbildung 3.11: Simulink-System zur Lösung des Anfangswertproblems 129.1

Lösung zu Übung 77, Seite 129 *(Datei: s_LsgVT2.mdl)*

Im Gegensatz zu den im Abschnitt 2.3, S. 120ff vorgestellten Beispielen handelt es sich im vorliegenden Fall um die Lösung eines (linearen) Differentialgleichungs*systems*.

Die Lösung eines solchen Systems von Gleichungen kann allerdings unter Simulink genauso durchgeführt werden, wie im Falle einer einzigen Differentialgleichung. Der Unterschied ist lediglich, dass die Gleichungen miteinander verkoppelt sind, was sich in entsprechenden Verknüpfungen von Blöcken unter Simulink niederschlägt

Die Abbildung 3.12 zeigt eine mögliche Simulink-Lösung für das Anfangswertproblem aus Gleichung 129.2.

Man erkennt hier beispielsweise, dass sich das Signal `y1'(t)` aus der Addition der Signale `-2y2(t)` und `-3y1(t)` ergibt. Dies entspricht genau der ersten der Gleichungen 129.2.

Das Differentialgleichungssystem ist geschlossen lösbar. Mit Hilfe des Kommandos `dsolve` können wir die Lösung folgendermaßen bestimmen:

```
» syms y1 y2                    % y1, y2 als symbolische Variablen
                                % definieren

» % Aufruf des Kommandos dsolve für Systeme (s. help dsolve)
»
» S = dsolve('Dy1 = -3*y1 -2*y2','Dy2 = 4*y1 + 2*y2', ...
                                    'y1(0) = 1','y2(0) = 1')

S =

    y1: [1x1 sym]
```

```
    y2: [1x1 sym]

» Y1 = S.y1;
» Y2 = S.y2;
» pretty(Y1)

                                 1/2        1/2              1/2
- 1/7 exp(- 1/2 t) (-7 cos(1/2 t 7   ) + 9 7    sin(1/2 t 7   ))
» pretty(Y2)

                     1/2            1/2                  1/2
1/7 exp(- 1/2 t) (13 7    sin(1/2 t 7   ) + 7 cos(1/2 t 7   ))
```

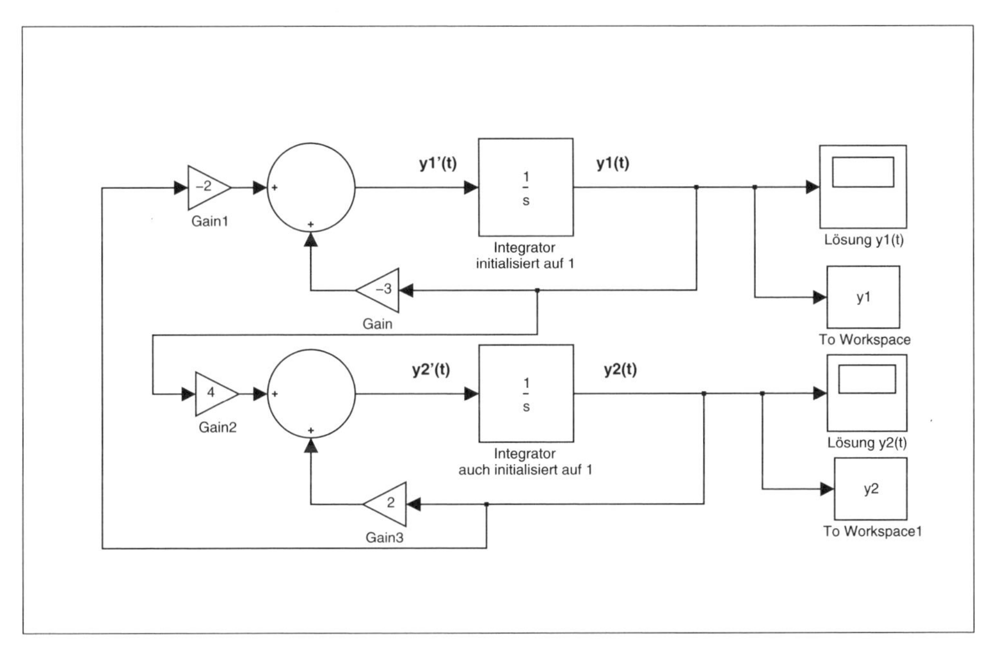

Abbildung 3.12: Simulink-System zur Lösung des Differentialgleichungssystems 129.2

Man erhält also als Lösungen die beiden gedämpften Schwingungen

$$
\begin{aligned}
y_1(t) &= -\frac{1}{7}e^{-\frac{1}{2}t}\left(-7\cos\left(\frac{\sqrt{7}}{2}t\right)+9\sqrt{7}\sin\left(\frac{\sqrt{7}}{2}t\right)\right)\\
y_2(t) &= \frac{1}{7}e^{-\frac{1}{2}t}\left(7\cos\left(\frac{\sqrt{7}}{2}t\right)+13\sqrt{7}\sin\left(\frac{\sqrt{7}}{2}t\right)\right)
\end{aligned}
\tag{209.1}
$$

Simuliert man nun das System **s_LsgVT2** mit den voreingestellten Parametern (feste Schrittweite 0.01, Zeitintervall [0,10]), so erhält man im MATLAB-Workspace die Vektoren

```
» whos
  Name        Size          Bytes  Class

  S            1x1            770  struct array
  Y1           1x1            262  sym object
  Y2           1x1            260  sym object
  y1         901x1           7208  double array
  y2         901x1           7208  double array
  zeit       901x1           7208  double array

Grand total is 2983 elements using 22916 bytes
```

Um die Lösungen miteinander vergleichen zu können, substituiert man den vom System **s_LsgVT2** erzeugten Zeitvektor `zeit` für `t` in den symbolischen Variablen `Y1, Y2` auf folgende Weise

```
» syms t                 % Symbolische Variable in Y1 und Y2
» lsg1 = subs(Y1,t,zeit);% t durch zeit-Werte ersetzen
» lsg2 = subs(Y2,t,zeit);% t durch zeit-Werte ersetzen
```

Wir können nun die numerischen Simulink-Lösungen `y1` und `y2` mit den numerischen Werten der exakten Lösungen `lsg1` und `lsg2` vergleichen. Wir tun dies, indem wir die Zahlenkolonnen miteinander vergleichen, da eine grafische Darstellung auf Grund der zu erwartenden geringen Unterschiede nicht sinnvoll wäre.

```
» [lsg1(1:25),y1(1:25)]    % Darstellung der ersten 25 Werte

ans =

    1.0000    1.0000
    0.9502    0.9502
    0.9006    0.9006
    0.8514    0.8514
    0.8025    0.8025
    0.7539    0.7539
    0.7056    0.7056
    0.6577    0.6577
    0.6102    0.6102
    0.5630    0.5630
    0.5161    0.5161
    0.4696    0.4696
    0.4235    0.4235
    0.3778    0.3778
    0.3324    0.3324
    0.2874    0.2874
    0.2428    0.2428
```

```
  0.1986    0.1986
  0.1548    0.1548
  0.1114    0.1114
  0.0685    0.0685
  0.0259    0.0259
 -0.0162   -0.0162
 -0.0580   -0.0580
 -0.0993   -0.0993
```

In der Tat sind bei den ersten 25 Werten keinerlei Unterschiede festzustellen. Auf eine entsprechende Prüfung der zweiten Lösung soll verzichtet werden.

Der Leser möge zu Kontrolle zusätzlich die Lösungen mit geeigneten Plot-Kommandos überprüfen.

Lösung zu Übung 78, Seite 134 *(Datei: s_dglnon4.mdl)*

Die Lösung des Problems ist in Abbildung 3.13 dargestellt.

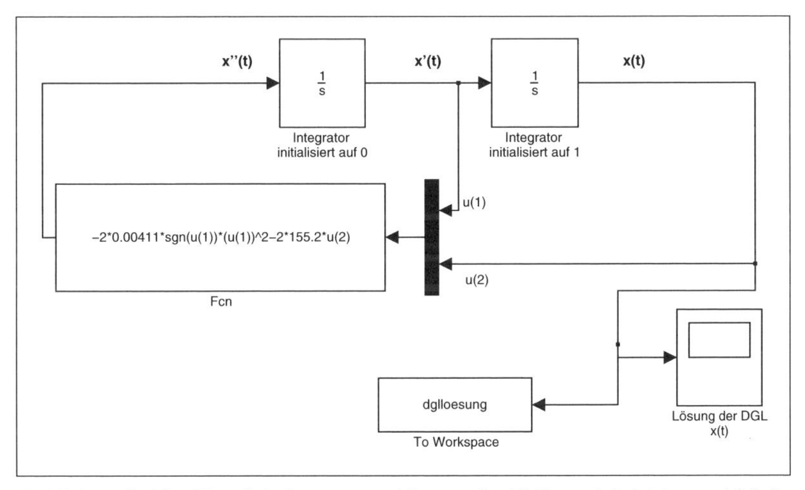

Abbildung 3.13: Simulink-System zur Lösung der Differentialgleichung 126.1

Hierbei wurden die Signale $x(t)$ und $\dot{x}(t)$ mit Hilfe eines Multiplexers zunächst zu einem vektoriellen Signal zusammengefasst. Die Differentialgleichung ist innerhalb des Fcn-Blocks realisiert, wobei auf die einzelnen Komponenten des vektoriellen Eingangssignals zugegriffen wird. Die meisten Blöcke des ursprünglichen Systems **s_dglnon** sind weggefallen.

Lösung zu Übung 79, Seite 134 *(Datei: s_LsgVT3.mdl)*

Das Differentialgleichungssystem 129.2 kann mit Hilfe von Fcn-Blöcken entsprechend Abbildung 3.14 gelöst werden.

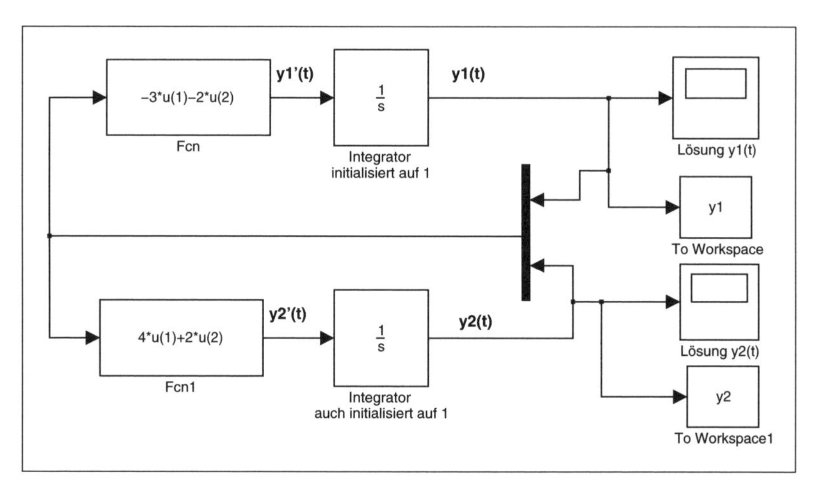

Abbildung 3.14: Simulink-System zur Lösung des Differentialgleichungssystems 129.2

Hierbei sind die rechten Gleichungsseiten jeweils wieder komplett in den `Fcn`-Blöcken realisiert und die Lösungen zu einem vektorwertigen Signal zusammengefasst, welches als Eingangssignal der `Fcn`-Blöcke verwendet wird.

Lösung zu Übung 80, Seite 134 *(Datei: s_dglnon5.mdl)*

Das Ergebnis der Zusammenfassung der Blöcke im Rückkopplungszweig ist in Abbildung 3.15 dargestellt.

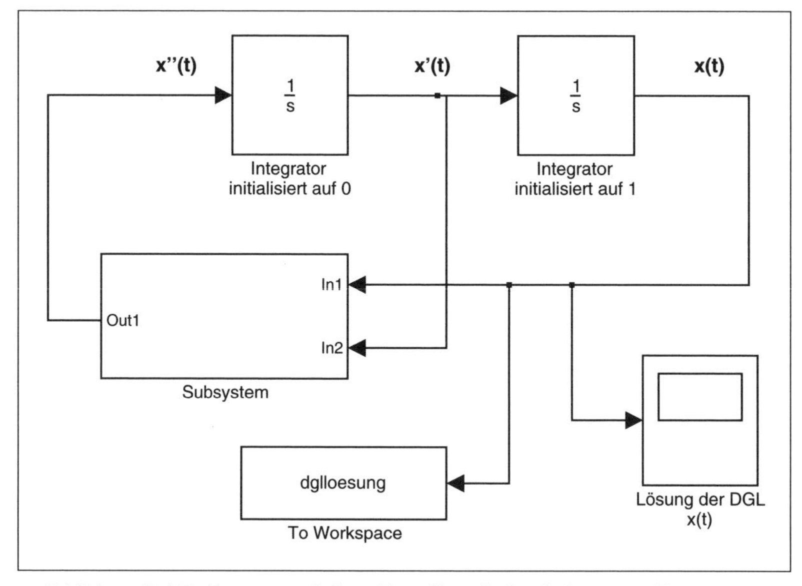

Abbildung 3.15: System **s_dglnon5.mdl** nach der Subsystem-Erzeugung.

Zunächst ist zu bemerken, dass das Subsystem im Gegensatz zu dem Beispiel aus Abschnitt 2.4 *zwei* Eingänge hat. Die Konstruktion ist ggf. etwas schwierig durchzuführen, wenn die Blöcke noch mit den Integratoren und den Senkenblöcken verbunden sind. Solange das Subsystem nicht korrekt erzeugt werden kann, wird man feststellen, dass der Menü-Eintrag `Edit - Create Subsystem` auch nicht angewählt werden kann. Sollte dies der Fall sein, so sollte man das selektierte Teilsystem noch einmal überprüfen.

Lösung zu Übung 81, Seite 149 *(Datei: keine!)*

Die Pendellänge wird in dem Simulink-System **s_Pendel** in dem `Gain`-Block zusammen mit der Erdbeschleunigung in der Form `-9.81/10` für den Verstärkungsparameter verarbeitet.

Der Block trägt den Namen `Gain`, der zu ändernde Parameter heißt ebenfalls `Gain`. Dies zeigt der Aufruf des Systems mit einem Texteditor:

```
  ...

Block {
    BlockType              Gain
    Name                   "Gain"
    Position               [70, 214, 135, 266]
    Orientation            "left"
    Gain                   "-9.81/10"
    Multiplication         "Element-wise(K.*u)"
    SaturateOnIntegerOverflow on
  }

  ...
```

Die entsprechenden Aufrufe für die Setzung der neuen Pendellängen nebst Aufruf des Systems und Plot des Ergebnisses lauten:

```
» set_param('s_Pendel/Gain','Gain','-9.81/5');
» [t,x,y] = sim ('s_Pendel', [0, 30]);
» set_param('s_Pendel/Gain','Gain','-9.81/8');
» [t1,x1,y1] = sim ('s_Pendel', [0, 30]);
» plot(t,y,'r-',t1,y1,'b:');
```

Auf eine Darstellung der Grafik wird an dieser Stelle verzichtet.

Lösung zu Übung 82, Seite 149 *(Datei: LsgSimPendel.m)*

```
function [t,Y] = LsgSimPendel(lng)
%
```

```
% ...
%
% Initialisierung der Ausgabematrix Y als leere Matrix
% und der Iterationsdauer

Y = [ ];
iterations = length(lng);

% Aufruf der Iterationsschleife für die Simulation
% Es muss in dieser Programmversion sichergestellt
% sein, dass ein Fixed-Step-Verfahren im Parameter-
% fenster eingestellt ist !!

for i=1:iterations
   % Setzen des Gain-Parameters mit set_param
   % für jede neue Iteration!
   verst = num2str(-9.81/lng(i));
   set_param('s_Pendel/Gain','Gain',verst);

   [t,x,y] = sim('s_Pendel', [0,30]);
   Y = [Y,y];
end;
```

Ein Aufrufbeispiel mit anschließendem Plot des Ergebnisses ist

```
» [t,Y] = LsgSimPendel([2,5,8,10]);
» plot(t,Y)
```

Bitte beachten Sie, dass für diese Programmversion ein Fixed-Step-Verfahren in **s_Pendel** eingestellt sein muss! Außerdem muss das Simulink-System *geöffnet* sein. Ansonsten antwortet MATLAB mit einer Fehlermeldung, etwa der folgenden Form:

```
?? Error using ==> set_param
Invalid Simulink object name: s_Pendel/Gain.

Error in ==> LsgSimPendel.m
On line 43  ==>     set_param('s_Pendel/Gain','Gain',verst);
```

Lösung zu Übung 83, Seite 149 *(Datei: LsgDglnonit.m)*

Wir geben im Folgenden lediglich die Veränderungen gegenüber dem Quelltext von **dglnonit** an:

```
function [t,Y] = LsgDglnonit(r, rho, Fc, sz, step, anfs)
%
% ...
```

```
%
% Initialisierung der Ausgabematrix Y als leere Matrix
% und der Iterationslängen

Y = [ ];
iterations1 = length(r);
iterations2 = length(Fc);  % neu gegenüber dglnonit

% Aufruf der Iterationsschleifen ...

for k=1:iterations2  % neu gegenüber dglnonit

        for i=1:iterations1
         ...
        c = num2str(Fc(k));      % neu gegenüber dglnonit
        set_param('s_dglnon3/Faktorc','Gain',c);
        [t,x,y] = sim('s_dglnon3', [0,sz]);
        Y = [Y,y];
   end;

end;  % neu gegenüber dglnonit
```

Ein Aufrufbeispiel mit anschließendem Plot des Ergebnisses ist

```
» [t,Y] = LsgDglnonit([3.0 20.0], 1.29/1000, ...
                     [155.2 205.2], 5, 0.01, [0,1]);
» plot(t,Y)
```

Auf eine Darstellung der Grafik soll wiederum verzichtet werden.

Lösung zu Übung 84, Seite 149 *(Datei: s_LsgSin.mdl,LsgSimSin.m)*

Das Simulink-System **s_LsgSin** besteht lediglich aus einem `Sine Wave`-Block und einem `Outport`, so dass auf eine grafische Darstellung verzichtet werden kann.

Das System kann durch die nachfolgende Funktion für einem Frequenzvektor aufgerufen werden:

```
function [t,Y] = LsgSimSin(frequenzen)
%
% ...
%
Y = [ ];
iterations = length(frequenzen);

% ...
```

```
for i=1:iterations
   % Setzen des Gain-Parameters mit set_param
   % für jede neue Iteration!
   frq = num2str(frequenzen(i));
   set_param('s_LsgSin/Sinusfunktion','Frequency',frq);

   [t,x,y] = sim('s_LsgSin');
   Y = [Y,y];
end;
```

Ein Aufrufbeispiel mit anschließendem Plot des Ergebnisses ist

```
» [t,Y] = LsgSimSin(2*pi*[0.1, 0.3]);
» plot(t,Y)
```

Lösung zu Übung 85, Seite 150 *(Datei: s_LsgSimDgl.mdl,LsgSimDgl.m)*

In Abbildung 3.16 ist zunächst das Simulink-System wiedergegeben, welches das Anfangswertproblem aus Gleichung 150.1 löst.

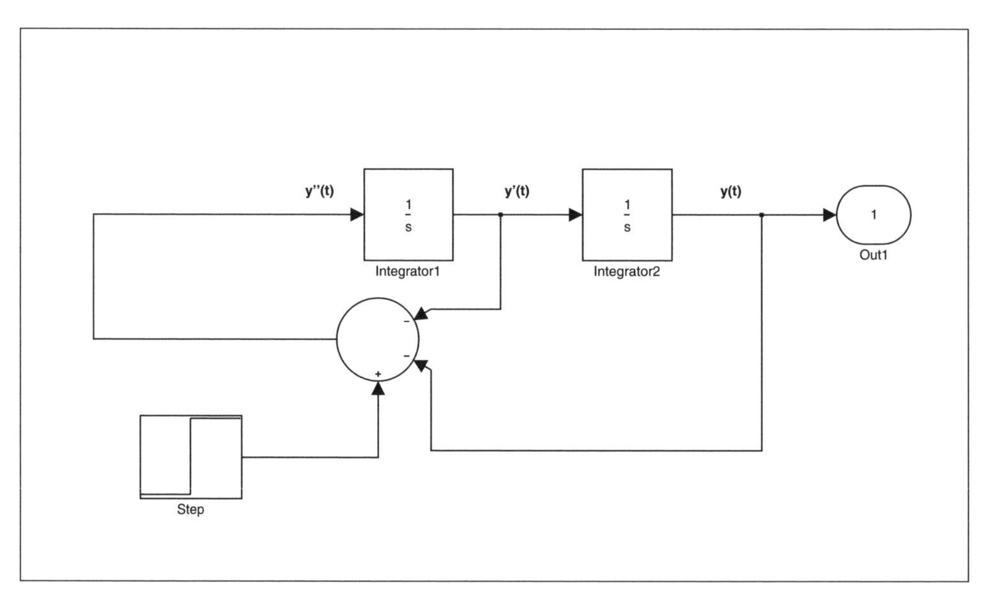

Abbildung 3.16: Simulink-System zur Lösung des Anfangswertproblems 150.1

Das System kann durch die nachfolgende Funktion für variable Stufenhöhen h aufgerufen werden:

```
function [t,Y] = LsgSimDgl(hoehen)
%
% ...
```

```
...

for i=1:iterations
   % Setzen des Gain-Parameters mit set_param
   % für jede neue Iteration!
   h = num2str(hoehen(i));
   set_param('s_LsgSimDgl/Step','After',h);

   [t,x,y] = sim('s_LsgSimDgl');
   Y = [Y,y];
end;
```

Ein Aufrufbeispiel mit anschließendem Plot des Ergebnisses ist

```
» [t,Y] = LsgSimDgl([1,2,3]);
» plot(t,Y)
```

Lösung zu Übung 86, Seite 156 *(Datei: s_LsgKennlinie.mdl)*

Abbildung 3.17 zeigt das zu entwerfende Simulink-System.

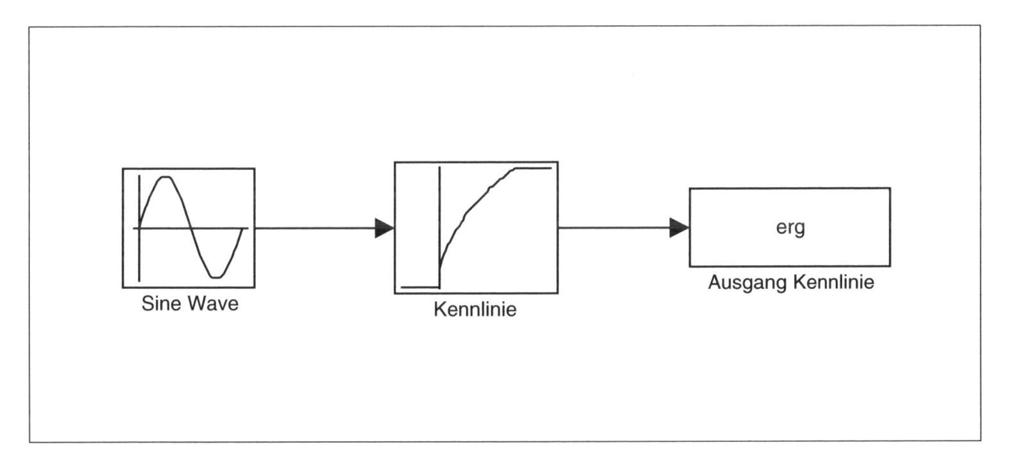

Abbildung 3.17: Simulink-System zur Simulation der Kennlinie 156.1

Für die korrekte Parametrierung des Systems muss die Kennlinie zunächst in einer für den Kennlinienblock geeigneten Form unter MATLAB definiert werden. Wir setzen x und $k(x)$ in zwei MATLAB-Vektoren um. Da die Funktion $k(x)$ abschnittsweise definiert ist, muss dies auch abschnittsweise geschehen:

```
» x1=(-2:0.1:0);      % Negative x-Achse bis -2
» x2=(0:0.1:4);       % Bereich k(x)=Wurzel(x)
» x3=(4:0.1:6);       % Bereich größer 4 bis 6
» y1=zeros(1,length(x1));
```

```
» y2=sqrt(x2);        % Funktionswerte definieren
» y3=2*ones(1,length(x3));
» x=[x1,x2,x3];       % Vektoren zusammensetzen
» k=[y1,y2,y3];
```

Man beachte, dass der Kennlinienblock die Werte außerhalb der definierten Abschnitte *extrapoliert*. Im vorliegenden Fall also mit 0 nach unten und 2 nach oben, wie in der Definition von $k(x)$ auch vorgesehen.

Wie Sie feststellen, waren die vorangegangenen Kommandos noch einmal eine Übung zu den in Kapitel 1 besprochenen MATLAB-Techniken.

Nachdem diese Anweisungen unter MATLAB abgesetzt wurden, ist die Kennlinie im Kennlinienblock zu erkennen, wenn die Vektoren `x` und `k` dort entsprechend eingetragen werden. Zudem tragen wir noch die Variable `amp` in den Amplituden-Parameter des `Sine Wave`-blocks ein, um die Amplitude von MATLAB aus ändern zu können.

Die Simulation für die Amplituden 1, 3 und 5 liefert mit

```
» amp=1;            % Amplitude auf 1 setzen
% Jetzt Simulink-System s_LsgKennlinie simulieren
» erg1=erg;         % Ergebnis umspeichern
» amp=3;            % Amplitude auf 3 setzen
% Jetzt nochmals Simulink-System s_LsgKennlinie simulieren
» erg3=erg;         % Ergebnis umspeichern
» amp=5;            % Amplitude auf 5 setzen
% Jetzt nochmals Simulink-System s_LsgKennlinie simulieren
» erg5=erg;         % Ergebnis umspeichern
» plot(t,erg1,'r-',t,erg3,'b:',t,erg5,'g--');
```

das in Abbildung 3.18 dargestellte Ergebnis.

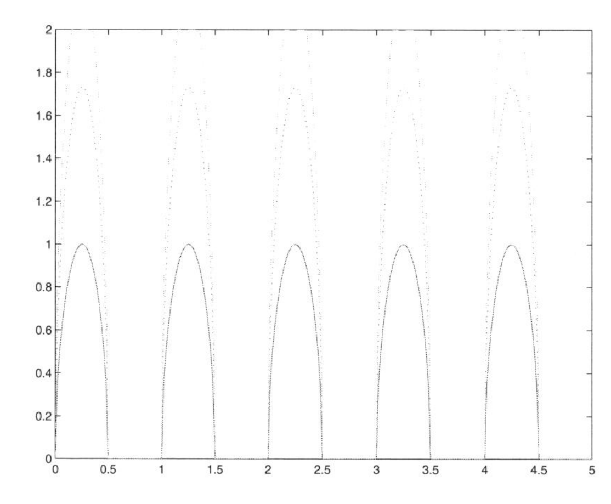

Abbildung 3.18: Simulation von **s_LsgKennlinie** mit `amp=1,2` und `5`

Man erkennt, dass der Sinus für seine negativen Werte durch die Kennlinie auf 0 gesetzt wird. Überschreitet die Amplitude den Wert 4, so bleibt der Ausgangswert für diese Zeit auf 2. Dazwischen wird $\sqrt{a \sin(2\pi x)}$ geplottet.

Lösung zu Übung 87, Seite 156 *(Datei: s_LsgKennfeld.mdl)*

In Abbildung 3.19 zeigt das zu entwerfende Simulink-System.

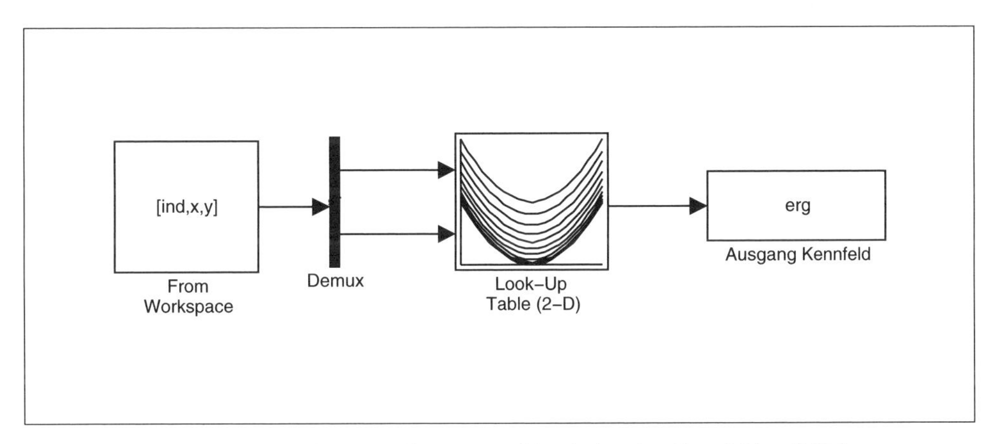

Abbildung 3.19: Simulink-System zur Simulation des Kennfeldes 156.2

Für dieses System müssen die in **s_LsgKennfeld** eingestellten Kennfeldparameter `x,y` und `k` durch folgende MATLAB-Anweisungen gesetzt werden:

```
» x=(-1:0.1:1);
» y=(-1:0.1:1);
» ind=(0:1:length(x)-1);
» [X,Y] = meshgrid(x,y);
» k=X.^2+Y.^2;
```

Die Parameter des `From Workspace`-Blocks `ind`, `x` und `y` müssen *unbedingt Spaltenvektoren* sein. Daher müssen noch vorab folgende MATLAB-Kommandos abgesetzt werden:

```
» x=x';
» y=y';
» ind=ind';
```

Die Simulation liefert, wie erwartet, als Ergebnis den Funktionsgraph der Funktion $2 \cdot x^2$ im Intervall $[-1,1]$. Auf eine grafische Darstellung dieses Ergebnisses wird verzichtet.

Tabellen

A.1 Tabelle der arithmetischen MATLAB-Operationen

Die folgenden Tabellen geben einen Überblick über die Verwendung der arithmetischen Operationen von MATLAB als Matrix- und Feldoperationen.

Dabei werden als Beispielmatrizen die Matrizen

$$A = \begin{pmatrix} 2 & 1 \\ 1 & 1 \end{pmatrix} \qquad B = \begin{pmatrix} -1 & 1 \\ 1 & 1 \end{pmatrix}$$

und als Beispielvektoren die Vektoren

$$\vec{a} = \begin{pmatrix} 2 \\ 1 \end{pmatrix} \qquad \vec{b} = \begin{pmatrix} -1 \\ 1 \end{pmatrix}$$

verwendet.

A.1.1 Arithmetische Operationen als Matrixoperationen

Die erste Tabelle gibt einen Überblick über die arithmetische Operationen von MATLAB als *Matrixoperationen*:

Operation in MATLAB	Wirkung	Beispiel
A+B	Matrixaddition	$A + B = \begin{pmatrix} 1 & 2 \\ 2 & 2 \end{pmatrix}$
A−B	Matrixsubtraktion	$A + B = \begin{pmatrix} 3 & 0 \\ 0 & 0 \end{pmatrix}$
a+b	Vektoraddition	$\vec{a} + \vec{b} = \begin{pmatrix} 1 \\ 2 \end{pmatrix}$
A∗B	Matrixmultiplikation	$A \cdot B = \begin{pmatrix} -1 & 3 \\ 0 & 2 \end{pmatrix}$

Operation in MATLAB	Wirkung	Beispiel
a∗b (Fehler!)	undefiniert!	
−3∗B	Skalarmultiplikation	$-3 \cdot A = \begin{pmatrix} -6 & -3 \\ -3 & -3 \end{pmatrix}$
A\B	linke Division	$A^{-1} \cdot B = \begin{pmatrix} -2 & 0 \\ 3 & 1 \end{pmatrix}$
A/B	rechte Division	$A \cdot B^{-1} = \begin{pmatrix} -\frac{1}{2} & -\frac{3}{2} \\ 0 & 1 \end{pmatrix}$
A^2	Potenzierung	$A^2 = \begin{pmatrix} 5 & 3 \\ 3 & 2 \end{pmatrix}$
2^A (Fehler!)	undefiniert!	
a^2 (Fehler!)	undefiniert!	

A.1.2 Arithmetische Operationen als Feldoperationen

Die folgende Tabelle stellt dem einen Überblick über das Verhalten der arithmetischen Operationen von MATLAB als *Feldoperationen* gegenüber:

Operation in MATLAB	Wirkung	Beispiel
A.+B (Fehler!)	unsinnig, da $A + B$ schon komponentenweise	
A.−B (Fehler!)	unsinnig, da $A - B$ schon komponentenweise	
a.+b (Fehler!)	unsinnig, da $\vec{a} + \vec{b}$ schon komponentenweise	
A.∗B	Komponentenprodukt	$A \cdot B = \begin{pmatrix} -2 & 1 \\ 1 & 1 \end{pmatrix}$

Operation in MATLAB	Wirkung	Beispiel
a.*b	Komponentenprodukt	$\vec{a}.*\vec{b} = \begin{pmatrix} -2 \\ 1 \end{pmatrix}$
−3.*B (geht!)	Skalarmultiplikation	s. Tab. A.1.1
A.\B	Komponentendivision	$A.\backslash B = \begin{pmatrix} -0.5 & 1 \\ 1 & 1 \end{pmatrix}$
A./B	Komponentendivision	$A./B = \begin{pmatrix} -0.5 & 1 \\ 1 & 1 \end{pmatrix}$
A.^2	Komponentenpotenzierung	$A^2 = \begin{pmatrix} 4 & 1 \\ 1 & 1 \end{pmatrix}$
2.^A	2 hoch Komponente	$2^A = \begin{pmatrix} 4 & 2 \\ 2 & 2 \end{pmatrix}$
a.^2	Komponentenpotenzierung	$a.^2 = \begin{pmatrix} 4 \\ 1 \end{pmatrix}$

Literaturverzeichnis

1. Beucher, O., *Skriptum zum Kompaktkurs Numerische Programmierung – Programmierung in MATLAB/Simulink*. Vorlesungsskript FH Karlsruhe, 2. Auflage, 1999

2. Beucher, O., *Skriptum zur Vorlesung Signale&Systeme I*. Vorlesungsskript FH Karlsruhe, 2. Auflage, 1999

3. Bosch, *Kraftfahrtechnisches Taschenbuch*. Robert Bosch GmbH, 21. Auflage, 1991

4. Braun, M., *Differentialgleichungen und ihre Anwendungen*. Springer, 1. Auflage, 1979

5. Föllinger, O., *Regelungstechnik – Einführung in die Methoden und ihre Anwendungen*. Springer, 1994

6. Führer, A. et al., *Grundgebiete der Elektrotechnik, Band 1–2*. Hanser, 6. Auflage, 1998

7. Heuser, H., *Gewöhnliche Differentialgleichungen*. B.G. Teubner, 2. Auflage, 1991

8. Hoffmann, J., *MATLAB und Simulink – Eine praxisorientierte Einführung in die Simulation dynamischer Systeme*. Addison-Wesley, 1997

9. Hoffmann, J., *MATLAB und Simulink – in Signalverarbeitung und Kommunikationstechnik*. Addison-Wesley, 1999

10. Hoffmann, J., Brunner, U., *MATLAB & Tools für die Simulation dynamischer Systeme*. Addison-Wesley, 2002

11. Koblitz, R., *Skriptum zur Vorlesung Elektrotechnik I und II*. Vorlesungsskript FH Karlsruhe, 1998

12. Shampine, L. F. und Reichelt, M. W., *The MATLAB ODE Suite*. `ftp://ftp.mathworks.com/pub/mathworks/toolbox/matlab/funfun/`

13. Marchand, P., *Graphics and GUIs with MATLAB*. CRC Press, 1999

14. Papula, L., *Mathematik für Ingenieure und Naturwissenschaftler, Band 1–3*. Vieweg, 1994

15. Scherf, H., *Skriptum zur Vorlesung Regelungstechnik I*. Vorlesungsskript FH Karlsruhe, 2. Auflage, 1998

16. *SIMULINK – Dynamic System Simulation for MATLAB (Version 4)* The Math Works Inc., 2000

17. *Using MATLAB (Version 6)* The Math Works Inc., 2000

18. VOGEL, H., *Gerthsen – Physik*. Springer, 18. Auflage, 1999

19. WESTERMANN, T., *Mathematik für Ingenieure mit MAPLE, Band 1–2*. Springer, 1997

Begleitsoftwareindex

Stichwortverzeichnis

L

M

T

V

W

X

Z